12
HÉROS PARMI NOUS

LES ÉDITIONS LA SEMAINE
2050, rue de Bleury, bureau 500
Montréal (Québec) H3A 2J5

Éditeur : Claude J. Charron
Éditeur délégué : Claude Leclerc
Directrice du secteur édition de livres : Dominique Drouin
Directrice des éditions : Annie Tonneau
Coordonnatrice aux éditions : Françoise Bouchard
Directrice artistique : Lyne Préfontaine
Directeur des opérations : Réal Paiement
Superviseure de la production : Lisette Brodeur
Assistante de la production : Joanie Pellerin
Conceptrice : Marie-Josée Lessard
Scanneristes : Patrick Forgues, Éric Lépine
Mise en pages : Infographie DN
Réviseures-correctrices : Marie Théoret, Louise Letendre
Photos des événements : Philippe Casgrain, Presse & cies

Photo de la couverture : Heidi Hollinger
Photos avec Céline Dion en début de chapitre : Heidi Hollinger
Assistant photo : Simon Normand
Directeur de plateau : Roger Lemoyne
Photo reportage : Mariève Desjardins aux textes, Philippe Casgrain et Presse & cies
à la photographie
Crédits photos : Pierre Dionne, photographe : Pierre Bruneau / Georges Dutil, photographe : Michel
Jasmin / Archives Radio-Canada : Marie-Claude Lavallée
Maquette de couverture : Magma Design inc. <info@magmadesign.ca>

Remerciements :
À Martyne Huot, fondatrice du réseau familles d'aujourd'hui,
sans laquelle ce projet n'aurait pas été possible.
À *Reader's Digest*, pour la recherche des enfants et de leur histoire,
spécialement à Lisa Pigeon, assistante au rédacteur en chef, *Reader's Digest*.
Héros parmi nous est une marque déposée de Périodiques *Reader's Digest* Canada Limitée.

Remerciements
Gouvernement du Québec – Programme du crédit d'impôt
pour l'édition de livres – Gestion SODEC.

L'Éditeur bénéficie du soutien de la Société de développement des entreprises culturelles
du Québec pour son programme d'édition.

© Charron Éditeur Inc.
Dépôt légal : Troisième trimestre 2008
Bibliothèque et Archives nationales du Québec
Bibliothèque et Archives Canada
ISBN : 978-2-923501-62-8

12 HÉROS PARMI NOUS

LES AUTEURS, DANS L'ORDRE DE PRÉSENTATION DES CHAPITRES

Anique Poitras

Chrystine Brouillet

Bryan Perro

Marie-Claude Lavallée

Fabienne Larouche

Charles Tisseyre

Guillaume Vigneault

Jean Lemire

Isabelle Cyr

Stéphane Laporte

Joël Legendre

Michel Jasmin

Sylvie Payette

Pierre Bruneau

ÉDITIONS
LASEMAINE

PRÉFACE

La vie est injuste, on le sait. Aux uns, elle donne tout dès la naissance, santé, richesse et beauté ; et en plus, au fur et à mesure qu'ils grandissent, parce qu'elle les trouve beaux, en forme et de bonne humeur, elle leur ajoute du pouvoir et du savoir et, tant qu'à y être, tous les talents, tous les espoirs, plein d'avoirs et de l'amour tant et aussi longtemps qu'ils en veulent.

À d'autres, elle ne donne que du mal, que de la misère et de la douleur. Tout le reste, le meilleur et le bonheur, ils devront le trouver par eux-mêmes, le construire, péniblement, jour après jour, avec leurs faibles moyens, leurs handicaps et leurs blessures parfois incurables, avec les bleus indélébiles et toujours douloureux qu'ils ont à l'âme. Et le plus incroyable, c'est qu'ils y arrivent.

Ce livre raconte des histoires qui ont commencé dans l'horreur totale et, que par leur farouche volonté et leur insatiable appétit de vivre, et avec bien sûr l'aide de quelques bonnes âmes venues généreusement à leur secours, des enfants ont su transformer en victoire éclatante, en *success stories*.

Sans doute que, pendant toute leur vie, ils chemineront dans la crainte que le feu du ciel leur tombe de nouveau sur la tête, qu'un autre raz-de-marée surgi du fin fond de la nuit les emporte encore une fois aux confins de la vie et les y abandonne après avoir tué et englouti tous ceux et celles qu'ils aimaient, ou qu'une machine démente se jette encore une fois sur eux, leur broie les os, les écorche, leur arrache des membres, ou qu'une maladie maudite s'immisce dans leurs veines et leur gâche l'existence. Ils vivront dans la peur, c'est certain ; celle-ci fera à jamais partie de leur vie. Mais ils auront également, fortement ancrée en eux, cette certitude qu'il y a de l'espoir, et qu'il y a, dans ce monde, des hommes et des femmes possédant d'énormes réserves de courage et des savoir-faire et de la science, des hommes et des femmes qui ont la volonté et les moyens de les sauver, de les guérir, de les ramener à la vie.

Hélas ! Et honte à nous ! Les bonnes âmes et les bons samaritains ne courent pas les rues. Il faut bien admettre que rares sont les gens qui s'intéressent au sort des enfants malades ou éclopés par la vie, qui sont capables de les écouter, de leur parler, de les aider. Non pas que nous soyons indifférents à leur douleur. Mais, bien au contraire, parce que nous avons peur, si nous les laissons s'approcher trop près de nous, si nous nous attardons un trop long moment auprès d'eux, de leur douleur et de leur malheur, de devenir différents. Et nous ne voulons pas être différents, nous ne voulons pas être dérangés ni changés, nous qui avons tout reçu à la naissance, santé, richesse et beauté, toutes choses que nous ne voulons pas perdre pour tout l'or du monde, que nous ne partageons jamais facilement avec qui que ce soit.

Et nous vivons, comme des ogres insatiables et insouciants, dans l'abondance, avec « de l'avoir plein nos armoires », comme dit la chanson, avec nos rendez-vous mondains, nos carrières professionnelles, nos grosses machines, nos voyages d'affaires et nos fêtes... Et parfois, et souvent, quand le ciel est maussade ou qu'il n'y a rien de bon à la télé, ou qu'on est pris dans un bouchon de circulation, ou qu'il n'y a plus de glaçons dans le congélateur, ou qu'on a mal aux cheveux, ou qu'il fait trop chaud ou trop froid, on râle et on se plaint, et plus rien ne peut nous arracher le moindre sourire. Honte à nous encore une fois !

Voici que 12 enfants amochés, éclopés, ayant connu des épreuves innommables débarquent dans notre douillet petit monde... et ils ont, eux, le sourire aux lèvres ! Contrairement à nous qui dilapidons les joies qui nous ont été données, ils traversent la vie (qui pourtant n'a vraiment pas été généreuse avec eux) en ramassant sur leur chemin chaque petite miette de bonheur qu'ils aperçoivent, un rayon de soleil entré par la fenêtre, une accalmie que leur donne certains jours la douleur, un air de guitare, un sourire, une main tendue...

Ces enfants sont, en fait, de très grandes personnes, des forces de la nature humaine. Ils sont tous allés aux confins de la vie. Ils sont allés *ailleurs*, bien malgré eux, dans un ailleurs effrayant et effarant où personne ne souhaite aller. Parce qu'il est trop rempli de douleur, trop proche de la mort et du mal et qu'on risque de n'en jamais revenir. Ils auraient fort bien pu eux-mêmes ne jamais entrer de cet ailleurs de malheur. Il y a des gens, bien nantis, gâtés, comblés par la vie, qui, par dépit, par faiblesse, se donnent la mort; ces enfants, qui avaient pourtant bien peu de raisons d'espérer, se sont donné la vie. Et ils se la redonnent tous les jours. Ils s'accrochent à cette vie avec un magnifique et exemplaire acharnement, comme pour signifier que même quand elle a été mesquine, injuste, méchante et cruelle, rien, jamais rien, ne vaut la vie. Voilà ce qu'ils nous apprennent, fièrement et noblement: qu'ils sont « toujours vivants », toujours vainqueurs.

Leur aventure devient ainsi un vibrant hommage à la vie; et pour nous, pour peu qu'on soit le moindrement attentifs, une inoubliable leçon. Ils nous apprennent que la vie est un trésor, le seul trésor, l'inestimable et irremplaçable trésor que nous possédons. Ne le dilapidons pas. Et ces enfants, ne les plaignons pas, mais admirons-les, célébrons-les. Ce sont des survivants, des combattants, des héros. Ce sont aussi des créateurs et des révélateurs de héros.

Dans chacune de ces histoires se profile en effet un être qui, touché par la vue d'un enfant en grande difficulté, a choisi de changer le cours de sa propre vie pour le rescaper, d'investir son temps, ses énergies, ses avoirs et ses pouvoirs, et parfois même de risquer sa propre santé, sa propre vie, pour le sortir du monde de l'horreur et de la nuit. On parle donc ici de double miracle: celui d'un enfant revenu de l'univers des morts et celui d'un être transformé, sorti de son égoïsme et de son indifférence, devenu, grâce à cet enfant, un être de charité...

Il faut espérer que les êtres comblés par la nature et la chance s'ouvrent davantage aux autres, qu'ils ne ferment jamais les yeux, qu'ils apprennent à voir qu'il y a autour d'eux des enfants qui ont faim et froid, qui ont peur et mal, et qui nous offrent cette chance inouïe de devenir différents, meilleurs, sans doute même plus heureux.

Ce don d'empathie, certains l'ont reçu à la naissance, on dirait, ou l'ont acquis très tôt et le conserveront toute leur vie. Il semble bien que ce soit le cas de Céline Dion. Elle a toujours été remarquablement attentive aux autres, particulièrement aux tout-petits, aux plus démunis et aux plus menacés des tout-petits. Elle sait, avec un naturel stupéfiant, entrer en contact avec les enfants gravement malades ou irrémédiablement blessés, les faire se raconter, les faire rire aux éclats, jouer avec eux, parler réellement avec eux de leurs bobos, de leurs espoirs. C'est dans ces liens que des gens comme elle savent créer, dans ces rencontres d'âme à âme que s'amorcent les guérisons et les retours à la vie.

On connaît déjà l'implication de longue date de la célèbre chanteuse auprès de l'Association québécoise de la fibrose kystique et son attachement au CHU Sainte-Justine dont elle a parrainé, avec son mari, René Angélil, la dernière campagne de collecte de fonds. Ce qu'on sait moins, parce qu'elle ne le crie pas sur les toits, c'est qu'elle s'implique réellement : elle rencontre des enfants malades et blessés, elle va vraiment chez eux, elle entre dans leur douleur et dans leur peur. Et elle leur apporte ce qui peut, plus que tout, changer leur vie. L'espoir qu'ils ont, la détermination dont ils font preuve, la force qui est la leur, tout cela leur vient beaucoup de semblables contacts.

Si ces enfants trouvent la force et le goût de guérir, c'est en effet bien souvent parce qu'ils ont vu, grâce à des êtres de générosité et de charité, que la vie vaut la peine d'être vécue. Ce que des intervenants et des aidants naturels comme Céline leur apportent, au cours de ces rencontres, ce sont des preuves que notre monde, si plein de désordre, de violence, d'injustice et de faiblesse soit-il, reste ouvert et accueillant, qu'il y a toujours des raisons d'espérer, de croire que ce monde est meilleur aujourd'hui qu'hier, et que les gens qui le peuplent deviennent avec le temps plus attentifs les uns aux autres. Et, au bout du compte, que l'amour et l'humanité existent encore.

Georges-Hébert Germain

MOT DE L'ÉDITEUR

Voici un livre tout à fait exceptionnel. D'abord, parce qu'il présente des histoires bouleversantes d'enfants qui ont réussi à se sortir de terribles épreuves. Douze jeunes, aujourd'hui en santé et réunis à Montréal pour rencontrer Céline Dion. *12 héros parmi nous* est un hommage à la vie, au courage... et à la générosité.

De plus, c'est un livre qui a été rendu possible parce que des auteurs et des personnalités du Québec ont accepté d'écrire un texte pour chacun des enfants et de l'offrir gracieusement. Chaque auteur a donc « son » protégé, à qui il donne un écrit. Je tiens à remercier spécialement les quatorze auteurs qui se sont joints avec tellement d'enthousiasme au projet.

12 héros parmi nous offre enfin une galerie de photographies prises par Heidi Hollinger, dont la réputation n'est plus à faire, et un reportage sur le séjour des enfants.

Cet événement est unique, tout autant que le livre que je suis fier de vous présenter ici. Des centaines de bénévoles ont travaillé, certains pendant des mois, pour mener à bien ce magnifique projet dirigé de main de maître par Martyne Huot, celle par qui le bonheur arrive.

À tous ces enfants héroïques qui ont accepté de vivre cette expérience, à Céline, à René, aux auteurs ainsi qu'à ceux qui ont participé de près ou de loin à l'aventure, je tiens à vous dire un immense merci.

Claude J. Charron

Chapitre 1

SAUVÉ DES FLAMMES

L'histoire de Mario Lemire Junior

Nous sommes le 5 septembre 1994. Comme à l'habitude, Luc Fleurant et Serge Rioux patrouillent de nuit dans leur secteur des Laurentides lorsqu'un appel d'urgence retentit. Dans un quartier résidentiel de Sainte-Adèle, un homme menace de s'immoler par le feu. Au moment où les policiers arrivent sur les lieux, le corps de l'homme est déjà aspergé de liquide inflammable. Les yeux emplis de désespoir, il brandit l'allumette qui pourrait lui être fatale. Or, cet homme qui veut en finir avec la vie n'est pas seul dans l'appartement : dans une chambre adjacente, un bébé de neuf mois dort à poings fermés dans sa couchette, inconscient du danger.

Les deux agents ont tout juste le temps de faire évacuer le petit immeuble à appartements avant que l'homme ne commette l'irréparable. En quelques secondes, la pièce s'embrase et la fumée obscurcit tout. Avançant à tâtons, Luc Fleurant réussit à accéder à la chambre du bébé, qu'il ramasse aussitôt. Mais, alors qu'il est sur le point de quitter l'immeuble avec l'enfant dans les bras, un appel d'air referme la porte et déclenche un retour des flammes. Transformé en torche humaine, le policier prend panique, dépose le bébé et cherche désespérément une issue.

Puis, tout se précipite. Jean-Sébastien Deslauriers, un jeune homme du voisinage présent sur les lieux, arrive à dégager Luc

Fleurant du brasier et à éteindre les flammes qui grimpent sur son dos. Sur le sol, à quelques pas de là, il remarque une masse qui a l'aspect d'une poupée calcinée. Surpris de voir cette masse bouger, il constate avec stupeur qu'il s'agit d'un bébé.

L'uniforme en lambeaux et le corps brûlé au deuxième et au troisième degré, Luc Fleurant s'effondre par terre et gémit de douleur. En dépit de la souffrance extrême qui lui transperce le corps, il s'informe de l'enfant qu'il n'a pu complètement arracher aux flammes. On lui apprend que des agents arrivés en renfort ont réussi à évacuer le petit.

Luc Fleurant est transporté au Centre des grands brûlés de Montréal. Avant de le plonger dans un coma artificiel, un médecin lui rappelle que sa survie dépend avant tout de sa volonté. Dans les faits, il a une chance sur trois de s'en tirer. Au cours des mois de convalescence suivant son éveil, cinq semaines plus tard, les pensées du policier se tournent souvent vers le bébé qui, comme lui, subit une intervention chirurgicale presque tous les jours. Il en a des nouvelles par l'entremise d'une infirmière de Sainte-Justine, où le petit est soigné. Luc Fleurant choisit la vie. Toutefois, le long processus de guérison entamé par le policier est loin de n'affecter que son corps. Il doit sans cesse se battre contre les pensées négatives qui l'assaillent. Dans la masse des nuages noirs qui planent au-dessus de sa tête, il y a de la culpabilité. Certains lui reprochent d'avoir tenté de sauver le bébé. Il sait que celui-ci a été gravement affecté par l'accident, que les mains et une des jambes de l'enfant ne sont plus que des moignons.

Pendant ce temps, dans les corridors de l'aile pédiatrique de l'hôpital Sainte-Justine, Myriam Lemire salue les infirmières et les médecins au passage, telle une habituée des lieux. Ce n'est pas pour son enfant qu'elle est ici, mais pour celui de sa sœur, aux prises avec des problèmes de santé. Malgré ses trois fausses couches, Myriam ressent un profond instinct maternel et n'attend qu'un enfant pour lui témoigner son amour et sa dévotion. C'est donc à bras ouverts qu'elle accueille tempo-rairement chez elle son neveu, atteint de fibrose kystique, et qu'elle l'accompagne dans ses nombreux rendez-vous à l'hôpital. Entretenant des rapports cordiaux avec les infir-mières et les psychothérapeutes de l'établissement, elle leur confie, au gré de leurs échanges, son désir d'adopter un enfant.

Quand la psychothérapeute de l'hôpital se met à la recherche d'un foyer d'adoption pour un bambin que l'on a rescapé des flammes lors d'un incendie, elle songe tout naturellement à cette femme au grand cœur. Auparavant, plusieurs familles s'étaient montrées intéressées à adopter l'enfant d'un an et demi, mais elles avaient toutes flanché au moment de le rencontrer, incapables de faire face à sa peau rougeâtre encore boursoufflée par les brûlures et marquée par les stigmates de ses nombreuses greffes de peau, la plupart infructueuses. Son corps, brûlé à 85 %, avait subi plus de 30 opérations.

Myriam n'avait encore jamais rencontré l'enfant, mais elle connaissait son histoire. Le bambin, dont les mains et une des jambes n'étaient plus que des membres atrophiés, était surnommé « l'enfant marche-terre ».

Le jour de la rencontre, Myriam ne peut cacher sa nervosité. Enfin face à l'enfant, elle doit d'abord s'habituer au fait que son corps entier est enfermé dans un corsage. Pourtant, dès qu'elle croise son regard bleu perçant, c'est le coup de foudre. L'instant d'après, elle est agenouillée auprès de l'enfant, occupée à inventer des jeux pour l'amuser. Quelques heures plus tard, il dort, blotti dans ses bras. Les infirmières sont si étonnées de voir l'enfant, de nature turbulente, si calme et serein qu'elles ont envie de le confier à Myriam sur-le-champ. De toute évidence, il a déjà adopté Myriam. Mais, il faut régler tous les papiers d'adoption pour que l'enfant devienne son petit Junior. La future maman sait que cette relation portera son lot de difficultés, mais elle est prête. Prête à vaincre sa peur bleue du sang pour faire les bandages de Junior et lui prodiguer les soins nécessaires. Prête à lui apporter tout son soutien et son réconfort. Prête à lui donner tout l'amour dont un enfant a besoin.

Vers l'âge de trois ans, un spécialiste propose à Myriam de mettre une perruque à Junior pour camoufler sa calvitie causée par les brûlures. Pour Myriam, il est hors de question de déguiser son fils. S'il y a une chose qu'elle tient à lui inculquer, c'est bien de s'accepter tel qu'il est. S'il est aimable, toutes les portes s'ouvriront, et les gens découvriront le petit garçon qu'il est au-delà de son enveloppe corporelle. Ces enseignements maintes fois répétés portent fruits, car Junior devient vite un enfant sociable, serviable et plein d'assurance, qui n'hésite jamais à aborder des inconnus.

Il y a certes des moments plus difficiles. À l'âge de cinq ans, les parents adoptifs de Junior doivent se rendre à l'évidence : les prothèses orthopédiques en gel qui lui permettaient de marcher causent des lésions et l'amputation se présente comme la seule solution. Myriam et son conjoint Mario doivent prendre une décision crève-cœur et tâcher d'accepter que Junior, un garçon si actif, soit condamné à regarder le monde à ras le sol.

Une autre étape éprouvante survient quelques années plus tard. Pendant toute son enfance, Junior a expliqué sa condition physique par le fait qu'une boule de feu avait traversé sa maison. Or, il fallait maintenant lui révéler la vérité sur son accident avant qu'il ne la découvre par lui-même. Cette épreuve, facilitée par le travail d'une psychologue, se déroule plutôt bien, même si Junior n'est toujours pas prêt à rencontrer celui qui l'a abandonné dans les flammes.

Aux portes de l'adolescence, Junior a de nouveaux défis à relever. Après des essais infructueux, il espère encore trouver des prothèses qui lui permettront de marcher à nouveau et de pratiquer tous les sports dont il rêve. « Tant qu'il y a de la vie, il y a de l'espoir. » Ce sont là des paroles qu'aime répéter Junior...

Lorsqu'on lui demande ce qu'il veut faire plus tard, Junior répond qu'il veut aider les autres. Selon sa mère, il les aide déjà beaucoup. Par son courage et sa détermination, il leur rappelle qu'il ne faut pas se laisser abattre par les aléas de la vie. D'ailleurs, Junior adore prendre le micro pour raconter son histoire. Myriam déborde de fierté lorsqu'elle voit son fils, un

Mario et Luc Fleurant, qui lui a sauvé la vie.

Crédit photo : Yves Beaulieu

garçon habituellement hyperactif, s'exprimer devant une foule avec calme et avec une surprenante limpidité. Elle l'imagine déjà conférencier.

Quant à Luc Fleurant, le policier qui a sauvé la vie de Junior, il a repris l'uniforme. Lorsqu'il a revu Junior pour la première fois, dix ans après l'accident, il a été soulagé de rencontrer un garçon qui mord dans la vie à belles dents. La volonté incroyable de ce « grand bonhomme » l'a profondément inspiré. Dans sa malchance, Junior a eu la chance de trouver des parents formidables.

Tiré de « Héros parmi nous », par Harold Gagné. © Périodiques Reader's Digest Canada Limitée ; Sélection, juin 2007. Adapté par Mariève Desjardins, les Éditions La Semaine.

DES JAMBES DE LUMIÈRE

Un texte d'Anique Poitras,
offert par l'auteure à Mario Lemire.

À Mario

The truth must dazzle gradually
Or every man be blind.
« La vérité doit éblouir graduellement
Autrement tout homme serait aveugle. »

Emily Dickinson
Tell All The Truth

Premier temps

Québec, juin 2008

Je t'aime déjà. Mais tu entres dans ma vie avec fracas.

Je viens de recevoir les documents concernant le projet de ce livre et je m'apprête à lire les présentations d'enfants. La première, c'est la tienne. Je ressens un grand coup.

La nuit orange, le feu. Tu cries, terrorisé. Un ange auprès de toi tente de te rassurer, mais en pleine terreur, il est difficile de croire à ses promesses.

Quelques lignes sur toi et c'est tout. J'entame la présentation suivante. Les lettres chancellent sur la feuille, les mots s'éparpillent dans mon esprit et leur sens m'échappe complètement. Que se passe-t-il ?

Le feu. Le feu n'est pas éteint dans l'histoire précédente. Le bébé souffre.

Je me reprends. Toutes ces histoires d'enfants miraculés méritent mon attention. Je veux les lire, mais tes pleurs, Mario, m'empêchent de me concentrer.

— Attends, que je te dis, ça ne sera pas long, je vais revenir !

Tu hurles de plus belle. Tu ne veux pas te calmer. Tu ne veux pas attendre. Même l'ange qui veille sur toi commence à s'impatienter.

Je me bouche les oreilles pour achever ma lecture. Il n'y a pas que toi, tu sais !

Tu t'en fous. Tu continues de m'appeler. Je n'ai même pas encore décidé si je participerai à ce projet. Je m'accorde vingt-quatre heures de réflexion avant de donner ma réponse. La cause me touche, mais le temps me manque. La vraie de vraie vérité, Mario, c'est que tu me fais peur. Sauvée par la cloche : je dois aller chercher mon fils à l'école.

Non. Tu es là. À côté de moi, sur le trottoir. Je me surprends à te saluer. Tu as du culot, tu sais !

Deuxième temps

J'ai passé la nuit dans un cauchemar, sur un bateau qui tanguait. Une nuit pleine de peurs. Peur que le bateau coule. Peur de me noyer. Peur de ce que je ressens, mais que je ne comprends pas. Peur de ce qui m'attend à mon réveil.

En ouvrant les yeux, je t'aperçois, dans ma chambre, près de la fenêtre. Agacée, je marmonne :

— Tu es encore là, toi ? Je n'ai toujours pas pris de décision.

Tu répliques du tac au tac :

— Je sais, mais on s'en fout !

— Comment, on s'en fout ?

Tu me réponds :

— Je vais te jouer un sacré tour !

— Tu m'intrigues, Mario !

— Et c'est le but ! ajoutes-tu, fier de toi.

Et vlan ! Tu m'as cloué le bec. Tu m'énerves ! Je sors du lit à toute vitesse et je cours me préparer un café.

* * * *

J'entre dans mon bureau sur la pointe des pieds. Tu m'attendais. J'essaie de rester calme et te demande :

— Mario, qu'est-ce que tu veux, au juste ?

Tu me regardes droit dans les yeux et tu me balances :

— Donne-moi des jambes et laisse-moi courir.

Ta requête me touche. Tu ajoutes :

— Tu as vu l'ange qui a veillé sur moi en cette nuit de grande terreur. Celle qui a fait de moi un phénix. J'ai besoin de revoir cet ange.

L'idée d'aller là-bas me rend mal à l'aise. Je dis :

— Oui, mais...

Tu me coupes la parole et poursuis :

— Arrête de penser que tu dois te censurer pour me protéger ! Je n'ai pas besoin d'être protégé, seulement accompagné. En repassant par ce feu, je renaîtrai encore une fois de mes cendres. Fais-moi confiance. Je sais que tu as peur des mots qui courent sur la feuille. Regarde-les mais ne les retiens pas. Ce sont mes jambes de lumière qui me mènent à l'ange qui veillait sur moi.

— Et moi, Mario, que ferai-je là-bas ?

— Toi, tu prendras le bébé dans tes bras et tu le sortiras de là, quitte à te brûler un bout du cœur. L'ange veille sur nous, non ? Alors, de quoi as-tu peur ? Voilà pourquoi je t'ai appelée. Allez, viens !

Tu m'entraînes dans les couloirs du temps.

Troisième temps

Sainte-Adèle, 5 septembre 1994

Nous nous arrêtons devant un immeuble. Un policier en sort et s'écroule sur le sol. Au péril de sa vie, Luc Fleurant vient d'arracher un bébé aux flammes.

J'aperçois un ange à la fenêtre.

Tu souhaites que je t'accompagne dans le logement où le feu a fait rage. J'hésite. Tu insistes. J'accepte.

À l'intérieur, l'ange nous sourit, debout, à côté d'une couchette où dort un enfant de lumière. Le bébé de chair et de sang a été emmené à l'hôpital, mais son corps de lumière est ici. D'un pas alerte, tu te diriges aussitôt vers l'ange. Il se penche vers toi et te chuchote un secret à l'oreille. Tout de suite après, tu te penches sur la couchette, tu prends le bébé et tu le serres très fort contre toi. Puis, tu te tournes vers l'ange et lui dis :

— Merci.

Le bébé de lumière disparaît dans tes bras. Lorsque tu lèves la tête, je reconnais sa lumière dans le regard que tu poses sur moi.

L'ange nous salue. Tu m'invites à te suivre. Dehors, tu t'exclames :

— Bonne affaire de faite !

Tu es très sûr de toi, et moi, de plus en plus déboussolée. Je ne comprends pas. Ça ne s'est pas passé comme prévu. Ne devais-je pas prendre le bébé dans mes bras et le sortir de là ?

— Tu n'avais pas besoin de moi, Mario. Alors pourquoi as-tu tant insisté pour que je t'accompagne ?

— Tu le sauras en temps et lieu.

Ta réponse ne me rassure pas du tout. Je me rebiffe.

— Tu m'as menti, Mario !

— Non, Anique, je ne t'ai pas menti ! Allez, suis-moi.

Mes jambes flageolent.

— Ici, c'est moi qui mène. Ici, tu n'as pas trois fois mon âge et tu n'es pas l'écrivaine ! me lances-tu.

Une peur inouïe s'empare de moi. Je veux rebrousser chemin. Tu me regardes avec un petit sourire en coin qui me donne la trouille.

— Qu'est-ce que tu attends ? Grouille !

— Ce n'est pas ce qui était prévu. Où veux-tu m'emmener ?

Tu me terrorises et je ne veux pas te suivre. Je riposte :

— Ce pour quoi nous avions rendez-vous a eu lieu ! Alors laisse-moi retourner chez moi.

Tu ajoutes :

— Ce n'était pas prévu dans TON plan, mais... je t'avais prévenue que je te jouerais un tour !

J'entrevois soudain une ville qui n'est ni Sainte-Adèle ni Québec. Et une grande coulée de lumière.

Une lumière blanche.

Tu éclates de rire. Ma colère se pointe. Avec suffisamment d'intensité pour réussir à chasser... ou à masquer ma peur.

Tu me tends la main.

Non, je ne te suivrai pas. NON ! NON ! ET NON !

Je me sauve à toute allure.

Quatrième temps

Je me réfugie dans le refrain et deux couplets de la chanson que j'ai écrite à l'automne 2005. Elle me préparait à vivre un deuil que je n'attendais pas.

Pourquoi le bonheur de l'attachement
Qui nous grise
Puis cette douleur de l'arrachement
Qui nous brise

Dis-moi
Est-ce qu'il y a des anges
Qui nous attendent
Ah, ah, ah...
De l'autre côté
De la lumière blanche

Dis-moi
Est-ce qu'il y a un dieu
Qui veille sur nous
Hou, hou, hou…
Même quand ça paraît pas
Du tout

— Coucou, Anique ! Qu'est-ce que tu fais ?

J'ai sursauté. À présent, je crie :

— Toi, qu'est-ce que tu fais ici ? Je ne t'ai pas invité, que je sache !

Ah ! ton sourire ! Ton sacré sourire, Mario, lorsque tu me réponds :

— J'adore t'accompagner dans les coulisses de ce texte que tu dois écrire pour moi.

Tu as le culot d'ajouter :

— Je sais pourquoi tu paniques, Anique.

À bout de nerfs, je crache :

— Mario, tu m'énerves !

— Peut-être, mais on s'en fout ! Alors, tu viens ?

Tu t'approches. Tout près de moi.

— Qu'est-ce que tu choisis, Anique ? Je ne peux pas te traîner de force. Je t'offre des jambes de lumière, Anique, me dis-tu doucement.

Si doucement qu'une boule se forme dans ma gorge et m'empêche d'avaler.

Nous repartons dans les couloirs du temps. Je ne comprends pas tout, mais je commence à me douter de ce qui se trame.

Cinquième temps

L'Épiphanie, 1962, rue Notre-Dame. Nous entrons dans une maison.

Ici, il n'y a pas de feu, ni de cris de bébé souffrant et terrorisé. Au contraire, tout est tranquille et silencieux. Dans le salon, un bébé de lumière, dans un parc. Un bébé immobile, dans un grand silence orange feu.

Je connais cette petite fille, je sais pourquoi elle dort et pourquoi elle ne se réveillera peut-être pas.

Une douleur vive se déploie en moi, s'élance et court dans tous les sens.

Le feu. Je suis une maison qui brûle.

Toi, Mario, tu te penches et me souffles à l'oreille :

— Tu es revenue souvent à cet endroit, n'est-ce pas ?

Nous savons tous les deux que tu ne parles pas du salon de cette maison, mais de la frontière où l'enfant se trouve : la lumière blanche. Un pas. Juste un pas et la mort l'emportera.

Je m'approche doucement d'elle. Un vent fou se lève, attisant encore davantage le feu qui me ravage de l'intérieur.

La petite fille a trouvé des pilules. On aurait dit des bonbons. Roses. Des pilules pour les nerfs que sa gardienne a volées. La gardienne sait que la petite fille les a prises. Elle panique en constatant que l'enfant ne se réveille pas, mais elle n'ose pas affronter la vérité.

Mario. L'enfant va mourir, sacrifié par la peur de cette adolescente !

Non. Sa grand-mère Noëlla arrivera à temps et sonnera l'alarme. On amènera cette enfant de chair et de sang à l'hôpital et elle sera sauvée. Mais la petite fille de lumière est toujours dans ce parc et elle brûle de l'intérieur.

Tu me chuchotes, Mario :

— C'est elle que tu dois prendre dans tes bras pour la sortir de là.

Je me penche et je prends la petite fille. En l'étreignant, j'éteins enfin le feu qui la dévorait. Elle se calme et disparaît dans mes bras.

Je sais que je ne reviendrai plus rôder près de cette frontière.

Je te regarde, Mario. Et je réalise avec stupéfaction :

— L'ange qui veillait sur moi... c'était toi ?

Sixième temps

10 juin 2008

Mario,

Depuis notre escapade à L'Épiphanie, je suis en alternance virée à l'envers puis à l'endroit, comme dans un manège.

Tigresse en cage, la porte ouverte, pourtant. Cette porte, je la regarde. Puis mon regard se pose au loin. Sur un paysage libre. Mais je reste là, au fond de cette cage. Non seulement je sais que je peux en sortir, mais je dois déguerpir de cet endroit. J'ai quarante-sept ans. Je suis une grande fille libre. Tu m'as donné la clé pour ouvrir la cage.

— Mais qu'est-ce que tu attends ? me demandes-tu.

Je sais que tu es là. Je te vois, mais je n'ose pas te regarder et je trouve ça complètement fou. Parce que non seulement je te vois et t'entends m'appeler, mais je me vois aussi. Immobile. Je me vois ne pas oser me lever pour faire ne serait-ce qu'un tout petit pas en dehors de cette cage. Paralysée par cette liberté qui s'offre à moi. J'ai quarante-sept ans. Je suis une grande fille. Tu m'attends, Mario. Nous avons rendez-vous et je suis une femme de parole. Quelle est donc cette déroute qui me cloue en cet espace clos qui me maintenait captive depuis tant d'années ?

Je suis si fébrile, et toi, si gentil, si patient. Pourquoi ai-je si peur de sortir d'ici ? Pourquoi ce voile de larmes ? Ce n'est pas un temps pour pleurer, il me semble.

J'ai si peur de déployer mes ailes que l'étroitesse de cette cage coince et cache ! Je suis affolée dans ce recoin de moi où je n'ai plus rien à faire. Je suis une écrivaine qui voulait offrir un cadeau à un adolescent héroïque. Je suis l'élève d'un adolescent à qui je veux offrir un cadeau, mais le cadeau, c'est moi qui le reçois. Le cadeau, c'est toi qui arrives dans ma vie, par le biais d'une demande à laquelle je suis forcée de répondre par le chemin que j'ai toujours désespérément tenté de fuir. C'est fou, non ?

Je suis la petite fille que tu appelles, celle que tu m'as obligée à arracher, là-bas, dans la maison de mon enfance. Elle est toute petite encore, en ce mardi de juin 2008. Si petite que tu pourrais la prendre dans tes bras. Veux-tu la prendre dans tes bras, Mario ? Veux-tu me prendre dans tes bras ? Veux-tu me faire un gros câlin ? Veux-tu me répéter encore et encore, comme la plus jolie des berceuses, qu'il n'y a pas de danger à s'aventurer dehors ? Veux-tu m'aider à lancer à la mer cette maudite cage pour que plus jamais je ne retourne m'y cacher ? Jamais, jamais. Emmène-moi, Mario, découvrir comme c'est beau dehors.

Septième temps

Mario,

Lorsque j'ai lu ton histoire, j'ai pensé que tu m'appelais parce que tu avais besoin de moi. Aujourd'hui, je crois que c'est moi qui t'ai appelé. J'avais besoin de toi. Je t'attendais. À ce qu'il paraît, quand l'élève est prêt, le maître apparaît. À quarante-sept ans, prête, je l'étais.

Des milliers de lecteurs m'ont écrit que mes livres leur donnaient du courage et de l'espoir. Ça me fait drôle, mais ça me fait du bien d'être celle qui a besoin (de toi) et non celle qui aide (les autres).

Merci pour mes gros sanglots et mes tout petits pleurs, mes élans d'euphorie, mes éclats de rire, certains coupés en deux, mes sourires-à-n'en-plus-finir, certains mouillés, d'autres pas, les éclairs fulgurants de conscience, le désir de rebrousser chemin et le besoin d'avancer coûte que coûte, les mots doux et les cris d'exaspération, les certitudes déguisées en inquiétudes, les bouffées d'angoisse avant la poussée de croissance, les peurs et les soulagements inouïs. Je me languis de te rencontrer en chair et en os et de te serrer dans mes bras. Et, de vive voix, de te dire : « Merci, Mario, d'avoir veillé sur moi quand tu étais un ange. »

Le monde intérieur est vaste et mystérieux. Je me suis tant débattue parce que JE NE VOULAIS PAS TE SUIVRE.

Toi, Mario, tu es le phare face à la mer, cette mer où j'ai si mal dormi dans le cauchemar de la semaine dernière. Ta lumière me réchauffe dans la nuit d'un grand chagrin. Tu as débarqué dans ma vie à un tournant stratégique avec une clé pour élucider ma propre histoire. Tu m'as permis de traverser le grand silence orange comme le feu. Mais d'abord, tu m'as piégée. Tu as bien fait. Si j'avais su d'avance ce qui m'attendait en t'ouvrant ma porte, je t'aurais chassé.

Tu es et tu seras à jamais mon beau, mon doux Mario, le super héros d'une petite fille d'un an et demi, à L'Épiphanie. Et l'ange du mitan de ma vie.

« Je t'aime déjà. » Je comprends, aujourd'hui, pourquoi ces premiers mots ont surgi quand je lisais ta présentation. Entre cet élan prémonitoire d'alors et la certitude profonde d'ici et maintenant, il y aura eu une aventure mystérieuse, avec ses combats, ses résistances, ses rebondissements et son dénouement... heureux.

J'ai peur, Mario, de t'offrir ce texte. Même si je sais que je devais l'écrire, j'ai peur. Mais je choisis de faire ce pas. Avec toi. Parce que tu es là. Avec moi. Sur tes jambes de lumière.

Cette histoire, commencée avec les mots « Je t'aime déjà », je la termine ainsi : « Je t'aime tellement, Mario-le-Phénix, vite comme l'éclair sur tes jambes de lumière ! »

> Anique
> xxx

— Coucou, Anique !

— Allô Mario ! Je ne savais pas que tu étais revenu.

— Juste pour un commentaire. Tu sais, ta chanson *La lumière blanche*, il me semble que tu devrais modifier un des couplets.

— Ah, oui ? Lequel ?

Dis-moi
Est-ce qu'il y a des anges
Qui nous attendent
Ah, ah, ah...
De l'autre côté
De la lumière blanche

— Des anges, il y en a des deux côtés, non ?

— J'en prends bonne note.

Dire que je me terrais dans cette chanson, la semaine dernière, pour me protéger d'un danger imminent. La libération ne pouvait-elle pas s'annoncer dans la joie, avec un grand sourire fendu jusqu'aux oreilles ?

En tout cas, Mario, je ne sais pas si Dieu existe, mais je trouve que les anges ont un sacré *timing* !

La rencontre
avec Céline Dion

Avant que Mario Lemire Junior n'entre pour sa séance de photos avec Céline Dion, l'émotion était à son comble. Tous ont craqué alors qu'on venait de récapituler les grandes lignes de son histoire. Certains gens de l'équipe pleuraient. Céline appréhendait ce face-à-face.

Lorsque Junior a passé la porte, son énergie fulgurante et son sens de la répartie ont tout de suite donné le ton. Il était Junior, tout simplement : franc, souriant, lumineux. La tension est tombée d'un coup. La chanteuse s'est laissée emporter. Mario, c'est un *leader*, envers et contre tout! Céline Dion n'a pas de mots pour décrire la sérénité et la force de la maman adoptive de cet enfant qu'elle a fait sien et à qui elle donne, jour après jour, l'amour qui lui faut.

avec l'auteure

« Le Mario venu à ma rencontre, dans Des jambes de lumière, était si clairement défini. Ce héros savait ce qu'il voulait, me bousculait pour m'entraîner sur un chemin étrange auquel je résistais. Il a gagné. Après une lutte acharnée, je n'ai pas eu le choix de le suivre.

D'où m'est venue cette inspiration ? Était-elle fruit de l'imagination, ou la rencontre a-t-elle eu lieu, quelque part, dans une dimension qui échappe à mon entendement ? Voilà quelques-unes des questions qui me talonnaient depuis l'écriture de mon texte à Mario.

J'allais enfin rencontrer le Mario de la vraie vie. Qui allais-je trouver ? L'adolescent en chair et en os ressemblerait-il au héros de mon texte ? J'étais curieuse, impatiente, et pour être honnête, j'espérais que cette rencontre répondrait à la question : « Ai-je inventé ce personnage, oui ou non ? »

Puis je l'ai vu. Tout bouillonnant de lumière. Acharné de détermination ! « Tassez-vous de là, j'arrive ! » J'étais excitée, chamboulée, folle comme un balai. Le Mario que j'avais côtoyé dans cet espace imaginaire (mais était-ce l'imaginaire ?) était bien le type qui se trouvait devant moi. Le sacripant ! Encore une fois, mais dans la réalité, mon héros m'a entraînée... Et je l'ai suivi.

Mario vendait des billets de Loto-Pompier 3 $ chacun. Je voulais lui en acheter trois, et lui ai tendu un billet de 20 $. Il m'a souri - ah ! ce sourire ! -, puis il m'a balancé :

- Avec sept, tu vas être plus chanceuse. Il manque 1 $!

Puis il a lancé, en riant, qu'il viendrait au lancement du livre en limousine. Cette fois, c'est moi qui ai souri en lui répliquant que je m'en occupais.

-Mais non, c'est une blague ! a-t-il ajouté.

Moi, ça ne me tentait pas que ce soit une blague. J'ai foncé sur l'éditeur. À peine la demande  exprimée qu'elle était acceptée. Et moins d'une minute plus tard, je confirmais à Mario que c'était réglé.

Mon héros arrivera au lancement en limousine.

Tu sais quoi, Mario ? Je crois que nous sommes nombreux à avoir vu tes jambes de lumière dans cet hôtel de Montréal, en ce 16 juillet 2008. »

Anique Poitras

Chapitre 2

DANS LES YEUX D'ELISABETA

L'histoire d'Elisabeta Abraham

L'histoire débute en Transylvanie, la patrie du légendaire comte Dracula. Il ne s'agit pas d'une fiction, encore moins d'une histoire d'horreur, bien qu'elle comporte sa part de fantastique...

Par une belle journée d'été, David McGuire, un expatrié d'origine anglaise, vient de distribuer des miches de pain à des enfants tsiganes de la petite ville roumaine de Soard. Une femme toute menue avance vers l'homme en lui tendant son enfant, solidement emmailloté dans une couverture. Croyant s'adresser à un prêtre, elle l'implore de prier Dieu afin de donner la vue à sa petite fille, née aveugle.

Au lieu de lui expliquer qu'il n'est ni prêtre ni prophète, et qu'il possède encore moins des pouvoirs surnaturels, l'homme prend l'enfant dans ses bras et croise son regard perdu et embrumé. Il est aussitôt profondément remué par les yeux de l'enfant qui cherchent désespérément à se fixer. Dans un roumain rendu encore plus hésitant par l'émotion, il répond à la mère : « Oui, je prierai Dieu pour qu'il guérisse votre enfant. »

L'arrivée de cet Anglais dans ce tout petit village à forte population tsigane, à quelques kilomètres de Sighishoara, doit justement beaucoup à sa foi. Né dans une modeste famille en banlieue de Manchester, David McGuire passe le début de sa vie adulte à errer, avant de s'initier au métier de couvreur en bâtiments. Malgré un travail stable et les billets qui s'accumulent enfin dans son compte en banque, David McGuire n'arrive pas à trouver un sens à sa vie. À l'aube de la trentaine, celle-ci prend un nouveau tournant : il s'envole une première fois pour la Roumanie, où il travaille dans une mission à confession chrétienne qui vient en aide aux populations tsiganes. Il décide de s'y installer, d'abord pour rénover un hôpital dans la ville de Sighishoara, puis pour construire des maisons en brique pour les Tsiganes.

Il faut savoir que la Roumanie abrite la plus grande concentration de Tsiganes du monde, cette population nomade qui sillonne l'Europe depuis plus d'un millénaire. Si les Tsiganes ont souvent été persécutés au fil de l'histoire, la chute du régime communiste a rendu leur situation très précaire. À Soard, la plupart des habitants vivent sous le seuil de la pauvreté et s'entassent dans des habitations rudimentaires, où des sacs de plastique sont le plus souvent utilisés en guise de fenêtres.

Pour en revenir à David McGuire, sa rencontre avec Elisabeta, la petite Tsigane, constitue un nouveau point

Crédit photo : Duncan Kendall

Elisabeta dans
sa demeure

tournant dans sa vie. À partir de ce moment, il multiplie les visites dans la modeste demeure d'Elvira, qui, en plus d'Elisabeta, a quatre autres bouches à nourrir. Dans sa minuscule maison sont installés deux lits de paille sur lesquels la petite Elisabeta est contrainte de passer le plus clair de son temps, sa mère ne désirant pas la voir se traîner sur le sol en terre battue. Au fil de ses rencontres, David McGuire développe un attachement profond pour Elisabeta, une enfant enjouée qui aime se moquer gentiment de son accent anglais. Chacun de ses rires en cascades rappellent à David la promesse qu'il a faite à Elvira.

David McGuire profite de la visite de Norman Patterson, un pasteur venu de Belfast en mission humanitaire, pour demander conseil au sujet de sa jeune amie. Venu à Soard pour rencontrer l'enfant, Norman Patterson remarque que son visage se plisse quand il est exposé à la lumière du soleil. Cela convainc David de prendre rendez-vous avec un médecin local. Ce dernier lui explique que la petite a des cataractes, mais que si on l'opérait, elle pourrait au moins retrouver l'usage de son œil droit. David assemble les quelque 120 dollars nécessaires pour payer la chirurgie, mais après avoir retiré les bandages des yeux d'Elisabeta, il se rend vite à l'évidence : la cécité de la petite est toujours aussi totale. Pour expliquer cet échec, le médecin invoque les anomalies congénitales des Tsiganes, perpétuant ainsi un vieux préjugé qui n'a aucun fondement scientifique.

Fâché par l'étroitesse d'esprit du médecin et dépité par l'insuccès de l'opération, David McGuire espace ses visites chez Elisabeta. Pourtant, chaque fois qu'il la revoit, elle l'accueille, souriante et affectueuse. Il a alors le cœur qui se serre, et encore plus lorsqu'il regarde l'enfant faire ses premiers pas, se heurtant immanquablement aux meubles et aux objets.

La visite d'un spécialiste à Sighishoara ravive l'espoir chez David. Mais aussitôt que le docteur James Ogden examine les yeux d'Elisabeta, le diagnostic tombe comme un couperet : ses cataractes sont anormalement dures pour une si jeune patiente, sans parler des cicatrices laissées par la chirurgie précédente, qui rendent ardue une autre opération. Tout en informant David de la situation, le docteur Ogden pose son regard sur Elisabeta, qui cherche dans le vide la provenance de cette voix grave. Incapable de concevoir qu'une enfant aussi adorable puisse être laissée dans l'obscurité totale, il s'approche d'elle avec un faisceau lumineux. Puis, laissant la pupille gauche se dilater, il remarque que la lumière atteint la rétine. Faiblement, mais tout de même. Avec une prudence teintée d'espoir, Dr Ogden confirme à David que l'œil gauche a des chances d'être guéri, à condition que l'opération soit effectuée par un chirurgien au talent exceptionnel.

De retour aux États-Unis après sa visite en Roumanie, James Ogden a beaucoup de mal à oublier le regard de la petite Tsigane. Si bien, que quelques semaines après son retour à la maison, il annonce une bonne nouvelle à David McGuire : le docteur Paul Shenk, un ophtalmologiste spécialisé dans les cataractes infantiles, est prêt à tenter l'opération à sa clinique de Washington.

L'achat des billets d'avion et le logement à trouver une fois arrivé là-bas ne sont que des détails aux yeux de David, tant il est convaincu que la chance va leur sourire. Et il a raison puisque très vite, il amasse l'argent nécessaire pour financer le voyage. Peu de temps après, à quelques jours de Noël, Elvira, Elisabeta et David montent dans l'avion, en route pour une grande aventure.

Lorsque le docteur Paul Shenk voit Elisabeta arriver dans son bureau, il est impressionné par le calme qui se dégage de l'enfant, en dépit de l'opération qu'elle s'apprête à subir. Plaçant sa jeune patiente sous anesthésie générale, il débute la longue intervention. Au terme d'une première étape très délicate, il se débarrasse d'abord de la cataracte qui voile la vision de l'œil gauche. Le lendemain matin, il retire le bandage. Il constate alors avec soulagement qu'Elisabeta voit enfin la lumière.

Pour que le cerveau d'un enfant puisse transformer la lumière en images, la lumière doit accéder au cerveau dès les premières années de sa vie, sans quoi cette fonction cérébrale s'éteint pour toujours. Selon le docteur Shenk, il faut agir maintenant. Au cas où quelque chose arriverait à l'œil gauche d'Elisabeta à son retour en Roumanie, il propose de tenter le tout pour le tout pour restaurer la vision dans son autre œil.

Le docteur Richard Dreyer, un spécialiste de la rétine, prend donc le relais afin de tenter de solutionner le problème dans l'œil droit. Avec une extrême précision, il se rend derrière l'iris de la petite fille et crée un étroit passage pour laisser entrer la lumière. À ce stade, la vision d'Elisabeta n'est pas parfaitement rétablie, mais les deux spécialistes ont fait tout ce qui était en leur pouvoir.

Dans l'avion qui la ramène en Roumanie, Elisabeta est émerveillée par ce monde nouveau qui s'offre à elle : pour la première fois, elle voit les nuages, le bleu du ciel, et surtout les visages aimants de sa mère et de son ami David. La petite fille, encore incertaine sur ses deux pieds peu de temps auparavant, court maintenant dans l'allée, sautillant d'un hublot à l'autre, impatiente de voir tout ce que, jusque-là, elle n'avait pu découvrir qu'avec ses mains. Face au bonheur tangible de sa fille, Elvira éprouve une immense reconnaissance envers David. Cet homme si généreux, arrivé dans sa vie par une belle journée d'été pour lui offrir de quoi manger, a fini par lui donner quelque chose de bien plus précieux encore : un avenir plus prometteur pour sa petite Elisabeta.

Elisabeta dans les bras de David Mcguire

Tiré de « Le don d'Elisabeta » par Lawrence Elliott. © The Reader's Digest Association Inc. ; Sélection, juillet 2003. Adapté par Mariève Desjardins, les Éditions La Semaine.

ELISABETA

Un texte de Chrystine Brouillet,
offert par l'auteure à Elisabeta Abraham.

Le soleil déclinait sur la façade nord de la tour de l'Horloge de Sighishoara que tant de touristes avaient admirée durant la journée. Ils s'étaient promenés dans la cité médiévale construite sur une colline, étonnés que l'enceinte, les machicoulis et les donjons aient survécu à l'épreuve du temps. Ils déambulaient, insouciants, et plusieurs femmes avaient acheté et épinglé à leur robe les petits bouquets de fleurs que vendait Elvira Abraham sur la place publique.

Ces touristes, tout au plaisir des découvertes qu'ils faisaient dans la jolie ville roumaine, n'avaient pas remarqué Virgil Tadescu qui fixait Elvira d'un air mauvais depuis de longues minutes. Très occupée à vendre ses fleurs, elle n'avait pas vu Tadescu, lui lancer des regards haineux. Elle en aurait été vraiment surprise, car elle connaissait Virgil Tadescu depuis trois ans, depuis qu'elle et sa famille s'installaient périodiquement dans cette région, et Virgil Tadescu avait toujours été courtois avec eux. Il s'arrêtait souvent pour discuter avec ses fils quand ils binaient le potager ; il fumait ses petits cigarillos en s'informant des semences, en parlant de la pluie et du beau temps. Et il avait même donné une poupée à Elisabeta, la plus jeune de la famille qui riait souvent, même si elle était aveugle.

Malheureusement, Elvira ignorait que Virgil Tadescu détestait les Tsiganes et que c'était le pire menteur, le plus fieffé hypocrite de toute la ville de Sighishoara! En ce jour de mai, alors qu'il aurait dû se réjouir de la douceur du temps et du parfum de muguet qui flottait dans l'air, il ne songeait qu'à trouver un moyen de se débarrasser des gitans qui s'étaient installés aux abords de la ville, dans le champ qui appartenait à sa tante Maria. Cette tante qui laissait volontiers les gens du voyage vivre sur ses terres durant la belle saison.

— Pourquoi leur refuserais-je de garer leurs caravanes dans ce champ? disait Maria. En quoi peuvent-ils me gêner, si loin de la maison? C'est la terre la plus ingrate qui soit; ils sont bien braves de la cultiver et d'en tirer quelque chose. Aussi bien que le champ serve à quelqu'un, non?

Virgil Tadescu, qui vivait avec sa tante dans son grand manoir, acquiesçait en souriant, et Maria était persuadée qu'il partageait son opinion. Pourtant, il s'était juré, ce printemps-là, que les gitans s'arrêteraient dans le champ pour la dernière fois. Ce champ qu'il considérait un peu comme le sien; n'était-ce pas lui qui en hériterait quand sa tante décéderait? Il était son unique parent. Le manoir et le fameux champ lui reviendraient. Il ferait construire un hôtel moderne, très chic, sur le terrain vague et il amasserait une fortune en louant à prix d'or des chambres luxueuses aux touristes. Il avait déjà parlé de ce projet, quelques mois plus tôt, mais sa tante avait haussé les épaules.

— Nous n'avons pas besoin de cet argent, voyons! Nous sommes parmi les gens les plus riches de la région. Et les bohémiens ne dérangent personne. C'est à peine si on entend leur musique les soirs de fête. Tu devrais être un peu plus charitable; tout le monde n'est pas né comme toi dans la soie. Ton père n'aurait pas approuvé ce projet d'hôtel hors de prix; ça ne convient pas à notre ville. Nous ne vivons pas dans une mégapole. Que fais-tu du cachet historique de la vieille cité? Ton père aurait été d'accord avec moi...

Et blablabla, et blablabla. Qu'est-ce que la tante Maria savait de ce que serait devenu José, s'il n'était pas mort des années auparavant avec sa femme dans un accident de voiture ? Ce n'est pas parce qu'elle était sa sœur aînée qu'elle pouvait tout deviner. Mais c'était elle qui détenait l'argent, qui avait dirigé l'aciérie jusqu'à récemment, qui contrôlait tout et avec qui Virgil devait faire semblant d'être d'accord.

Il n'avait pas insisté avec son projet d'hôtel de luxe ; il connaissait suffisamment sa tante pour savoir qu'elle ne changerait pas d'idée. En essayant de la persuader du bien-fondé de son projet, il l'énerverait, et elle pourrait même décider de ne pas lui léguer le maudit champ ! N'avait-elle pas décidé de remettre les revenus de la vente de son aciérie à l'hôpital de la ville ? Elle l'exaspérait de plus en plus !

Il se détourna subitement ; plus il regardait Elvira, plus il s'énervait, et il lui fallait conserver son calme pour trouver une idée qui chasserait les gitans du champ qu'il convoitait.

* * * *

Quand Elvira rentra chez elle, elle ne pût s'empêcher de sourire en regardant Elisabeta s'amuser avec un gros chat roux à poils longs. La fillette aimait tous les animaux et ceux-ci le lui rendaient bien, sentant qu'elle ne leur ferait jamais de mal tant ses mouvements étaient doux. Ils venaient vers elle naturellement et Elvira s'en réjouissait ; les animaux, contrairement aux humains, ne jugent pas les êtres sur leur apparence ou leurs différences. Elisabeta avait parfois été la cible des enfants qui se moquaient de sa cécité et Elvira se serait plainte à leurs parents si son mari ne l'en avait empêchée.

— Tu sais que nous ne sommes pas souvent les bienvenus quand nous arrivons dans un nouveau lieu. Il ne faut pas se faire remarquer. Elisabeta est plus forte que tu ne le crois.

— Elle a de la peine quand on rit d'elle. Ce n'est pas juste qu'elle soit aveugle !

Le père d'Elisabeta détournait alors la tête ; il aurait tant aimé avoir l'argent nécessaire pour faire opérer sa fille ! Mais c'était très difficile de trouver du travail, même s'il était vaillant et prêt à tout pour aider sa famille.

— Maman ! s'écria Elisabeta. J'ai un nouvel ami !

— Sois prudente, c'est un gros chat.

— Il est gentil et il sent le foin coupé. As-tu vendu tous les bouquets ?

— Oui, c'était une bonne journée. Je vais faire des boulettes de viande pour ce soir.

— Avec des brochettes d'oignon ?

— Toi, tu es la reine des gourmandes !

Elvira rentra dans la roulotte et commença à préparer le repas pour la famille, regardant de temps à autre Elisabeta qui continuait à flatter le gros matou. Elle coupa des oignons, des poivrons verts et une courgette qu'elle enfila sur des brochettes. Elle les ferait cuire dehors, sur les braises qui couvaient dans l'âtre que son mari avait bâti avec des pierres déterrées dans le champ. Elvira savait déjà qu'Elisabeta dirait que ça sentait bon dès qu'elle mettrait les brochettes à cuire ; sa fille avait un odorat très développé, ce qui expliquait qu'elle soit aussi gourmande. Elle aimait tout ! Les fruits, les légumes, le riz, les ragoûts, les gâteaux, tout ! Il lui arrivait même parfois, durant la nuit, de se lever pour aller grignoter un bout de pain ou cueillir des framboises dans le potager. Elle adorait les framboises. Et elle regrettait de ne pas voir leur belle couleur rouge. Mais elle avait tellement d'imagination qu'elle avait dit à Elvira que tous les parfums, toutes les odeurs qu'elle respirait avaient une couleur pour elle. Elle disait aussi que son père sentait le cumin et sa mère la cannelle et les fraises, que sa sœur Anna fleurait bon le caramel et qu'Emil, Michel et Bogdan lui rappelaient la terre après un orage. Il lui arrivait fréquemment de reconnaître les gens avant même qu'ils ne s'adressent à elle, juste en respirant leur parfum.

Elvira pelait des pommes de terre cuites sous la cendre quand Michel revint de sa journée de travail chez le vannier. Il semblait contrarié et avait les sourcils froncés, les lèvres serrées. Avait-il eu des ennuis avec son patron ? Elisabeta implora le ciel que son fils n'ait pas déplu au vannier ; la famille avait bien besoin de l'argent qu'il gagnait en tressant des paniers.

— Qu'est-ce qui s'est passé ?

— Un vol chez notre voisin.

— Quel voisin ?

— Celui qui tient la boutique de souvenirs. Il doit y avoir des pickpockets en ville ; les touristes les attirent. Le boutiquier s'est fait voler son porte-monnaie avec la recette de la journée. Il est furieux ! Heureusement, je n'ai pas bougé de mon siège de toute la journée, on ne pourra pas m'accuser de ce vol.

— Assieds-toi et mange, oublie tout ça.

— Mais si c'était arrivé à mon patron ?

— Oublie ça. Ça ne nous concerne pas.

Elvira s'était exprimée d'un ton ferme, mais elle avait échangé un regard avec son mari. Ce vol ne lui disait rien de bon...

* * * *

Maria Tadescu referma le livre qu'elle venait de terminer et éteignit sa lampe de chevet. Sur le mur de sa chambre, les ombres des grands chênes que son père avait fait planter devant les larges fenêtres du manoir dessinaient des formes étranges, mais familières à Maria ; toute petite, elle y voyait des personnages et leur inventait une histoire différente chaque soir. Maintenant, elle était âgée et ne s'amusait plus à créer des histoires, mais elle aimait toujours regarder les mouvements des ombres ; ils lui permettaient d'oublier les soucis que lui causait son neveu Virgil. Elle avait recueilli son neveu quand ses parents étaient morts et avait tout fait pour l'élever correctement, mais aujourd'hui, elle se désespérait d'avoir échoué. Elle avait appris qu'il avait encore contracté des dettes au jeu et Eva, la gouvernante du manoir, s'était plainte de son comportement trop dur avec Julia et Rosa, qui travaillaient à la cuisine et à la buanderie.

— Moi, je suis habituée à ses manières, avait dit Eva, mais elles ont peur de lui. Il a lancé un verre par terre parce qu'il était furieux qu'il n'y ait plus de meringue glacée. Il a accusé Rosa de l'avoir mangée.

— Alors que c'est moi qui l'ai terminée ce midi, avait enchaîné Maria. Il était déjà coléreux quand il était petit. Hélas, il n'a pas changé. Je vais lui parler.

— Il m'en voudra certainement. Et il en voudra aux gamines. D'autant que Julia est l'amoureuse de Michel Abraham.

— Michel Abraham ?

— Un romanichel. Virgil ne les aime pas.

— C'est encore moi qui dirige cette maison ! avait déclaré Maria à Eva juste avant d'aller se coucher. Virgil n'a pas le droit de se conduire comme un despote et Julia a l'âge de fréquenter qui elle veut ! Je ne veux pas perdre cette perle, elle réussit les tartes mieux que quiconque !

En se retournant dans son lit, incapable de trouver le sommeil, Maria se demandait combien de temps elle pourrait diriger le manoir comme elle venait de l'affirmer à la gouvernante. Elle n'était pas aussi âgée qu'Eva, mais elle sentait le poids des ans depuis l'hiver précédent, alors qu'elle avait fait une mauvaise chute et s'était fracturé une cheville. Pour la première fois de sa vie, elle s'était sentie fragile et faible. Est-ce que Virgil s'en était aussi aperçu ? Pourrait-elle supporter encore leurs querelles ? Elle se demandait chaque jour si elle devait le déshériter ou non. S'il héritait de beaucoup d'argent, il dépenserait tout en achats inconsidérés. Il valait mieux donner son argent à des bonnes œuvres. D'un autre côté, c'était son seul parent.

Elle se cala dans ses oreillers, priant le ciel de lui inspirer une solution, et finit par s'endormir. Elle n'entendit pas grincer la porte de sa chambre et des pas glisser sur le parquet. Elle ne vit pas Virgil se diriger vers l'antique commode, où elle rangeait son coffre à bijoux. Elle ne le vit pas ouvrir le coffre et y subtiliser un collier de rubis, le cacher dans la poche de son pantalon, s'éloigner de la commode, puis revenir pour y dérober une bague ornée d'un saphir et deux bracelets d'or incrustés de perles et d'ambre. Elle ne vit pas son sourire satisfait quand il referma le coffre. Elle ne sut pas que Virgil se retenait de siffler tellement il était content de lui.

Virgil retourna à sa chambre, un étage plus bas, et glissa les bijoux sous son oreiller afin de pouvoir les toucher aussi souvent qu'il le désirait durant la nuit. Dès l'aube, il les rangerait dans la cachette qu'il avait aménagée au fond de son garde-robe, puis il irait passer la journée à Deva. Il ne rentrerait que pour profiter du repas du soir. À ce moment-là, sa tante aurait sûrement découvert le vol. Peut-être aurait-elle même prévenu les policiers ? Il ferait semblant d'être aussi furieux ou inquiet que sa tante alors qu'il penserait à l'exécution de la deuxième partie de son plan.

* * * *

La nuit suivante, Virgil Tadescu quitta le manoir à minuit alors que tout le monde dormait. Il avait pris soin de chausser des mocassins en cuir très souple qui lui permettaient de descendre silencieusement le grand escalier de la demeure. Il veilla à refermer très doucement la porte derrière lui. Il leva les yeux, fixa le mince croissant de lune qui éclairait si faiblement les alentours, et sourit : la chance était avec lui, la nuit était aussi noire que poil du diable ! Personne ne distinguerait sa silhouette quand il se dirigerait vers le champ, quand il s'approcherait des caravanes des romanichels.

Virgil Tadescu jeta un coup d'œil à Mateus, le labrador chocolat de sa tante Maria; il ronflait bruyamment. Les boulettes de viande bourrées de somnifères avaient fait leur effet! Elles seraient sûrement tout aussi efficaces avec les deux bâtards qui rôdaient autour du campement des gitans.

Arrivé sur place, Virgil lança plusieurs boulettes de porc et regarda les chiens se précipiter pour les dévorer, ensuite il attendit que la drogue agisse et que les chiens titubent, puis se laissent tomber sur le flanc et s'endorment. Il régnait maintenant un silence absolu. Tous les bohémiens étaient couchés. Virgil pouvait circuler parmi les roulottes, jusqu'à la caravane de la famille Abraham. Il sortit le collier aux douze rubis de sa veste. Il l'avait gardé dans un petit sac acheté chez le marchand de souvenirs installé en face du vannier chez qui travaillait Michel. Il se servit des ganses du sac pour suspendre le tout à un des essieux de la caravane. Il avait envie de rire en songeant que les gitans, eux, ne riraient pas du tout le lendemain quand des policiers viendraient fouiller les lieux et découvriraient le somptueux collier. Car, bien entendu, Virgil mettrait les enquêteurs sur la piste en leur apprenant que Julia fréquentait Michel, que celui-ci était venu la chercher plusieurs fois au manoir et qu'il avait facilement pu s'introduire dans la chambre de sa tante Maria pour commettre son larcin. Les policiers ne pourraient certainement pas négliger cet indice! Quand ils trouveraient le collier, sa tante ne pourrait pas accepter qu'un voleur et sa famille restent dans le champ. Elle les chasserait et il pourrait enfin réaliser son rêve: d'ici deux ans, il serait le directeur très envié d'un hôtel cinq étoiles. Il quitterait le manoir pour s'installer dans la plus belle suite, d'où il commanderait les mets les plus fins, où il boirait les champagnes les plus chers.

Il retournait sur ses pas après avoir accroché le sac sous l'essieu quand il entendit une porte gémir. Il s'immobilisa aussitôt, retint sa respiration. Est-ce que quelqu'un l'avait entendu? Il dissimulait une arme dans la poche de son manteau. Devrait-il l'utiliser ? Il tendit l'oreille, se déplaça précautionneusement vers la gauche, mais il ne voyait personne. Il attendit quelques secondes, puis perçut un mouvement derrière lui, un frémissement dans les feuilles du sorbier. Il saisit son arme, prêt à tirer s'il le fallait, mais il reconnut alors Elisabeta. La gamine à qui il avait donné une poupée afin d'avoir un prétexte pour s'approcher de la roulotte. C'était à cette occasion-là qu'il avait repéré l'endroit où il venait de cacher le collier. Que faisait Elisabeta dans le potager à cette heure tardive ? Quelle enfant bizarre ! Il la vit tendre ses mains vers les buissons de framboises qu'elle croqua comme si c'étaient des bonbons. Il faillit éclater de rire, mais il avait trop peur de réveiller un des bohémiens : Elisabeta ne pourrait jamais le dénoncer puisqu'elle était aveugle ! Il n'avait qu'à s'éloigner lentement, en faisant le moins de bruit possible. Bien sûr, elle percevrait un léger mouvement, car elle avait l'ouïe très fine, mais elle croirait que c'était un des chats ou des chiens qui rôdaient dans le campement.

Elisabeta tourna alors son visage vers lui et la lumière argentée du croissant de lune l'éclaira. Virgil la vit plisser les yeux comme si elle cherchait à le voir mais, bien sûr, c'était inutile... même si elle n'était qu'à un mètre de lui.

— Est-ce qu'il y a quelqu'un ?

Virgil continuait à reculer vers l'extérieur du campement ; Elisabeta n'avait pas parlé très fort, mais si elle répétait sa question plusieurs fois, elle finirait par réveiller sa mère ! Ou son père, ou ses frères... Même si Elisabeta allait sûrement l'entendre bouger, Virgil décida de courir loin des caravanes. Il aurait le temps de gagner la route et la bicyclette qu'il avait cachée derrière un bosquet avant qu'un des gitans ne se lève et vienne retrouver Elisabeta.

En pédalant vers le manoir, Virgil se demandait combien de temps mettraient les policiers à découvrir le sac qu'il avait dissimulé sous la roulotte de la famille Abraham. Et à combien de mois de prison serait condamné Michel après avoir été accusé d'avoir volé un bijou d'une aussi grande valeur ? Il ouvrit doucement la porte de la cuisine du manoir pour remonter jusqu'à sa chambre et se coucha, fort satisfait de son escapade nocturne.

Au campement, Elisabeta était rentrée dans la roulotte pour réveiller son père.

— Il y avait quelqu'un près du potager, dit-elle. Mais il est parti quand je lui ai parlé.

— Qu'est-ce qui se passe ? demanda Elvira, qui s'éveillat aussi.

— Qu'est-ce que tu faisais dehors en pleine nuit ?

— J'avais envie de manger des framboises.

Son père n'entendit pas la fin de sa phrase. Il était déjà sorti pour voir si l'intrus traînait toujours dans les parages, mais il revint en secouant la tête ; il n'y avait plus personne aux alentours.

— Peut-être as-tu rêvé ? fit Elvira.

Elisabeta haussa les épaules avant de répéter qu'elle ne se trompait pas. Elle avait senti une présence tout près d'elle. Elvira lui caressa les cheveux avant de lui faire signe de regagner son lit ; n'avait-elle pas un peu sommeil ?

* * * *

Il était presque midi, le lendemain, quand Elvira vit deux policiers, encadrant Michel, se diriger vers leur caravane. Elle posa les bouts de ficelle qu'elle tenait pour attacher les plants de tomate, et s'avança vers son fils, l'interrogeant du regard.

— Je n'ai rien fait, maman. Ils sont venus m'arrêter chez mon patron. Je ne sais même pas pourquoi !

— Ne fais pas l'innocent, dit un des policiers. Tu es l'ami de Julia. Et c'est chez la patronne de Julia qu'ont disparu des bijoux de grand prix.

— Je n'ai rien à voir avec ce vol !

— Alors ça doit être la vieille gouvernante qui s'en est chargée ? Ou ta Julia ? Tu ferais mieux d'avouer : si tu fais preuve de bonne volonté, ça sera pris en considération lors de ta condamnation.

— Qu'est-ce qui se passe ? demanda Elisabeta, qui ne reconnaissait pas cette voix.

— Rien, ma chérie, retourne à la roulotte.

— Michel ? insista Elisabeta. Que fais-tu ici à cette heure ?

— Ton frère est accusé de vol. Et on est là pour fouiller votre caravane. Et celles de vos voisins.

— Mais puisque Michel vous jure qu'il n'est pour rien dans...

— On sait ce qu'on a à faire. On a des témoins.

Elvira se mordit les lèvres pour s'empêcher de crier à l'injustice ; elle connaissait son fils, il n'aurait pas été assez stupide pour dérober les bijoux de Maria Tadescu, qui avait la gentillesse de leur prêter son champ. C'était bien la dernière personne à qui il voulait faire du tort. Et Elvira n'imaginait pas non plus Julia en tant que coupable. Alors qui était fautif ? Qui faisait porter le chapeau à son fils aîné ? Elle ne pouvait pas admettre qu'il serait condamné à la place du vrai coupable, mais comment le sortir de là ? Ni elle ni son mari n'avaient assez d'argent pour payer les services d'un avocat. Ils économisaient tant qu'ils pouvaient, rêvant d'une opération qui guérirait la cécité d'Elisabeta, mais la vie était si chère qu'ils craignaient de ne jamais y parvenir... Que faire pour Michel ?

Elvira frémit en voyant les policiers fouiller la caravane, toucher à leurs affaires. Heureusement que son époux était parti chasser en forêt dans l'espoir de rapporter du gibier, car il se serait emporté et aurait pu être arrêté avec leur fils.

— Chef ! Chef ! J'ai quelque chose, cria le plus jeune des deux policiers. Regardez !

Il tenait le sac contenant le collier de rubis.

— Tu es cuit, mon bonhomme! ricana le chef. Tu ne reverras pas ta famille avant un bon bout de temps. Où sont les bracelets et la bague?

— Mais...

— Pas de discussion, avance, et plus vite que ça!

Elvira se précipita vers Michel, lui jurant qu'elle allait l'aider, mais dès qu'il se fut éloigné sous les regards désolés de tous leurs voisins, elle ne pût retenir ses larmes. Qu'allait devenir son fils?

— C'est sûr que c'est un coup monté, dit une voisine. Ton Michel est un bon gars.

Elisabeta se taisait mais elle ne pouvait s'empêcher de penser à ce qui s'était passé la nuit précédente: quelqu'un était venu dans leur jardin et quelques heures plus tard, on découvrait le collier de madame Tadescu. L'ennui, c'est qu'elle n'avait pas vu qui avait rôdé dans le campement. Si l'intrus lui avait répondu quand elle lui avait parlé, elle aurait identifié sa voix, mais il s'était tu, évidemment. Et pourtant, Elisabeta avait l'impression qu'elle connaissait l'étranger. Comment était-ce possible? En tout cas, ce n'était pas son grand ami David, elle aurait reconnu tout de suite son odeur! Il sentait la camomille, à cause du savon qu'il utilisait pour se laver après avoir travaillé toute la journée à couvrir des toits. Elisabeta adorait la camomille et...

Le musc et le santal! La nuit dernière, le rôdeur sentait le musc! Le parfum de Virgil Tadescu!

Elisabeta courut vers sa mère pour lui révéler ce qu'elle venait de comprendre. Elvira l'écouta patiemment avant de lui caresser les cheveux.

— Personne ne te croira, ma chérie. Ils diront que tu as tout inventé.

— Je suis sûre que Virgil Tadescu était ici la nuit dernière. Pourquoi m'a-t-il donné une poupée, si c'est pour nuire à Michel ensuite? Je pensais qu'il nous aimait bien.

— Quand ton pauvre père apprendra ça...

— Il faut faire quelque chose !

Elvira eut un sourire triste ; qui voudrait les aider ?

Elle se dirigea vers le potager ; même si elle n'avait pas du tout le cœur à l'ouvrage, elle devait sarcler puis cueillir les framboises pour les vendre sur la place publique. Quand ses deux paniers furent remplis à ras bord, elle prévint Elisabeta qu'elle partait en ville.

— Je viens avec toi, je veux parler avec David. Peut-être qu'il aura une idée ?

— Il est couvreur, pas avocat. Il ne pourra secourir Michel. Il est occupé à réparer le toit de l'hôpital. Il n'aura pas de temps pour toi.

— C'est mon ami, s'entêta Elisabeta. Je veux seulement lui parler quelques minutes.

Elvira finit par céder et emmena Elisabeta avec elle. Elle aussi aimait bien le grand David qui lui achetait ses légumes et ses fruits, mais il aurait fallu un miracle pour qu'il puisse prouver l'innocence de Michel. Il n'était ni policier ni journaliste, n'avait aucun pouvoir dans cette ville...

* * * *

Assis sur un banc public, David écoutait Elisabeta lui raconter les récents événements.

— J'ai reconnu le parfum de Virgil. Et j'ai trouvé ça. Ouvre ta main.

Elisabeta fouilla dans la poche de sa jupe avant de laisser tomber un bouton de nacre dans la paume de David. Il examina le bouton de près.

— C'était dans le potager. J'ai marché dessus ce matin, juste avant que les policiers viennent tout fouiller. J'ai fait le tour du campement ; ce bouton n'est à personne. Il doit appartenir à Virgil Tadescu.

— Peut-être que oui, peut-être que non. Tu es vraiment certaine que c'était lui ?

— Oui. Son parfum est unique, je ne peux pas me tromper. Mais je ne comprends pas pourquoi il veut nous nuire. On ne lui a rien fait.

— Même si ce bouton provient d'un de ses vêtements, il pourra affirmer qu'il l'a perdu quand il est venu te donner la poupée.

— On ne pourra donc jamais prouver qu'il est venu au campement cacher le collier?

— Et les bracelets, la bague...

— Les policiers n'ont trouvé qu'un collier de rubis sous la caravane, s'étonna Elisabeta.

— Ce matin, chez le boulanger, la vieille Eva a parlé de bracelets et d'une bague ornée d'un saphir qui vaut à elle seule mon salaire de plusieurs mois!

— Maman a vu les policiers vider le sac; il n'y avait pas d'autres bijoux!

— Je devais aller au manoir la semaine prochaine pour évaluer les travaux à faire, mais j'irai dès aujourd'hui discuter avec Eva. Elle est âgée mais elle a toute sa tête; elle n'aurait pas inventé cette histoire de bracelets et de bague sans raison.

— Si c'est vrai, il faut bien qu'ils soient cachés quelque part.

— Et par quelqu'un... Virgil Tadescu peut-être?

— J'aurais dû croire Julia; elle dit qu'il est méchant. Il nous a menti.

— Attends! Nous n'avons pas de preuves qu'il est mêlé à cette histoire. Tu crois avoir reconnu son parfum, mais cette piste est bien mince. On n'accuse pas les gens sans preuve formelle.

— On a bien arrêté mon frère, même si rien ne prouve que c'est lui qui a caché le collier sous la caravane! N'importe qui a pu le mettre là.

— N'importe qui, oui. Tu ne peux affirmer que c'est Virgil Tadescu.

Elisabeta soupira ; elle était pourtant certaine que Virgil Tadescu était venu rôder autour des caravanes durant la nuit. Elle avait envie de pleurer, se sentant impuissante à aider Michel.

— J'irai montrer le bouton à la vieille Eva avant la fin de la journée, promit David.

— Parle aussi avec Julia. Peut-être qu'elle sait si Virgil Tadescu est sorti durant la nuit. Elle est pâtissière au manoir.

Mais Julia n'était pas à ses fourneaux quand David se présenta au manoir. Il avait dû se cacher durant des heures, guettant le départ de Virgil Tadescu afin de pouvoir s'entretenir avec Eva et Julia sans qu'il soit dans les parages.

David sonna à la porte et sourit quand la gouvernante lui ouvrit.

— Monsieur McGuire ? Je ne vous attendais pas avant la semaine prochaine, dit Eva.

— Je sais. Mais j'ai besoin de votre aide. Et de celle de Julia.

La gouvernante poussa un long soupir.

— Julia ? Elle ne vous sera pas bien utile : elle pleure toutes les larmes de son corps depuis qu'on a arrêté son Michel.

David montra alors le bouton de nacre à Eva. Le reconnaissait-elle ?

— C'est un bouton du veston de cachemire de Monsieur Virgil. Il a enguirlandé la femme de chambre ce matin parce qu'il l'avait perdu. Où l'avez-vous trouvé ?

— Dans le campement des gitans.

— Il est allé là-bas ? s'étonna la gouvernante. Pourquoi faire ? Comment avez-vous récupéré ce bouton ?

— Vous semblez surprise.

— Monsieur Virgil n'aime pas les gens du voyage. En fait...

— Quoi ?

La vieille femme hésita avant de dire que Virgil Tadescu n'aimait personne. C'était regrettable, mais c'était la vérité ; il méprisait tout le monde.

— Sauf sa tante Maria, j'imagine ? avança David.

— Il est bien obligé de la respecter parce qu'elle l'entretient. Mais elle aussi commence à en avoir assez de son comportement. Et de ses dettes.

— Ses dettes ? Alors qu'il porte un veston de cachemire ?

— Il met tout sur le compte de sa tante. Il vient encore de s'acheter une paire d'escarpins faits à la main en cuir si souple qu'on dirait des pantoufles. Il dépense une fortune pour s'habiller et voyager. Il prend souvent l'avion pour aller à Paris ou à Londres.

— Sa tante ne dit rien ?

— Elle a la paix, quand il est en voyage. Quand il est au manoir, il se dispute sans cesse avec elle. Il n'a aucune gratitude !

— Pourquoi se chamaillent-ils ?

— Il veut qu'elle lui vende le champ maintenant. Elle refuse, évidemment. Avec quel argent, d'ailleurs, l'achèterait-il ?

David fronça les sourcils ; pourquoi Virgil Tadescu s'intéressait-il à ce champ au sol rocailleux, où il fallait s'acharner à biner le sol pour en tirer quelque chose ?

Le bruit d'une porte qui s'ouvrait derrière lui l'empêcha de poser la question à Eva. Il reconnut Julia, remarqua ses yeux rougis, ses cheveux défaits.

— David ? Que fais-tu ici ?

— J'essaie de découvrir la vérité.

— La vérité ?

— Sur le vol des bijoux. Je crois que Michel est innocent.

Pour la première fois de la journée, Julia esquissa un sourire.

David se tourna vers Eva pour lui demander des précisions sur les bijoux. Pouvait-elle les lui décrire ?

Eva s'exécuta aussitôt en précisant qu'elle avait très souvent attaché le collier au cou de Madame Maria, du temps où celle-ci allait encore à des réceptions.

— Depuis son accident, elle ne sort plus, mais même si elle ne porte pas régulièrement ses bijoux, elle est triste qu'on les lui ait volés, qu'on se soit introduit dans sa chambre pour les dérober. Et moi, j'ai peur... Si le criminel revenait ?

— Madame Tadescu a-t-elle d'autres parures ?

— Évidemment. D'autres bagues, une montre en or, des sautoirs, des...

— Sont-ils rangés avec le collier de rubis et la bague au saphir ?

La gouvernante acquiesça : oui, ils étaient tous ensemble dans le coffre à bijoux.

— Vous ne trouvez pas étrange que le cambrioleur n'ait volé que quatre bijoux au lieu de tous les prendre ?

Eva hocha la tête ; elle-même avait trouvé ça bizarre.

— Je l'ai dit à Monsieur Virgil, mais il m'a ordonné de me mêler de mes affaires.

— Et madame Tadescu ? Vous lui en avez parlé ?

— Oui. Selon elle, le voleur s'est emparé des pièces les plus coûteuses.

— C'est donc quelqu'un qui connaît la valeur des pièces, déclara Julia.

— Ou qui connaît précisément ces pièces-là. Qui les a déjà vues.

— Ça ne peut pas être Michel, dit Julia. Madame Tadescu n'est pas sortie depuis son accident en décembre, et Michel et moi ne nous fréquentons que depuis février. Il n'a jamais vu le collier de rubis au cou de Madame Maria. Virgil Tadescu n'avait pas le droit de le dénoncer sans preuve aux policiers !

— C'est lui qui leur en a parlé ?

— Il a même ajouté que c'était pour mon bien, que je le remercierais de m'avoir ouvert les yeux sur la vraie nature de Michel.

— J'ai entendu dire que Virgil Tadescu était sorti la nuit dernière. Un témoin l'aurait reconnu, rôdant autour des caravanes.

— Et le lendemain, on trouve le collier là-bas et on accuse mon Michel! s'exclama Julia.

— Je crois qu'il faudrait raconter tout ça à Madame, dit la vieille Eva. S'il y a vraiment un témoin qui a vu Virgil au campement, Madame l'interrogera.

David secoua la tête; ce serait la parole de Virgil contre celle du témoin. David n'avait pas mentionné le nom d'Elisabeta, voulant convaincre auparavant la gouvernante de l'hypothétique culpabilité de Virgil. Il espérait qu'elle et Julia l'aideraient à retrouver les bracelets et la bague que Virgil Tadescu devait avoir conservé pour les revendre afin de se payer un nouveau caprice. Il exposa son plan et la vieille Eva répéta qu'il fallait tout dire à sa maîtresse.

— C'est son neveu que vous soupçonnez de vol. Je sais que Virgil est un bon à rien, mais je ne veux rien faire sans que Madame soit au courant de ce qui se passe. Elle a toujours eu confiance en moi. Je ne lui cacherai rien.

David s'inclina et attendit avec Julia que la gouvernante prévienne Maria Tadescu des derniers événements et lui demande d'entendre sa version de l'histoire. Il salua poliment la maîtresse des lieux quand il la vit enfin et s'excusa de la déranger, mais peut-être qu'un innocent avait été jeté en prison et qu'elle pouvait le sauver.

— On a pourtant trouvé le collier chez Michel Abraham, dit-elle.

— Mais pas les bracelets ni la bague. Je crois qu'ils sont ici. Dérobés, puis cachés par Virgil Tadescu.

— Ce que vous dites est grave. Avez-vous des preuves?

— Un témoin a reconnu Virgil cette nuit au campement des gitans. Que faisait-il là à pareille heure?

Maria Tadescu soupira, marmonna qu'il fréquentait plutôt les bars à la nuit tombée.

— Qu'attendez-vous de moi?

— La permission d'examiner les affaires de votre neveu. Si on retrouve les bijoux, il devra vous expliquer pourquoi ils ne sont pas dans votre coffret. Et pourquoi il a caché le collier de rubis chez les gens du voyage.

Madame Tadescu hésita puis se résigna ; elle ne pouvait protéger Virgil indéfiniment. S'il était coupable et avait permis qu'un innocent soit arrêté à sa place, elle le déshériterait immédiatement !

— Allons-y.

Julia, Eva et David pénétrèrent dans la chambre de Virgil Tadescu. Ils étaient gênés de fouiller dans ses affaires sous le regard acéré de madame Tadescu, mais avaient-ils le choix ? Il fallait sauver Michel ! Après deux heures de recherches, David, en poussant les vêtements dans le garde-robe, perçut un son creux. Il tapota le bois et sentit bouger un des pans du garde-robe. Il appuya plus fortement. Le pan de bois glissa et David sentit un vide derrière. Il plongea la main et retira un sac en cuir noir. Il résista à l'envie de jeter lui-même un coup d'œil à l'intérieur ; il le tendit plutôt à Maria Tadescu qui se pinça les lèvres en vidant le contenu du sac sur le lit. Les bracelets et la bague de saphir tintèrent en tombant sur le couvre-pied.

— Maudit soit mon neveu ! rugit Maria Tadescu. Eva, appelez immédiatement les policiers !

— Vous le dénoncerez ? s'étonna Julia.

— Non. C'est tout de même mon neveu. Mais je vais prévenir les policiers que j'ai retrouvé les bracelets et la bague.

— Mais paraît-il qu'ils ont découvert le collier chez les gitans, sous la caravane de la famille Abraham, que Michel est coupable.

Madame Tadescu eut un large mouvement de la main ; elle ne voulait plus de ce collier qui avait causé tant de tort.

— Je dirai aux policiers que je l'ai donné à Michel et Julia pour payer leurs noces. Que j'avais oublié parce que je suis un peu confuse depuis mon accident.

— Merci, Madame ! s'exclama Julia.

— Je n'ai pas fini : Michel pourra vraiment conserver ce collier ; il a été injustement accusé par quelqu'un de ma famille dont je suis un peu responsable. Il doit être dédommagé.

— C'est trop... balbutia Julia. Comment vous remercier ?

— Ce n'est pas moi qu'il faut remercier mais ce monsieur, fit Maria Tadescu en adressant un clin d'œil à David.

David sourit avant de dire qu'il croyait que c'était plutôt Elisabeta qui méritait la gratitude de Julia et Michel.

— Elisabeta ? Sa petite sœur qui est aveugle ?

— C'est elle qui a reconnu Virgil Tadescu dans le potager. Et qui m'a alerté.

Maria Tadescu haussa les sourcils ; comment une aveugle pouvait-elle avoir vu son neveu ?

— Je n'ai jamais dit qu'elle l'avait vu. Elle l'a reconnu à son odeur. Il porte un parfum très particulier.

— C'est vrai, il le fait fabriquer à Paris. Un autre de ses caprices...

* * * *

Quand Michel rentra au campement, tous les gitans préparaient une fête pour célébrer sa libération, mais avant de s'asseoir avec eux à la grande table dressée au milieu des caravanes, il embrassa Elisabeta avec des larmes dans les yeux.

— Tu m'as sauvé la vie ! Julia m'a tout raconté. Je te dois ma liberté.

— À David aussi.

— Oui, je l'ai remercié. C'est vraiment le meilleur des hommes. Il m'a accompagné à l'hôpital.

— À l'hôpital ? Tu es blessé ? On t'a battu en prison ?

Michel la rassura aussitôt ; il y était allé avec David pour rencontrer un spécialiste en chirurgie oculaire. Avec l'argent de la vente du collier, il pourrait payer une opération pour ses yeux.

— Tu retrouveras bientôt la vue.

Elisabeta battit des paupières avant de murmurer qu'elle était certaine que son ami David était beau.

Ce soir-là, les nomades chantèrent longtemps sous le ciel étoilé et bien des gens des alentours s'approchèrent pour goûter la beauté de leur musique. Elisabeta s'endormit dans les bras d'Elvira, qui dit à David qu'elle n'oublierait jamais ce qu'il avait fait pour sa famille. Et, par-dessus tout, elle le remercia d'avoir cru Elisabeta, même si elle n'était qu'une petite gitane aveugle.

David protesta : Elisabeta serait son plus beau souvenir quand il retournerait dans son pays et il prédit que ses yeux brilleraient comme des étoiles quand elle verrait enfin.

La rencontre
avec Céline Dion

Céline Dion, Elisabeta au premier plan et sa mère derrière

Même lorsqu'elle était aveugle, Elisabeta a toujours su voir avec les yeux du cœur. C'est la pensée qui a habité Céline Dion tout au long de sa rencontre avec la jeune fille. La chanteuse était impressionnée par la capacité d'émerveillement de l'enfant qui vivait tant de choses pour la première fois. Elle a réalisé que l'émerveillement était un don qui lui avait été donné et qui allait suivre la jeune fille toute sa vie.

Faisant preuve de beaucoup de délicatesse, Céline Dion a insisté pour que des précautions soient prises pour éviter que la lumière du flash n'éblouisse Elisabeta qui n'avait pas l'habitude d'être photographiée.

avec Chrystine Brouillet

« J'ai pensé à Elisabeta chaque jour pendant des semaines pour écrire cette nouvelle policière dont elle est l'héroïne. Je m'étais inspirée d'images de son village, qui ressemblaient beaucoup à celles que m'avait déjà montré mon frère aîné, qui a adopté deux enfants roumains. Dans mon histoire, c'est grâce à Elisabeta et à David si le « méchant », un homme méprisant envers les tsiganes, est arrêté. Les «gens du voyage», comme je préfère appeler les tsiganes, ne méritent pas d'être ostracisés. Surtout que naître dans la pauvreté est déjà assez difficile. C'était là le point de départ de ma nouvelle. Pendant l'écriture, je savais qu'Elisabeta existait quelque part en Roumanie, mais elle restait pour moi une héroïne née dans mon esprit.

Je m'attendais à rencontrer une petite fille timide. Quand je l'ai vue, toute frêle, je l'ai prise dans mes bras, sans oser m'imposer. Je lui ai montré des photos de mes chattes et là, j'ai vu son visage s'illuminer. Je lui ai ensuite donné un sac que j'avais rempli pour elle de bonbons et de chocolats. J'ai aussi rencontré Elvira, une femme bouleversante, et David McGuire, le travailleur humanitaire avec qui tout a commencé. J'ai fait trois rencontres extraordinaires pour le prix d'une !

C'est difficile d'exprimer ce que j'ai ressenti lors de ce moment magique et surréaliste. C'est comme si j'étais passée de l'autre côté du miroir. Le fait de voir et de toucher une personne que j'avais d'abord créée à travers l'écriture avait quelque chose d'électrique. Une expérience agréablement étrange. J'en ai même rêvé les nuits qui ont suivi. Ce qui a commencé comme une leçon d'écriture est devenu une leçon de vie et d'humilité. Comment peut-on se plaindre de son sort après avoir rencontré les 12 petits survivants qui étaient présents à Montréal ce jour-là ? Je me suis sentie investie d'une mission : celle d'habiter ma vie et de profiter de ma chance. La journée de ma rencontre avec Elisabeta est à marquer d'une pierre blanche dans ma vie d'écrivaine et de femme. Elisabeta est devenue ma petite fée. »

David McGuire, Elisabeta, sa maman et l'auteure

*Propos de Chrystine Brouillet,
recueillis par Mariève Desjardins*

Chapitre 3

TRACER SA DESTINÉE

L'histoire de Donald Ray Expose

Katrina... Un des ouragans les plus puissants à avoir touché les États-Unis. Ce nom évoque encore des images d'horreur. Le 29 août 2005, il atteint la Louisiane et plonge la ville de La Nouvelle-Orléans dans un épouvantable chaos. Bilan de la tragédie : plus de 1 000 morts.

Deux jours avant l'arrivée de l'ouragan aux portes de la ville, les autorités avaient décrété l'état d'urgence et demandé à la population d'évacuer les lieux. Toutefois, parmi les résidents, ils étaient nombreux à ne connaître personne à l'extérieur de la ville et à ne pas avoir de moyen de transport ou d'argent pour se payer un motel. Ils ne croyaient pas devoir faire face à une catastrophe naturelle d'une telle ampleur, trop occupés à se convaincre qu'ils allaient s'en sortir. Le Louisiana Superdome a abrité en dernier recours 30 000 résidents qui n'ont pu évacuer la ville à temps. Après trois jours entassés à près de 40 °C, sans eau ni nourriture, certains d'entre eux ont été conduits vers d'autres refuges.

Nous sommes à Houston, au Texas, dans l'Astrodome, un immense centre sportif justement reconverti en refuge d'urgence pour les survivants de Katrina, quelques jours seulement après la tragédie. Parmi les quelque 8 000 réfugiés qui s'y trouvent, Ashley Bryan invite d'un large sourire les enfants désœuvrés à venir la rejoindre à une grande table à dessin. Cette petite clinique d'art thérapie, elle l'a mise sur pied avec deux autres mères de Houston, afin d'occuper les mains et l'esprit de ces enfants encore traumatisés par la perte de leur maison. Plusieurs d'entre eux ont aussi perdu des êtres chers.

Donad enlacé par Ashley

Lorsque Donald s'approche timidement de la table à dessin, Ashley lui demande s'il peut dessiner. « Bien sûr que je peux dessiner ! Tu veux voir ? » Ces paroles sont celles d'un frêle garçon d'une douzaine d'années, vêtu d'un chandail beaucoup trop grand pour lui. L'assurance de sa réponse, qui tranche avec la tristesse de son regard, la rassure aussitôt. En voyant les croquis complexes de Donald, qui dénotent une précision et un sens de la perspective sidérants pour un gamin de son âge, Ashley reste bouche bée. Mais, contrairement aux autres enfants, qui mettent en images les visions d'horreur encore vivaces dans leurs souvenirs – cadavres qui flottent, personnes âgées abandonnées, survivants qui attendent les secours sur les toits des maisons entourées d'eau –, Donald dessine des camions et des trains. Sur ses feuilles, aucune trace du drame qui l'a conduit jusque dans cet abri de fortune. Ashley ne pose pas de questions, soucieuse de respecter sa liberté d'expression. Au bout de quelques jours, se sentant en confiance aux côtés d'Ashley, Donald lui demande son aide pour retrouver sa mère, Troy Expose. Il donne son adresse et la date de naissance de sa mère.

Ashley promet de l'aider, mais elle découvre, après quelques vérifications, que la maison de Donald se situait dans le secteur le plus touché par l'ouragan, en plein dans l'œil de la tempête. Cette nuit-là, Ashley a du mal à dormir. Inquiète, elle commence ses recherches sur Internet, où des sites recensent l'identité de personnes disparues et des survivants. De son côté, Donald, sagement allongé sur son petit lit de camp dans le vaste Astrodome, a aussi de la difficulté à dormir. Il est hanté par un cauchemar qu'il tente en vain d'enfouir.

Le lendemain matin, Ashley est pleine d'énergie et d'optimisme, malgré sa nuit blanche. Elle livre à Donald le fruit de ses recherches : elle a trouvé une de ses tantes dans un abri, en Alabama. Cela lui donne des raisons de croire que sa mère pourrait être encore vivante. Contre toute attente, la nouvelle ne déclenche pas une once d'enthousiasme chez le garçon. Il hoche la tête et retourne à ses crayons. Chaque fois qu'une voix retentit dans les haut-parleurs, il lève la tête, comme s'il s'attendait à ce qu'on lui annonce que sa mère se trouve au centre d'information de l'Astrodome. Et chaque fois, Ashley le remarque et sent son cœur se serrer.

Le jour suivant, Ashley trouve le petit Donald agenouillé sur son lit de camp, dessinant avec une intensité peu commune. Elle s'approche doucement et regarde par-dessus son épaule. Ce qu'elle voit lui coupe le souffle : au lieu de ses habituels camions, trains et hélicoptères, Donald est en train de dessiner la pièce principale d'un bungalow, dont le sol est complètement inondé. En arrière-plan, une fenêtre est brisée. « C'est là que je vivais. Cette fenêtre, c'est par là que je suis sorti », laisse-t-il tomber d'un ton neutre. Sur le lit, une autre illustration attire le regard d'Ashley : des toits de maisons percent une immense étendue d'eau. Un petit bateau vogue sur ce lac, chargé de rescapés et d'individus fendant l'obscurité avec des lampes de poche. « Est-ce comme ça que tu as pu t'en sortir... par bateau ? » demande Ashley. Donald met quelques instants à répondre. Puis, il se met à tout lui révéler...

La nuit avant la catastrophe, les vents violents le tiennent éveillé. Malgré ses 12 ans, le garçon a encore peur dans le noir. Il est donc rassuré d'entendre sa mère dans la chambre d'à côté, qui peine elle aussi à trouver le sommeil. Soudain, un bruit violent provient du salon. Une fenêtre vient de se fracasser. Terrorisés, la mère et le fils essaient tant bien que mal de garder leur calme. Très vite, ils remarquent qu'une eau brunâtre et nauséabonde s'infiltre dans la maison. Le niveau de l'eau grimpe un peu plus à chaque minute et au bout de quelques heures, la pièce est inondée et le mobilier flotte à la surface. Donald et sa mère tentent de se diriger vers la porte ou d'atteindre le grenier, mais l'eau empêche leurs mouvements. La panique s'empare d'eux. Ni Donald ni sa mère n'ont appris à nager. Dans l'eau jusqu'au cou, s'accrochant désespérément à la pôle d'un rideau, la mère de Donald s'affole avant de couler. Donald assiste, impuissant, à la noyade de sa mère. Ne pouvant imaginer la vie sans elle, il fuit le sinistre spectacle et disparaît lui aussi sous l'eau.

La noirceur totale fait place à la lumière. Donald a l'impression de flotter sur des nuages. Soudain, il se souvient de la fenêtre brisée dans le salon. Lui qui croyait ne pas pouvoir nager se rend jusqu'à cette fenêtre et trouve une issue. Dehors, le courant est très fort, mais le garçon amasse la force nécessaire pour s'agripper à un tronc d'arbre et monter sur un toit. Seul au monde, dans le noir, Donald attend. Le paysage, dévasté par l'ouragan, est méconnaissable. De sa mère, il ne lui reste qu'une photo.

En écoutant Donald, Ashley ne peut retenir ses larmes. À la fin de son récit, Ashley attire le garçon vers elle et le prend dans ses bras. Dans son étreinte, elle se promet de sauver Donald, coûte que coûte.

Dans les semaines qui suivent, Ashley passe des heures à mettre son plan à exécution. Elle contacte la tante de Donald, Nicole ; même si celle-ci a tout perdu dans l'ouragan, elle accepte avec générosité de prendre le petit sous son toit. Mais Nicole n'a pas encore la garde légale de l'enfant, et nourrir une bouche de plus, sans l'allocation gouvernementale, est un combat quotidien. Ashley se retrouve prise dans les dédales bureaucratiques de l'adoption, qui ne peut être traitée tant que Troy, la mère de Donald, n'a pas été déclarée morte.

Cela n'aide pas Donald à accepter la perte de sa mère. Il entretient l'espoir insensé qu'elle soit encore vivante. Il sombre dans une dépression. Au bout de mois d'acharnement, les efforts d'Ashley finissent par porter fruits : l'adoption est scellée, et Donald peut enfin jouir des soins de santé dont il a besoin, y compris une prescription d'anti-dépresseurs.

Les nuages se dissipent tranquillement dans la vie de Donald lorsqu'il est accepté dans une école expérimentale qui lui permet d'exploiter ses talents de dessinateur. Peu à peu, ses croquis sont empreints d'une nouvelle sérénité. Puis, autre bonne nouvelle, Ashley arrive à dénicher de l'argent pour envoyer Donald dans un camp de vacances pour la première fois dans sa vie. À son retour du camp, Donald est métamorphosé. Non seulement a-t-il retrouvé sa joie de vivre, mais il a acquis une confiance en ses capacités. Rendu bavard sous le coup de l'excitation, Donald raconte à Ashley qu'il est allé pêcher et qu'il a même appris à nager.

Dans son dernier bulletin scolaire, Donald a récolté presque juste des A. Un bond de géant si on considère que trois ans plus tôt, il ne savait encore pas lire. Récemment, lors de la remise d'un prestigieux prix pour souligner ses progrès académiques, Donald a reçu une bruyante ovation de la part de toute son école. Une médaille récompensant ses talents en dessins est aussi accrochée au-dessus de son lit.

Donald a perdu beaucoup dans l'ouragan. Mais dans ce coffre où il range ses crayons à dessin, il compte maintenant un autre outil précieux qui lui permettra sans doute de mener une vie heureuse : la dignité que lui a donné son triomphe sur l'adversité.

Tiré de « Drawn Together » par Andrea Israel.
© The Reader's Digest Association Inc. ;
Reader's Digest (Etats-Unis), mai 2007. Adapté par Mariève
Desjardins, les Éditions La Semaine.

Donald, dans sa nouvelle vie

LA COURTEPOINTE DU CHAOS

Un texte de Bryan Perro,
offert par l'auteur à Donald Ray.

Depuis que l'ouragan a tout emporté, ma mère, ma maison et mon chien, on me répète sans cesse que je suis pauvre. J'entends toujours les autres me dire : « Oh, pauvre petit ! Pauvre garçon ! Pauvre enfant ! » Avant la tempête, j'étais déjà pauvre et personne ne s'en souciait. De toute façon, les gens ne venaient pas dans mon quartier, parce qu'ils craignaient d'être attaqués. Normal, surtout qu'on le surnommait « la capitale du meurtre ». En réalité, c'était la capitale de rien du tout, car un jour, ils ont dit à la télévision que même l'espoir n'avait pas d'avenir dans les ruelles de mon quartier. « Pauvre petit garçon ! » On s'intéresse beaucoup à moi. Je me demande pourquoi il a fallu un désastre pour que j'existe. Les gens sont vraiment bizarres...

Il y plusieurs semaines, le vent s'est levé...

Avant, j'ignorais que des choses horribles pouvaient avoir de jolis noms. Maintenant que je le sais, je me méfie des mots à cause des choses pas drôles auxquelles ils peuvent être rattachés. L'esprit éclairé et les sens en alerte, dorénavant, je reste vigilant. Je me demande toujours ce qu'il y a de caché dans un mot qui pourrait m'exploser au visage. Parfois, ça peut être pire que des bombes, pire que tout ! Par exemple, Katrina. Eh bien, j'ai fait des recherches à la bibliothèque et j'ai découvert que ce prénom possède en fait deux significations, selon que l'on est protestant ou catholique. Pour les cathos, ce nom dériverait du grec *Katharos* qui voudrait apparemment dire « pur » ou « exempt de toute souillure ». Si on sait cela, on se convainc ensuite que tout va bien, car jamais un tel mot ne pourrait nous faire du mal ! C'est précisément à ce moment-là que l'on baisse la garde et que le mot attaque. Pourquoi ? Parce qu'il a aussi une seconde signification, celle-là beaucoup plus terrible. Ouais, vraiment terrible. Pour les catholiques, c'est un mot inoffensif, ça, on le sait, mais pour les protestants, il fait allusion au mot *aikaterina* dont la racine est *aikia* et ça, ce n'est vraiment pas drôle du tout. Non, pas drôle, parce qu'*aikia* veut dire « torture », et que le nom Katrina fait allusion à une martyre qui aurait été torturée à Alexandrie. Et ça, je l'ai compris lorsque j'ai expérimenté l'ouragan Katrina dans ma ville, à La Nouvelle-Orléans. Vous me suivez ? Vous voyez où je veux en venir ! Une bombe terroriste bien cachée dans un mot ! À ce moment-là, je ne connaissais pas la signification des mots ni le sens caché des noms, mais j'ai tout de suite senti que nous allions passer un mauvais quart d'heure. Si j'avais su avant ce que maintenant je connais sur les mots, je serais parti avec ma mère et aujourd'hui, elle serait peut-être encore vivante.

Tous les jours, j'y pense...

Ma mère s'appelait Troy. Une fois, au cinéma, j'ai vu Troy avec Brad Pitt. À la bibliothèque, j'ai fait une recherche sur ce nom. Il y a très longtemps, Troy était la plus belle ville du monde et personne ne pouvait savoir qu'elle disparaîtrait un jour, comme ça, en ne laissant derrière elle qu'un souvenir. C'était une grande cité rassurante, pleine de sourires, dont les habitants pouvaient jouer et grandir en toute confiance. Mais sans prévenir, un grand malheur sorti tout droit du ventre d'un cheval de bois s'est abattu sur la ville, et ce fut la fin de Troy. Elle ne s'y attendait pas parce qu'elle était forte, et sous aucun prétexte elle n'aurait voulu abandonner ceux qu'elle aimait... mais voilà, c'est arrivé. À mon avis, jamais il n'y a eu plus belle cité que Troy et parfois, je regrette qu'une aussi magnifique ville ne soit plus là pour enchanter le monde.

En quelques instants...

Une ville, ça peut disparaître plus vite qu'on pense. Les magasins, les rues, les maisons et les gros édifices, ceux-là mêmes qu'on imagine incassables, sont fragiles en réalité. Une bonne pluie, un coup de vent et hop! tout est fichu. Et moi qui croyais être en sûreté dans la ville... que ma maison était suffisamment solide pour nous protéger. En tout cas, je peux dire que j'ai été surpris lorsque la fenêtre de ma chambre a volé en éclats et que l'eau s'est mise à monter très, très vite autour de moi. J'ai fait une recherche sur l'eau à la bibliothèque. En chimie, on dit que l'eau est un composé chimique « pur » exactement comme le mot « Katrina » pour les catholiques. Mais dans la réalité, je sais qu'il n'y a rien de pur là-dedans. L'eau est sale, froide, salée, dangereuse et meurtrière. L'eau est davantage comme une martyre torturée à Alexandrie qui voudrait faire payer ses malheurs à tout le monde. J'ai lu que le corps humain est composé de 60 % d'eau, mais pas le mien. Non, je refuse d'être composé de cette chose si dangereuse et démente. Moi, je suis composé à 60 % de Coca-Cola, c'est tout! Je fais des bulles, moi, pas des victimes. Je provoque des rots, moi, pas des cris qui me réveillent dans la nuit. Si nous avions reçu une vague de Coca-Cola, nous aurions pu, ma mère et moi, nous accrocher aux bulles et flotter tranquillement jusqu'à ce que les secours arrivent. Mais Troy est disparue et je suis demeuré seul... Seul comme dans « plus personne ». Seul comme dans « mon petit chien Snow est mort aussi... ». Seul comme dans « quand tu pleures, il n'y a personne pour te consoler ». Seul comme dans « j'ai peur ». Seul comme dans « pourquoi je ne me suis pas noyé, moi aussi? »

Souvent, je me demande...

Et les anges gardiens, que font-ils? Il paraît qu'ils sont au paradis et qu'ils veillent sur nous, c'est leur travail! Je ne peux pas dire qu'ils sont excellents. À moins qu'ils aient été en vacances au mauvais moment. J'imagine qu'ils ont aussi besoin de repos, comme tout le monde. Ils jouent peut-être au golf.

Parfois, je lis...

J'ai trouvé ce conte arabe dans un livre à la bibliothèque :

Un jour, un vieil homme très sage qui aimait beaucoup les chevaux perdit son animal. Son cheval s'était sauvé pour aller galoper dans un pays lointain. Tout le village vint consoler le vieillard affligé qui, néanmoins, répondit ainsi aux témoignages de sympathie : « Et si ce malheur se transformait en bonheur ? » Le temps passa et après plusieurs mois, alors que le vieillard ne l'attendait plus, le cheval revint au bercail suivi d'un pur-sang magnifique. Tout le village se rassembla de nouveau, mais cette fois, pour féliciter le vieil homme de ce cadeau du ciel. Le sage dit seulement : « Et si ce bonheur se transformait en malheur ? » Sa famille prospéra grâce au nouvel animal. Un jour, le fils du vieillard, qui aimait beaucoup monter à cheval, fit une chute et se tordit la jambe. Malgré tous les soins, il demeura boiteux. Consternés, ses voisins vinrent lui rendre visite pour le plaindre de son sort. Comme toute réponse à leur compassion, ils eurent droit à ces quelques mots : « Et si ce malheur se transformait en bonheur ? » Un an plus tard, une grande guerre éclata et tous les hommes du royaume en âge de se battre furent enrôlés de force. Or, comme le fils du vieux sage était boiteux, il demeura à la maison et aida son père à la ferme. Beaucoup de soldats furent tués au combat et peu d'entre eux rentrèrent au pays. Une jambe tordue avait épargné la vie du garçon... Trois histoires et une seule qui a une conclusion ?

C'est joli, non ? Moi, j'attends que mon malheur se transforme en bonheur. J'attends surtout la nuit, parce que, de toute façon, je ne dors plus. Enfin, quand même un peu, mais jamais sur mes deux oreilles, comme on dit. C'est que dès que je ferme un œil, c'est parti pour un grand tour de manège : je revois tout l'ouragan dans ma tête. Une fois, j'ai même hurlé parce que j'étais en train de me noyer. Non, mais... Je manquais d'air et tout... j'essayais de sortir de la maison... tout flottait autour de moi... je me cramponnais comme un alpiniste tellement j'avais peur de tomber dans le vide. Il y avait un de ces vacarmes ! Je ne comprenais pas ce qui arrivait... je me disais que ce n'était qu'un rêve, que j'allais me réveiller. Mais non...

Les nuits sont longues...

Je ne sais pas trop comment je me suis retrouvé au refuge des victimes de l'ouragan. Ce dont je me rappelle par contre, c'est cet ivrogne qu'on avait placé à côté de moi. Des bénévoles se démenaient pour aider tout le monde, mais lui, le vieux, il criait sans arrêt des injures. Partout dans le refuge, des gens pleuraient. Ils venaient de perdre de la famille, leur maison ou leur gagne-pain, mais monsieur hurlait comme un dément parce qu'il voulait boire du vin ! Je lui ai dit de fermer sa gueule, que j'avais le droit de pleurer en paix ! Il m'a tendu sa bouteille vide en plastique et m'a sommé de lui trouver du vin...

Mon chagrin n'en pouvait plus d'entendre ses jérémiades, et je voulais la paix. Alors, je lui ai demandé de l'argent pour que je puisse lui trouver du vin. Le vieux m'a dit de me débrouiller sans argent. Il a dit que j'étais certainement assez malin pour m'en passer, et que de toute façon, tout le monde pouvait acheter du vin avec de l'argent, mais réussir à en obtenir sans avoir à débourser un sou, voilà ce qui était vraiment intéressant !

Je l'ai regardé baver dans sa barbe pendant qu'il me faisait de grands signes pour que je m'active. Je me suis décidé à faire le tour du refuge, mais personne n'avait de vin. Des bénévoles m'ont proposé de l'eau – que j'ai refusée – et du Coca-Cola. J'en ai pris deux canettes. Il y avait de la nourriture aussi, mais pas d'alcool.

Quand je suis revenu avec la bouteille vide, le vieil haïssable m'a traité de tous les noms. Je lui ai tendu une canette de

Coca-Cola en lui expliquant qu'il n'y avait rien d'autre, mais il continuait de hurler comme un fou. Alors je lui ai lancé sa maudite bouteille à la figure en lui disant que n'importe qui pouvait boire à une bouteille pleine ! Mais réussir à étancher sa soif avec une bouteille vide, voilà qui était bien plus intéressant !

Il s'est tu, m'a fixé quelques secondes, puis il est tombé raide mort ! Je n'arrivais pas à le croire ! Il venait de survivre à la tempête du siècle et, une fois en sécurité, il meurt, le vieux dégoûtant ! En tout cas, je n'ai pas envie de le féliciter !

Toujours, je réfléchis...

Personnellement, je pense que je n'ai pas peur de la mort, je veux juste ne pas être là quand elle arrivera.

Ça revient, sans cesse...

J'ai réussi à sortir par la fenêtre. Il me semble, en tout cas... J'ai grimpé sur le toit d'une maison voisine et j'ai crié de toutes mes forces qu'on vienne me chercher. J'ai appelé ma mère, j'ai appelé mon chien, mais il y avait beaucoup trop de vent pour que quelqu'un puisse m'entendre. Durant des heures et des heures, j'espérais voir Troy et Snow surgir de quelque part et venir me rejoindre sur mon toit. Mais, au fond de moi, je sentais qu'ils étaient disparus pour de bon. J'ai quand même continué de les appeler. Après la tempête aussi, j'ai hurlé leurs noms à en perdre haleine, à en perdre la voix, à en perdre la raison. En criant leurs noms, j'avais l'impression de les sentir près de moi. Puis, je me suis dit qu'il fallait que j'arrête de les appeler comme ça, au cas où ils seraient eux aussi en train de m'appeler pour que ce soit moi qui aille les rejoindre quelque part. Peut-être que nous avions eu la même idée ? Je n'aurais qu'à me lancer à l'eau pour aller les trouver. Alors, j'ai écouté. Je me concentrais pour entendre la voix de ma mère ou des aboiements de Snow, mais... rien. Personne ne m'appelait. Il n'y avait plus personne. Je pense qu'à ce moment-là, j'ai voulu mourir.

Je me gratte le nez...

Finalement, je me rappelle. C'est un hélicoptère qui m'a amené au refuge. Quand il est descendu vers moi, j'ai pensé : « Ça y est, un ange m'a enfin trouvé ! » Ça fait du bruit, un ange qui descend du ciel ! Et du vent aussi ! J'ai fini par grimper jusqu'à lui et je lui ai demandé si c'était bien, le golf. Il y avait un type avec une croix rouge sur sa veste qui n'avait pas l'air de comprendre ce que je disais, alors il m'a offert de l'eau. J'ai dit : « NON ! » Et j'ai vomi sur le plancher.

Les jours de la semaine ont disparu...

Je n'arrive pas à me rappeler comment ça s'est passé exactement. Il y a tellement d'images pêle-mêle dans mon esprit ! Elles défilent comme si c'était un dessin animé, mais sans organisation. Par exemple, il arrive parfois que la fin, le début et le milieu de ce qui s'est passé se mêlent à des histoires que j'ai déjà lues ou même inventées. Et puis, il y a la réalité qui me fait douter. On dirait que je ne sais plus ce qui est vrai ou non. Dans le fond, c'est peut-être que je ne veux pas le savoir... Depuis l'ouragan, même quand tout est calme, je reste sur mes gardes. Ce n'est pas normal. Je me demande toujours quelle catastrophe va m'exploser au visage... Comme pour les mots, je me méfie de tout.

Je gagne du temps...

C'est ça que je fais... je le sais maintenant, je fais de la courtepointe. J'ai appris qu'une courtepointe est un assemblage de bouts de tissus cousus les uns aux autres pour fabriquer une grande couverture. Tous les morceaux réunis donnent des motifs ou une image. Il paraît que c'est devenu une grande tradition américaine ! C'est Ashley qui me l'a expliqué. Elle dit qu'elle veut essayer de m'aider. Ahsley, c'est un peu mon nouvel ange gardien, et ce qui est génial avec elle, c'est qu'elle ne joue pas au golf.

Ça me glace le sang...

Des personnes sont venues me dire que le corps de ma mère avait été retrouvé et ils ont précisé : « Le décès est confirmé. » J'ai senti que l'ouragan revenait dans ma tête. Pourquoi Troy et pas moi ? Je me suis senti coupable d'avoir survécu. Et j'ai pensé que mon quartier était tellement moche, avec de la drogue, de la violence et tout ça, que peut-être le bon Dieu avait décidé de faire le ménage. Comme un grand ménage, quoi ! Dans l'histoire de Noé et du déluge, les vilains à l'eau et les bons dans le bateau ! Mais je suis né du côté de la racaille, alors pourquoi suis-je toujours vivant ? Juste pour dire, je suis tellement du mauvais bord que j'ai même de la famille en prison pour possession illégale d'armes et vente de drogue ! Quoi qu'il en soit, ma mère était une meilleure personne que moi. Alors pourquoi elle et pas moi ? J'ai demandé à Ashley si elle croyait que ma mère serait toujours en vie si elle avait essayé plus fort de nous faire une meilleure vie, à elle et moi. Ashley ne m'a pas répondu tout de suite. Elle a pris une grande respiration et m'a affirmé que la vie ne fonctionnait pas de cette façon, qu'elle était beaucoup plus compliquée. Elle a raison, la vie est très difficile à comprendre.

Il faut du temps...

Plus le temps passe et mieux je distingue le motif de ma courtepointe. Je comprends davantage qu'il y a toujours deux côtés au malheur. Comme la signification du mot Katrina qui a aussi deux sens, deux significations particulières. C'est un peu comme le dit le vieillard dans un conte que j'ai lu à la bibliothèque : « Et si ce malheur se transformait en bonheur ? » Il y a l'eau qui engloutit, et l'eau qui fait vivre.

Je discerne mieux le motif de ma nouvelle vie. Ce n'était pas mon destin de grandir dans ce quartier de La Nouvelle-Orléans. Katrina a fait quelque chose de mal et certainement quelque chose de bien qu'il est difficile de voir pour l'instant, mais avant tout, cet ouragan m'a forcé à prendre un autre chemin.

Il me reste énormément de pièces à assembler pour terminer ma courtepointe, mais Ashley m'aide. Je n'ai pas beaucoup d'argent, mais je ne suis pas pauvre, parce que la pauvreté, c'est de manquer de richesse à l'intérieur de soi, et ça, j'en ai beaucoup maintenant !

Quelqu'un a du fil à retordre ?

La rencontre
avec Céline Dion

Donald, Ashley et Céline Dion

La rencontre entre Donald et Céline Dion a donné lieu à un bel échange. L'adolescent a d'abord remis à la chanteuse un magnifique dessin qu'il avait fait pour elle : une reproduction de la Cathédrale Saint-Louis, un des sites les plus visités à la Nouvelle-Orléans. Ce croquis d'une grande précision, Donald l'a dessiné à partir des souvenirs qui lui restent de sa ville d'origine. Depuis le passage de Katrina, il n'y a jamais remis les pieds.

Donald, c'est un ange! Céline Dion a été frappée par la sérénité déconcertante pour un jeune de l'âge de Donald. Le moment fort de la rencontre a été lorsque l'adolescent a confié à quel point sa mère lui manquait. « Ta mère va toujours être avec toi, a répondu Céline Dion. Tu sais, le cordon qui relie une mère à son enfant et qu'on coupe à la naissance... Eh bien, peu importe ce qu'il arrive, ce cordon ne se rompt jamais tout à fait. » Donald a réagi vivement à ces paroles, comme si elles avaient fait vibrer en lui une corde très sensible. La chanteuse a été touchée à son tour par la réaction du jeune garçon, un peu comme si leurs deux âmes s'étaient rejointes.

avec Bryan Perro

Tous les garçons du Québec le connaissent et l'aiment. Lorsque j'ai su que monsieur Bryan Perro serait ton auteur, je me suis dit que tu vivrais une rencontre pour laquelle bien d'autres enfants de ton âge donneraient n'importe quoi. C'est ironique, la vie parfois : toi, qui ne sais absolument rien d'Amos Daragon et de ses aventures, tu allais avoir la chance de rencontrer son créateur, celui qui impressionne tant les jeunes québécois ! Tu allais voir cet homme imposant s'approcher, serrer sa grande main, entendre son rire et sa voix. Devinais-tu que monsieur Perro est en fait un magicien, capable de t'emporter dans des univers fascinants ?

Et puis, je me suis vite ravisée : peut-être que toi, les aventures, ça ne te disait rien ? Peut-être qu'après ce que tu as traversé, c'était en fait la dernière chose que tu avais envie de vivre, des aventures...

Lorsque je t'ai aperçu, toutes mes craintes se sont dissipées. Avec ton sourire lumineux, ton regard clair et curieux, tu n'avais aucune des réserves que je t'avais attribuées. Bryan Perro s'est avancé vers toi et tu lui as souri. Vous vous êtes parlés et, tout de suite, j'ai senti une magie, un courant, un lien. Amos D'Aragon n'existait plus, pas plus que l'auteur, ou le héros de Katrina. Il n'y avait plus devant moi qu'un homme et un adolescent, heureux de se rencontrer enfin, de pouvoir échanger quelques mots. Monsieur Perro te questionnait, s'intéressait à toi et, curieusement, c'est lui qui semblait le plus impressionné. Toi, Donald, tu avais l'air complètement à l'aise, comme si tu t'étais retrouvé en compagnie d'un grand frère ou d'un ami.

J'ai compris que je m'étais trompée sur toute la ligne : si les garçons du Québec veulent rencontrer Bryan Perro, ce n'est pas parce qu'il impressionne, c'est au contraire parce qu'il est vrai et simple et  qu'il s'adresse aux jeunes en les regardant droit dans les yeux, comme si, quelque part, il ne les avait jamais quittés.

Dominique Drouin, Directrice
du secteur livres aux Éditions La Semaine

IL ÉTAIT UNE FOIS UNE PETITE SIRÈNE

L'histoire de Milagros Cerrón Arauco

Tout le monde connaît les sirènes, ces créatures mytho-logiques mi-femmes, mi-poissons. La légende raconte qu'après avoir passé des siècles à découvrir l'océan, ces êtres immortels se sentaient seuls et voulaient se faire aimer par un humain. D'où leur chant harmonieux pour attirer les pêcheurs et les marins sur leurs récifs... Or, voici l'histoire bien réelle d'une sirène tout aussi charmante dont le chant a heureusement été très vite entendu.

L'histoire débute en plein cœur de la cordillère des Andes, au Pérou, dans un village perdu de la province d'Huancayo. Sara Cerrón Arauco, 19 ans, attend son premier enfant. Comme plusieurs femmes d'origine modeste, elle n'a pas eu accès à une échographie au cours de la gestation. Or, si sa grossesse s'est tout de même bien déroulée, l'accouchement s'annonce plus pénible. Après 11 heures de contractions très intenses, le bébé se pointe finalement le bout du nez. Mais au lieu d'accueillir le bébé avec un soupir de soulagement, les infirmières restent coites. Un inquiétant silence règne dans la salle d'accouchement. Puis, au lieu de transporter le bébé dans les bras de Sara, les infirmières l'emmènent à l'extérieur de la chambre, loin de sa mère à la fois épuisée et consternée.

Sara apprend bien vite tous les détails sur le sort de sa petite fille. Vu la rareté de son cas, la nouvelle se propage comme une traînée de poudre et le soir même, on parle d'elle au bulletin d'informations.

À 400 kilomètres de là, à Lima, le docteur Luis Rubio, chirurgien plasticien en chef d'un hôpital public pour les démunis, vient de terminer sa journée de travail lorsque son téléphone cellulaire retentit. À l'autre bout du fil, le maire de la ville lui demande s'il a regardé les nouvelles. Ricardo Cerrón, un jeune père d'un village d'Huancayo vient d'y lancer un appel à l'aide. Il n'a pas d'argent pour payer les soins médicaux qui pourraient sauver son nouveau-né d'une mort certaine. Sans plus attendre, le docteur Luis Rubio fait les démarches nécessaires pour que les parents et l'enfant soient conduits d'urgence à son hôpital à Lima.

Le lendemain matin, lorsqu'il vient rencontrer le couple et l'enfant, le docteur Rubio est abasourdi par le cas qui se présente à lui : les jambes de la petite sont complètement soudées, des hanches aux chevilles. À l'extrémité des jambes, les pieds du bébé sont tournés vers l'extérieur, évoquant la forme d'une queue de poisson. Il n'en faut pas davantage pour que les médias nomment le bébé *Sirenita*, « petite sirène » en espagnol. Le médecin prend l'enfant à l'abondante chevelure noire dans ses bras, mais celle-ci se met à pleurer en soulevant sa « queue », visiblement inconfortable dans ses mouvements.

Milagros et le docteur Rubio

Le médecin connaît l'existence de cette malformation congénitale, mais c'est la première fois qu'il l'a sous les yeux. Il s'agit en fait de la sirénomélie, ou syndrome de la sirène, une anomalie très rare touchant environ un fœtus sur 100 000. La plupart des enfants atteints de ce syndrome meurent avant la naissance ou dans les 15 jours suivants, en raison de sérieuses dysfonctions des organes essentiels ou des complications associées au développement anormal des reins et de la vessie. Une chirurgie se présente donc comme une solution inévitable. Le docteur Rubio ne connaît cependant qu'un seul cas où l'enfant a survécu à l'opération visant à séparer les deux jambes. Tiffany Yorks, une Américaine maintenant âgée de 19 ans, avait subi une telle opération avec succès à la fin des années 1980.

Sortant de ses pensées, le médecin procède à un examen sommaire de la structure interne de la « queue » de la *Sirenita*. Il lui faut savoir si l'ossature, les muscles, les nerfs, les tendons et la circulation sanguine fonctionnent normalement avant de décider de la suite des choses.

Un peu plus tard, il analyse avec une anxiété manifeste les résultats de la scanographie. Les clichés sont encourageants : sous l'enveloppe de tissus et de ligaments qui les recouvrent, les deux jambes sont bien formées et indépendantes l'une de l'autre. Toutefois, un seul rein semble fonctionnel, sans compter plusieurs autres anomalies qui touchent d'autres organes internes.

Après avoir consulté le docteur Mutaz Habal, le chirurgien plasticien qui avait jadis mené l'opération pour Tiffany Yorks, Dr Rubio arrive à la conclusion qu'il faut attendre que la petite ait au moins quatre mois avant de procéder à l'opération. Elle doit avoir suffisamment de force pour subir les contrecoups de l'anesthésie et de la chirurgie.

Le docteur Rubio rencontre les parents du bébé pour leur annoncer l'éventualité d'une chirurgie, en prenant bien soin de ne pas semer en eux de faux espoirs. En effet, la santé du bébé est tellement précaire que chaque nouvelle journée pour la petite est en soi un miracle. C'est pourquoi Ricardo et Sara décident de prénommer leur fille Milagros, qui signifie « miracles » en espagnol.

Quatre mois plus tard, Milagros est en état de subir la chirurgie, mais une série d'infections retarde encore la date fatidique. À chaque jour qui passe, l'angoisse des parents grimpe d'un cran. Ils n'arrivent pas à croire que leur petite soit si enjouée, malgré l'épée de Damoclès qui lui pend au-dessus de la tête. Milagros séduit tous les cœurs, même celui du docteur Rubio, qui voit pourtant défiler dans ses bureaux des centaines d'adorables petits patients chaque année.

Au bout de trois mois, la situation de Milagros se stabilise. Le docteur Rubio sait que s'il n'opère pas maintenant, il pourrait perdre sa charmante patiente pour toujours. Une dernière vérification s'impose toutefois : il faut s'assurer que les artères et les veines de Milagros fonctionnent bien, sans quoi cette opération risquée ne servirait à rien. Or, les résultats des tests démontrent que le flux sanguin ne circule pas également des deux côtés, ce qui laisse planer la possibilité d'une amputation.

Le jour de l'intervention, le 31 mai 2005, le docteur Rubio prend la petite dans ses bras pour la mener jusqu'au bloc opératoire. Les 50 mètres qu'il a à parcourir lui semblent une éternité. Au fil de ses pas, la petite Milagros s'agrippe au pouce du médecin, comme si elle essayait de lui communiquer quelque chose de vital.

Tout au long de l'opération, les parents de Milagros sont dans une salle d'attente, où ils assistent au déroulement de l'intervention sur un écran de télévision en circuit fermé.

Crédit photo : Presse Canadienne

Dans les bras du docteur Rubio

Malgré leurs pleurs et leurs prières, ils regardent d'un œil attentif ce qui se trame à quelques mètres d'eux : 11 médecins et infirmières s'activent autour de la petite silhouette de leur bébé.

Après avoir pratiqué une longue incision à l'aide d'un scalpel pour trancher le tissu spongieux qui soude les deux jambes, les spécialistes isolent ensuite les nerfs, les tendons et les vaisseaux sanguins. La plaie est cautérisée afin d'éviter l'hémorragie. La chair à vif est finalement recouverte par de la peau prélevée ailleurs sur le corps de l'enfant.

Quatre heures et demie plus tard, le docteur Luis Rubio réapparaît dans l'embrassure de la porte. Il sert Ricardo et Sara dans ses bras. Tous les trois sont soulagés que l'opération se soit bien déroulée. Le lendemain matin, la petite Milagros, avec ses deux jambes coincées dans d'épais plâtres, s'alimente normalement. Il faudra toutefois attendre encore quelques mois avant que la cicatrisation se fasse pour juger du succès de l'opération.

En septembre 2006, la *Sirenita*, chaussée de petits souliers blancs bien propres, fait ses premiers pas devant une foule de journalistes et de photographes entassés dans une salle de l'hôpital de la Solidaridad. Encore plus charmeuse qu'une sirène sortie tout droit d'une légende, Milagros lance des baisers aux caméras et esquisse même quelques pas de danse.

Milagros entre
papa et maman

Milagros aura besoin de plusieurs opérations au cours des prochaines années pour corriger certaines anomalies de ses organes internes. Pour faciliter cela, son père, Ricardo Cerrón, a trouvé un travail à l'hôpital de la Solidaridad pour que la famille puisse rester à Lima, où Milagros recevra des soins médicaux. Parlant de solidarité, une vague de solidarité a déferlé à la suite de l'opération de Milagros. L'hôpital a reçu un flot de nouveaux patients, ainsi que des dons inespérés.

Aujourd'hui, Milagros joue avec les autres enfants à la garderie. On tend à oublier que, dans une autre vie, cette fillette active a déjà été une petite sirène...

Tiré de « L'enfant sirène », par Dan Levine. ©
The Reader's Digest Association Inc.; Sélection, août 2007.
Adapté par Mariève Desjardins, les Éditions La Semaine.

MILAGROS, PETIT RAYON DE SOLEIL

*Un texte de Marie-Claude Lavallée,
offert par l'auteure à Milagros Cerrón Arauco.*

Je t'écris de mon coin de la Terre, face à ma fenêtre. Seule, mais déjà avec toi.

On m'a demandé de faire partie de ce beau projet sur 12 enfants survivants, 12 petits héros de la vie, combattants avant même de connaître le sens de ce mot.

Milagros, dès que j'ai lu les premiers mots de ton histoire, j'ai su que c'était toi.

J'ai su que mon cœur t'avait adoptée et que désormais, ton histoire entrait dans la mienne.

Petite sirène, petite fée, ton arrivée sur cette Terre a touché tous ceux qui t'ont vue ; un phénomène rarissime, un grand mystère, une inquiétude immense pour tes parents qui ont eu à se battre non seulement pour sauver ta vie, mais qui ont eu à se battre aussi contre les préjugés de tous ceux qui, dans le village, pensaient que c'était un mauvais génie qui t'avait fait naître sirène.

Tes parents, d'ailleurs, sont les premiers héros de ton histoire.

Ils ont su aller au-delà de l'image, au-delà de toutes ces rumeurs qui les entouraient.

Ils ont fait, eux, le choix de croire en leur petite fille. C'était déjà le début du miracle, Milagros.

Ton père, Ricardo, a lancé le premier appel à l'aide.

Son cri est parti de son cœur et a rejoint celui de milliers de personnes, à commencer par celui de ce médecin qui allait rapidement décider d'agir à son tour.

Tes parents ont fait une chose que bien des parents oublient de faire ou ne savent tout simplement pas faire, Milagros : Sara et Ricardo t'ont aimée toi, telle que tu étais.

Ils t'ont aimée encore plus à cause de ce que tu étais.

Ils t'ont vue, toi, et, pour toi, ils ont su défoncer toutes les portes, tous les murs pour rendre ton monde plus beau, pour que tu puisses déployer tes ailes, pour que tu puisses avoir la chance de marcher, de danser, de courir.

Milagros, du fond de ton petit village, ton histoire a rejoint le monde entier.

Du fond de ton petit village, tu incarnes l'avenir, tu es l'espoir, et ce matin, tu es avec moi, ici, avec les oiseaux qui chantent à tue-tête, avec mon petit chien et mon gros chat qui dorment paresseusement à mes côtés.

Tu devrais les entendre ronfler !

Milagros, tu sais, il y a quelques millénaires, en te voyant, tous les villageois auraient fait de toi leur déesse, leur prophétesse, leur reine née de la terre et de la mer en même temps. Un miracle !

Tu aurais été vénérée, adulée, consultée ; des gens seraient venus de partout pour te voir et te toucher, tu serais sûrement entrée dans la légende, mais quelle vie aurais-tu vécue ?

Peut-être aussi qu'à une autre époque encore, les gens auraient eu peur de ta différence, qu'ils t'auraient rejetée en fixant leur regard sur cette différence plutôt que sur ta beauté. J'ose à peine y penser.

Il n'y a pas si longtemps, tu aurais peut-être fait le tour du monde, mais comme objet de curiosité... exploitée dans ta solitude.

Mais non ! Tu es arrivée en ce début de troisième millénaire, dans ton petit village du Pérou. Tu as eu la chance qu'un pays au complet réponde à l'appel de ton papa, qu'un pays au complet décide de t'aider, de t'aimer à son tour.

Mais tu sais, petite fée, t'aimer, ce n'est vraiment pas difficile.

Avant même de voir ton beau visage, je ressentais ta présence et ta force.

Quand j'ai vu la première photo de toi, juste avant ta première opération, j'ai fondu complètement devant ton sourire, tes grands yeux ouverts sur le monde, ce regard franc, brillant, cet air de nous dire : « Mais qu'est-ce que vous avez tous à me regarder comme ça ! »

Toi, tu étais dans ta pleine normalité, dans ta façon d'être à toi. Tes petites jambes soudées ensemble, qu'on voyait parfaitement sur la photo, faisaient partie de toi comme tes yeux de feu, tes beaux cheveux, ta peau de satin.

Ça m'a beaucoup secouée et fait réfléchir sur cette notion de normalité, Milagros...

Qu'est-ce qui est normal ?

C'est quoi être normal ?

Est-ce nécessaire de l'être ?

Et pour qui ? Et pour quoi ?

Comprends-moi bien, Milagros, je ne suis pas en train de te dire que j'aurais souhaité que tu restes comme tu étais, puisque ta vie aurait été pas mal plus compliquée, mais j'étais touchée de voir que dans tes yeux, de ton point de vue à toi, tout était beau, tout était « normal ».

La confiance que j'ai vue dans tes yeux m'a émue aussi, cette confiance qui trop souvent disparaît au fur et à mesure qu'on avance dans la vie.

Cette confiance dans tous les possibles, dans toutes les beautés qu'on oublie de regarder.

Tu es forte, Milagros, ça je l'ai vu dans cette première photo. Je l'ai vu aussi dans ces autres photos où tu fais brillamment tes premiers pas.

Tu es forte, joyeuse... et tellement belle !

Et je sais, par ton regard, que tu as déjà compris beaucoup de choses que la plupart d'entre nous prendrons toute une vie à comprendre.

Des choses pourtant si simples.

Tu sais déjà, toi, par exemple, que seul, on ne va pas très loin, mais qu'à plusieurs, si chacun fait sa part, même minuscule, une petite fille peut marcher.

* * * *

Je te vois déjà arriver à l'école, raconter ton histoire à toi, unique et universelle.

Je te vois déjà jouer au ballon et montrer fièrement tes cicatrices de survivante, de championne.

Tu es solide, Milagros, et ça tu le sais déjà puisque tu es là.

Ta seule présence en ce monde, chaque pas que tu fais, sont le symbole de cette force que tu dégages, de cet espoir que tu incarnes.

* * * *

Je ne t'ai jamais rencontrée, mais savais-tu que j'avais déjà entendu parler de toi, Milagros ? Un hasard, une télé allumée un après-midi d'automne...

On parlait de toi, du miracle que tu étais.

Je ne savais pas à ce moment-là que je t'écrirais aujourd'hui, mais ta vie m'avait déjà touchée.

L'amour de tes parents, la joie totale dans leurs yeux en parlant de leur petite fille, tout cela me faisait du bien.

Et tu vois, ce matin, on est ensemble, toi au Pérou, moi à Montréal.

Et ta présence me donne envie de croire aux possibles.

Tu me donnes envie de soulever tous les murs qui bloquent la vue de ma vie.

Tu me donnes envie de prendre ta main et de me laisser guider par toi.

Tu as tellement à me montrer, à m'enseigner...

À force de vivre dans la frénésie, la folie du travail, la course perpétuelle, les distractions, on oublie trop souvent l'essentiel.

Milagros, ce matin, tu es mon essentiel.

Tu viens me rappeler d'abord que je marche tous les jours sans même me soucier du petit miracle que cela représente.

Tu viens me rappeler que je me plains bien souvent en oubliant que me plaindre ne fait que prolonger le bobo, lui donner de l'importance.

Tu viens me rappeler à quel point tout ce que je fais machinalement, je devrais le faire en pleine conscience de ce que je suis, consciente de ce qui m'entoure, consciente qu'il existe des êtres d'exception qui mènent des batailles extra-ordinaires, des enfants comme toi qui, par leur simple présence en ce monde, font une différence.

Et tu viens me rappeler à quel point les préjugés, les idées préconçues disparaissent quand les yeux sont branchés sur le cœur.

Ce matin, ma petite sirène, tu es un peu ma fille à moi aussi, même si tu as déjà Sara et Ricardo qui t'aiment. Est-ce qu'on peut avoir trop d'amour dans une vie ?

Et ce matin, je te vois heureuse.

* * * *

Ah ! Milagros ! Les leçons que tu pourrais déjà nous donner !

Comment faire pour ne pas tomber, mais surtout, comment faire pour se relever la tête bien haute, le rire déjà prêt à éclater ?

Comment faire pour que les mots parfois blessants des autres ne nous atteignent jamais, pour qu'on les transforme en poésie ?

Comment faire pour que ces mots parfois blessants puissent devenir un moteur pour changer le monde plutôt qu'une paralysie du cœur ?

Les mots, Milagros, laissent parfois des cicatrices bien plus profondes que celles qu'on porte dans notre chair.

Toi, tu connais déjà la douleur dans ton corps, elle fait partie de ta vie, tu as déjà une longueur d'avance sur nous tous, puisque ton combat pour marcher, pour te tenir debout, bien solide sur tes jambes, t'aura sûrement donné des outils pour repousser ces mots qui blessent, qui nous empêchent d'avancer, qui nous retiennent souvent sans qu'on le sache.

* * * *

J'ai bien envie, ce matin, de te raconter une histoire, Milagros, une histoire que j'ai vécue quand j'étais moi aussi toute petite.

Pour moi, elle est le symbole d'une force qui m'accompagne encore aujourd'hui, des années plus tard.

Quand j'avais exactement ton âge, un jour, mon père m'avait accompagnée à la maternelle comme il le faisait tous les matins.

Sauf que ce matin-là, Milagros, il y avait une tempête de neige et de verglas, une vraie de vraie ! On ne voyait presque rien.

Mon papa m'avait laissée devant l'école, sans se demander si elle était ouverte ou pas. À cette époque-là, les stations de radio ne donnaient pas encore ce genre d'informations le matin.

Donc, je te raconte :

Mon père me laisse à quelques mètres de l'école et s'en va à son travail.

J'arrive à la porte de l'école, j'essaie d'entrer... RIEN ! La porte est verrouillée !

Je cogne, je cogne de toutes mes forces et je crie... RIEN ! Il n'y a personne... et mon papa est déjà loin, Milagros. Il ne m'entend pas.

À cet instant-là, du haut de mes quatre ans, je réfléchis vite et me dis que je n'ai qu'une seule solution : je dois rentrer à la maison.

J'ai quatre ans, Milagros, et la maison est loin, à au moins cinq kilomètres, mais dans ma tête, j'ai déjà tracé la route à suivre, même si elle est dangereuse, puisque c'est une route très passante.

Je pars, je marche, je pleure, je fais trois pas et je tombe, je me relève et je marche encore, aveuglée par le vent, la neige, la glace et mes larmes.

Je marche, sans savoir jusqu'où j'irai, mais je marche.

Soudainement, alors que je me relève, sûrement pour la dixième fois, quelqu'un me soulève de terre, me prend dans ses bras et me serre de toutes ses forces !

C'est la demoiselle libanaise qui m'enseigne et qui, dans un coup d'instinct, s'est dit : « Et si monsieur Lavallée avait quand même accompagné sa petite à l'école… »

Milagros, mademoiselle Moussali m'a amenée chez elle, m'a préparé un chocolat chaud, et on a fait des jeux toute la journée, juste nous deux.

Et ça a été la plus belle journée de mes deux ans de maternelle !

Je te jure !

Et pourquoi je t'en parle aujourd'hui ?

Je t'en parle parce que je veux te dire que ce matin-là, du haut de mes quatre ans, j'ai compris une chose : j'ai compris que peu importe le mur que je frappe, peu importe sa hauteur, son épaisseur, j'avance ! Je pleure, je crie, je souffre, mais j'avance.

J'ai compris ce matin là au plus profond de moi, Milagros, qu'en avançant, en bougeant, en croyant à l'impossible, en s'y abandonnant, au fond, il y avait toutes sortes de possibles et de surprises.

Encore aujourd'hui, si tu savais, Milagros, combien parfois la route est embrouillée, combien il est difficile de faire certains choix, mais même quand je ne vois rien, j'avance, j'essaie d'avancer comme la petite fille dans la tempête.

J'avais aussi envie de te raconter cette histoire, Milagros, pour que tu en saches un peu sur moi, ta « petite marraine » du nord, de ce pays de froid et de neige.

J'avais envie que tu saches déjà combien tout ce qu'on vit reste en nous, parfois caché, enfoui, mais malgré tout ancré profondément et nous donne des ailes à des moments où l'on pense que tout est fini.

J'avais envie que tu saches que même à quatre ans, on prend des décisions qui déterminent déjà ce que l'on est, ou qui nous ressemblent, tout simplement.

Qui sait à quel point ce que tu traverses te permettra de déplacer les montagnes qui pourraient un jour bloquer ton horizon ?

* * * *

Est-ce que je t'ai dit, belle Milagros, que je travaille à la télévision ?

Est-ce que je t'ai dit que chaque semaine, je rencontre des gens qui me parlent, me confient leurs secrets, me racontent eux aussi leurs histoires d'enfants, ces expériences qui ont façonné leur vie, qui expliquent ce qu'ils sont devenus aujourd'hui ?

Ils me racontent comment ils font pour vivre, pour mieux vivre, pour faire tomber leurs murs à eux.

Si je le pouvais, Milagros, je te résumerais ici, tout de suite, chacune de ces rencontres pour qu'elles te servent de guide, qu'elles t'inspirent comme elles m'inspirent chaque fois.

Ces rencontres, elles ont lieu dans un tout petit studio où il fait beaucoup trop chaud, mais où on dirait que tout disparaît, sauf... la rencontre.

Et de là arrivent l'inconnu, le surprenant, de là arrivent aussi parfois des réponses à mes questions, à mes inquiétudes à moi.

Si tu savais le nombre de questions qui m'habitent... Mais ça, c'est une autre histoire.

De toute façon, ces questions, je les aime bien maintenant.

Elles font partie de moi, de mes doutes...

Quant aux réponses, elles semblent arriver au moment où elles doivent arriver.

J'apprends la patience, Milagros.

Ce matin, parlant de mon émission, je me disais à quel point ce serait merveilleux de te recevoir un jour dans mon studio.

Tu en aurais tellement long à me dire, à nous dire à tous.

J'aurais tant de questions pour toi qu'on aurait besoin de plusieurs heures pour faire le tour de tes souvenirs.

Il faudrait que tu nous racontes à quel moment tu as senti que ton univers changeait, que tu nous racontes l'amour des tiens, les opérations, les petits et grands pas dans ta vie.

Et même aujourd'hui, quand je regarde tes yeux et ton sourire (j'y reviens toujours à ton sourire, parce qu'il me réchauffe plus que le plus beau soleil d'Italie), j'aimerais déjà poser quelques questions à tes quatre ans.

Que tu nous dises à nous tous ce qui te fait sourire, ce qui te rend heureuse, ce qui te rend triste.

Je te demanderais aussi comment tu ressens ces jambes que les médecins t'ont redonnées.

Est-ce que tu as des souvenirs de sirène ?

Des souvenirs de tes petites jambes soudées ensemble ?

Est-ce que tu as des souvenirs de tes réveils à l'hôpital ?

Est-ce que tu as mal, parfois ?

Qu'est-ce que tu fais quand tu as mal ?

À quoi tu rêves le jour, en regardant les oiseaux ?

À quoi tu rêves le soir, en regardant les étoiles ?

Est-ce que ça t'ennuie que la planète au complet soit au courant de ce que tu as vécu ?

Est-ce que tu aimes les caméras de télévision ou est-ce qu'elles te dérangent dans tes jeux de petite fille?

Qui est ta meilleure amie et pourquoi tu l'aimes?

Qui est ton médecin préféré, pourquoi?

Tu vois, jolie Milagros, tu en aurais long à nous raconter, à nous apprendre, et j'aurais tellement de plaisir à t'écouter!

* * * *

T'ai-je dit, ma toute belle, que je n'ai jamais eu d'enfant?

Que j'aurais sans doute aimé en avoir, mais que la vie en a décidé autrement?

C'est pourquoi ce matin, c'est un peu aussi à l'enfant que je n'ai pas eu que je parle.

Comme si ma petite fille était dans la pièce à côté et qu'elle dormait pendant que je lui écris une lettre qu'elle pourra lire plus tard, quand elle en aura envie.

Tu n'es pas ici à mes côtés, Milagros, mais ta présence, elle, est là, ici même dans cette pièce.

Et je n'ai pas besoin de regarder ta photo pour te « voir ».

Tu es là, avec moi, avec Jérémie le chat et Gioia la petite chienne!

* * * *

Quand je pense que je ne parle pas espagnol...

Je ne peux qu'espérer que tu comprennes le langage du cœur, ce langage qui n'a pas de frontière et qui se ressent sans qu'un seul mot se dise.

Ce langage qui ouvre toutes les portes, même celles fermées à quatre tours, même celles qu'on croyait fermées à jamais.

Ce langage de toutes les guérisons, même celles que la médecine la plus évoluée ne peut accomplir malgré ses formidables progrès.

Ce langage qui permet la liberté et qui apaise nos peurs.

Mais je sais que tu connais déjà ce langage du cœur. Tes parents t'en ont donné plus que les bases, tu le possèdes déjà en toi, ça se voit, ça se sent.

* * * *

Parle-moi de toi, Milagros.

Est-ce que tu aimes ton nom ?

J'ai su qu'il signifiait « miracles ». Je n'ai pas été étonnée.

Tu es un petit miracle, et je sens aussi que tu pourras contribuer à d'autres miracles autour de toi.

Je ne peux t'expliquer comment ni pourquoi, mais en ce moment, je crois en toi, en ta force, autant que tes parents ont cru en ta vie.

Je viens de regarder une autre photo de toi, petite fée.

Tu avais l'air endormie et tu souriais, même dans ton sommeil !

T'ai-je dit le pouvoir de ton sourire ?

Oui, je sais, je me répète, excuse-moi... mais tu dois comprendre que jamais je n'aurais cru qu'un sourire pourrait aller me chercher aussi loin !

Une preuve de plus qu'on ne sait jamais comment ni de quelle façon on peut toucher les gens qu'on ne connaît même pas.

Un sourire. Un sourire de petite fille. Un sourire de Milagros.

Ton sourire inspire chaque mot que je t'écris ce matin, Milagros.

Chaque virgule et chaque point.

Il me transporte et me donne envie de poursuivre cette lettre, qui te procurera peut-être, un jour, un peu de la chaleur que je ressens en pensant à toi.

Si, en la lisant plus tard, tu ressens le dixième de l'effet que ta présence sur Terre me fait ce matin en t'écrivant, je serai contente.

Te l'écrire, Milagros, me force à repenser à ma propre vie, à ce que j'en fais, à ce que je veux en faire.

Ton inspiration m'amène à me poser de nouvelles questions sur ce qui compte le plus pour moi, sur ce qui m'éloigne de l'indifférence.

C'est fou à quel point on finit par tenir cette vie, ce cadeau, pour acquis.

C'est fou combien on prend mal soin de soi parfois, combien on prend mal soin de ceux qui nous entourent.

En me permettant de t'écrire, Milagros, de penser à toi, de t'aimer sans te connaître, tu me forces à mieux m'aimer aussi.

Tu me forces à chercher en moi ce qui pourrait me rendre meilleure.

Tu me forces à chercher de nouveaux chemins, à chercher comment mieux aimer.

Tu me forces à faire fi des différences, à taire toute forme de jugement que je pourrais porter parfois malgré moi...

C'est une bien vilaine habitude que les grands développent trop souvent pour engourdir leur propre douleur.

On dirait que, quand on est occupé à juger les autres ou à se juger soi-même, on oublie qu'on se sent tellement petit en dedans...

Mais ce matin, en te parlant, Milagros, je sais que juger les autres, c'est une autre forme de pollution qui embrume le cerveau et surtout le cœur.

* * * *

Tu ne peux pas me répondre, Milagros, tu ne sais même pas que j'existe.

C'est ça, la beauté de la chose.

Mais sache qu'à force de penser à toi tous les jours depuis quelque temps, j'ai vraiment l'impression de te connaître et c'est un cadeau de la vie.

Curieusement, Milagros, devant toi, je ne peux me cacher.

Tu es là, encore plus que si tu y étais. Je te regarde dans ma pensée, je te regarde sur tes photos, et ton regard me force à me regarder et à me voir.

Comment te dire merci, Milagros ?

Tu te rends compte !

Tu te rends compte que si tu as ce pouvoir de toucher un être à des milliers de kilomètres de distance, quelqu'un qui a lu quelques pages sur toi, qui s'est mis à penser à toi, tu te rends compte de ce que tu peux accomplir, Milagros ?

Ce matin, grâce à toi, je sais que les frontières n'existent que si on les crée.

Grâce à toi, je sais que les êtres ont des façons de se manifester, même sans être physiquement présents.

Tu m'obliges même à réfléchir à la mort, au départ de ceux qu'on a tant aimés, Milagros.

Il y a des gens qui me manquent tellement dans ma vie !

Mais tu sais, ma petite fée, si du fond de ton lointain village péruvien tu as réussi ce matin à créer ce lien avec moi, si tu as réussi cet acte de présence bien réelle, tu me forces à croire que les êtres ne disparaissent jamais complètement.

Qu'il suffit qu'on pense à eux comme je pense à toi ce matin, pour qu'ils soient là, pour qu'ils nous fassent sourire, nous fassent pleurer, nous aident à vivre.

Te rends-tu compte, Milagros, de ce que tu fais pour moi ?

J'ai commencé à t'écrire, un mot à la fois, sans savoir où j'aboutirais, où ça me mènerait.

J'ai eu peur, j'ai eu peur de ne pas réussir.

Te dire combien de fois je me suis assise à ma table de travail sans pouvoir écrire une seule phrase...

Te dire combien de bouts de phrases j'ai écrits, combien de bouts de papiers j'ai jetés...

Je faisais tout pour ne pas écrire, pour retarder le moment d'écrire...

La peur de la page blanche, la peur de ne pas être à la hauteur.

Je sais que dans ces moments-là, ce n'est pas à toi que je pensais, mais à tous ceux qui pourraient me lire par la suite...

Et si mon texte était mauvais ? Et si ça ne convenait pas ? Et si... et si... et si...

Le foutu jugement des autres qui finit par nous faire oublier le si joli plaisir de créer...

Le foutu jugement des autres qui n'existe sans doute qu'en nous, parce qu'on lui fait une place, Milagros !

Est-ce qu'on finit un jour par le laisser partir, le laisser s'évaporer et disparaître comme les nuages dans le ciel ?

Voilà que tu m'aides ce matin à franchir un autre mur, Milagros !

Parce que, petite sirène, dès que je me suis mise à penser à toi tout simplement, à t'inclure dans mon cœur, ici, dans cette pièce pleine de lumière, les mots se sont mis à s'écrire presque tout seuls...

$$* * * *$$

Que fais-tu ce matin, Milagros ?

Comme j'aimerais te serrer dans mes bras, marcher à tes côtés, partager tes secrets et tes rires.

Je te vois jouer sous le soleil du Pérou...

Je ne sais pas ce que tu deviendras plus tard, Milagros.

Est-ce que, dans tes jeux, tu vois déjà ce que tu deviendras un jour, quand tu seras grande ?

Je sais que tu devras encore traverser quelques murs difficiles, subir d'autres opérations, d'autres convalescences, faire d'autres apprentissages.

Je sais que tes parents sont là pour tenir ta main, pour t'aimer dans tout ce que tu vis, dans tout ce que tu es.

Je sais qu'ils souffrent à chaque étape difficile que tu traverses, qu'ils se réjouissent à chacune de tes victoires.

Je sais que les médecins sont là pour s'assurer que tout va bien pour toi, que tu souffres le moins possible.

Milagros, du haut de tes quatre ans, tu as déjà parcouru un grand chemin, et tu ne le sais peut-être même pas.

Mais moi qui te vois, qui t'observe, je sais que ton arrivée sur cette Terre a un sens profond.

Ta présence a permis de faire avancer la recherche ; ta présence a permis qu'un hôpital continue de faire d'autres miracles pour d'autres petites filles ou d'autres petits garçons qui ont besoin de la science pour mieux vivre, pour vivre tout simplement, dans certains cas.

Ta vie a ouvert le cœur de milliers de personnes que tu ne rencontreras sans doute jamais.

* * * *

Milagros, je te vois déployer tes ailes vers tes plus beaux rêves.

Tu peux rêver grand, Milagros, tu peux rêver immense.

Ta vie, ce que tu es, ce que tu représentes est déjà un si bel espoir !

Chaque jour de ta vie, chaque pas que tu fais, chaque danse que tu danses est un avenir, un présent dans tous les sens du mot.

Quand je pense à tous ceux qui tentent de changer le monde à coups de canons ou de machettes ! S'ils savaient qu'un seul sourire, un sourire de Milagros, peut tout changer... Qui sait ce qu'il adviendrait de nous ?

Milagros, je veux te dire merci de ce que tu fais pour moi.

Merci d'être exactement ce que tu es, comme tu es.

Merci de continuer à me montrer le chemin.

Depuis quelques jours, grâce à toi, ma vie a changé, s'est transformée.

Notre rencontre m'a permis de réfléchir, de m'arrêter, de prendre le temps.

Tu m'as permis de t'entendre, de t'écouter, de t'observer... et par le fait même, de m'entendre, de m'écouter, de m'observer.

Grâce à toi, petite fille de quatre ans, je me sens plus libre, j'ai envie de vivre plus, et plus fort, et mieux.

Tu me donnes mes ailes.

Grâce à toi, mes yeux voient plus vaste et plus beau.

La vie, Milagros, n'est pas toujours facile, mais quand elle met sur notre chemin des gens, des êtres comme toi, elle devient plus douce, plus belle.

Elle s'ouvre à quelque chose de plus grand que nous...

On ne sait pas trop quoi, et c'est ça qui est merveilleux.

Milagros, mon miracle à moi, je prends ta main dans la mienne.

Petit rayon de soleil, continue de réchauffer ce monde de ta présence.

Mon cœur pense au tien. Je t'embrasse tendrement,

Ton amie,
Marie-Claude

La rencontre
avec Céline Dion

Quand Milagros a vu Céline Dion, elle est tout de suite accourue pour se blottir dans ses bras et lui donner un gros câlin, comme si c'était la chose la plus naturelle au monde. Cette enfant magique et affectueuse a une phrase inscrite dans son regard : « Moi, je suis là pour avancer dans la vie et pour gagner ! » Effectivement, Milagros, elle gagne !

avec Marie-Claude Lavallée

« Un coup de foudre ! » Voilà le sentiment que ton auteure, Madame Marie-Claude Lavallée, a eu pour toi. Tu as tout de suite été sa muse, celle qui lui était destinée, celle qu'elle rencontrerait, du moins en pensées. Pas question que ce soit personne d'autre !

Ton auteure, Milagros, n'a pas l'habitude de l'écriture pour publication. Au départ, j'ai senti que le défi lui faisait un peu peur, mais pour toi, elle a plongé dans l'aventure avec courage et vérité. Au cours du processus, Madame Lavallée parlait de sa petite sirène, qui est graduellement devenue « sa petite Milagros »... Et j'ai senti chez cette grande dame un attachement sincère pour toi, petite fille miraculée.

Quand elle reviendra, sois certaine, petite sirène de courage, que je lui dirai combien tu ressembles à celle qu'elle avait imaginée.

Dominique Drouin

Chapitre 5

LE RÊVE DE MARTUNIS

L'histoire de Martunis

Martunis a toujours rêvé de suivre les traces de son grand-père, un footballeur. Or, son rêve aurait bien pu périr à jamais le 26 décembre 2004 lorsqu'un raz-de-marée dévastateur s'est abattu sur les côtes de Sumatra, en Indonésie. Ce tsunami est le plus meurtrier jamais enregistré jusqu'à maintenant : il a fait au moins 200 000 victimes en Asie, dont 9 000 morts à Banda Aceh, la capitale de la province d'Aceh, la plus touchée par le séisme. Dans les villes côtières d'Aceh, les ravages sont incommensurables. Le village d'Alun Naga, au sud-ouest de la province d'Aceh, a été complètement effacé par le passage du tsunami.

À Alun Naga, le matin avant le violent tremblement de terre qui a précédé le tsunami, Martunis, sept ans, joue au football sur la plage. Sentant le sol trembler sous ses pieds, il court en aviser son père, un pêcheur qui travaille non loin de là. Ils reviennent précipitamment à la maison, où des morceaux du mobilier sont déjà renversés sur le plancher. Sarbini, le père de Martunis, empoigne la main de son garçon et lui demande de sortir au plus vite. Accompagné de sa mère, de son frère et de sa sœur, le garçon accourt vers la maison de ses grands-parents pour vérifier s'ils se portent bien. Là-bas, plusieurs membres de la famille de Martunis sont déjà réunis.

Puis, tout à coup, des cris de panique proviennent de l'extérieur. On annonce qu'une vague gigantesque avance vers le village, menaçant de l'engloutir.

À partir de ce moment, chaque membre de la famille doit en quelque sorte faire cavalier seul et lutter pour sa propre vie. La vague s'approche à une vitesse folle et balaye tout sur son passage. Malgré les efforts de Martunis pour y échapper, il est impossible de courir plus vite que la vague. Il est donc impuissant devant les forces déchaînées de la nature. Le raz-de-marée emporte d'abord le père de Martunis, puis son frère. Martunis tient sa petite sœur dans ses bras, mais un arbre tombe sur lui. Cela l'oblige à relâcher sa sœur de trois ans, aussi emportée par le raz-de-marée. À travers les débris de maisons et les voitures tirés par le courant, il remarque sa mère, mais n'a aucun moyen de l'atteindre. Martunis s'accroche comme il le peut à des morceaux de bois à la dérive, puis à un camion, jusqu'à ce que le véhicule fracasse un arbre, auquel il s'agrippe quelque temps. Puis, du tronc d'arbre, il s'embarque sur un lit qui lui sert de radeau, l'entraînant encore sur plusieurs mètres avant de se coincer dans une mangrove, aux abords d'une plage jonchée de poteaux de téléphone, de blocs de béton arrachés aux maisons, de voitures et débris de toutes sortes... Malgré tout, le calme revient après la tempête.

Pendant près de trois semaines, Martunis est un naufragé emporté loin de chez lui par les crues, solitaire sur ces côtes désolées. Il se nourrit de ce qui lui tombe sous la main : il ramasse des sachets de nouilles déshydratées, cueille quelques baies, trouve un pain, une boîte de biscuits, deux bouteilles d'eau minérale ainsi que des racines et des algues échouées qui lui servent aussi de nutriment. Comme ses réserves sont maigres, il les répartit ingénieusement tout au long de la journée. Il mange un sachet de nouilles et boit deux gorgées d'eau le matin, puis avale deux biscuits et deux autres gorgées d'eau en après-midi. Cela suffit tout juste à le garder vivant.

Lorsque ses bouteilles d'eau sont vidées, il boit à même les flaques d'eau stagnante. La pluie qui tombe chaque jour l'aide à ne pas mourir de déshydratation, même s'il ne parvient jamais à étancher sa soif.

Au fil des jours, il voit plusieurs cadavres flotter dans la boue autour de l'arbre qui est devenu sa maison. Lorsque la peur s'empare de lui, il enfouit sa tête dans le col de son chandail et imagine le visage de ses parents. Cela le calme et lui permet de trouver le sommeil. Autre mince consolation au cours de cette terrifiante épreuve : le chandail de foot rouge et vert que Martunis ne quitte jamais, le numéro 7 de l'équipe de foot portugaise. Grand fan de ce sport, le garçon tient maintenant à ce bien comme à la prunelle de ses yeux.

Le temps passe lentement. Du haut de son arbre, Martunis est invisible pour les hélicoptères qui inspectent le périmètre. Cependant, au bout de 19 longues journées pendant lesquelles il survit seul, Martunis est retrouvé par une équipe de télévision britannique de Sky News. Il est déshydraté, couvert de piqûres de moustiques, extrêmement amaigri et en proie à des épisodes de délire dus à la sous-alimentation. L'équipe de télévision amène l'enfant à l'organisme canadien Save the Children, installé sur les lieux du sinistre pour secourir les victimes du tsunami, dont de nombreux orphelins à présent sans foyer, invalides, exposés aux maladies.

Des bénévoles nettoient Martunis et lui apportent un peu de réconfort, mais vu son état de santé précaire, il est aussitôt transporté à l'hôpital. Là, on lui injecte un soluté pour pallier les graves carences alimentaires des derniers jours. Martunis n'est hélas pas au bout de ses peines : s'il retrouve son père et sa grand-mère le jour même de son sauvetage, il apprend que les autres membres de sa famille, dont sa mère, son frère et sa sœur, ont disparu dans les flots.

Les images du tsunami et du miraculeux sauvetage de Martunis font rapidement le tour de monde. Luiz Felipe Scolari, le grand entraîneur de l'équipe de foot portugaise, voit à la télévision le reportage d'un journaliste de Sky News. Il a peine à croire qu'à l'autre bout du monde, un petit Indonésien arbore les couleurs de son équipe. Les images de ce garçon vulnérable au courage pourtant si exemplaire le touchent profondément.

Aussi très ému par la tragédie de Martunis, Joseph Sepp Blatter, le président de la Fédération internationale de football Association (FIFA), décide d'inviter le jeune porteur du maillot lusitanien ainsi que son père, Sarbini, en Europe, en tant qu'invités d'honneur de la Coupe du Monde. Pour le père et son fils, il s'agit là d'une chance inouïe. Avant le tsunami, un simple voyage à Jakarta représentait pour eux un luxe incroyable. Tout d'un coup, les voilà en Europe, où le petit Martunis

Crédit photo : AFP

Martunis et le président de la FIFA.

rencontre ses héros, les plus grands noms du football professionnel, en chair et en os. Qui plus est, le président de la FIFA fait un don de 47 312 $ à la famille de Martunis pour l'aider à se construire une maison et à prendre un nouveau départ. Hélas ! tous ces merveilleux cadeaux ne font pas revenir la mère de Martunis, dont il pleure encore la perte. Le petit garçon doit à nouveau s'armer de courage, cette fois pour faire son deuil des membres de sa famille qui ont disparu.

La FIFA n'a pas fait qu'aider Martunis à se relever des conséquences désastreuses du raz-de-marée : l'organisation européenne a aussi remis sur pied un petit club de foot de

Banda Aceh, enseveli sous les décombres après le tsunami, dans le cadre d'un projet d'aide internationale. Depuis, le stade ne désemplit pas. Ce geste ne peut certes pas compenser la perte de vies humaines, mais il constitue une source et un symbole d'espoir.

Un peu plus tard, Martunis reçoit une seconde invitation pour se rendre en Europe, cette fois par Cristiano Ronaldo, un joueur étoile d'origine portugaise, qui prête ses talents de footballeur à l'équipe anglaise Manchester United. Le joueur est tout de suite impressionné par ce garçon si brave. Aux yeux du footballeur, Martunis a marqué un but : il a traversé une tragédie comme peu de gens auraient su le faire. Cela encourage le joueur à mettre aux enchères certains de ses biens personnels pour aider les survivants du tsunami en Indonésie.

Aujourd'hui, la maison de Martunis est solidement reconstruite. Son père tire maintenant ses revenus d'un petit élevage de crevettes qu'il a aussi financé avec les dons de la FIFA. Sarbini entend mettre de l'argent de côté pour offrir une bonne éducation à son fils. Il souhaite qu'il apprenne l'anglais et qu'il aille un jour à l'université. En attendant, Martunis n'a encore d'yeux que pour le football, auquel il consacre presque tous ses après-midi. Il n'a surtout pas abandonné son rêve : devenir un footballeur professionnel.

Texte original écrit par Mariève Desjardins, les Édtitions La Semaine.

Crédit photo : AFP

Martunis portant le chandail de l'équipe portugaise

LES CHRONIQUES DE KIRCHNOU

*Le premier chapitre d'un roman (à venir)
de Fabienne Larouche,
offert par l'auteure à Martunis.*

1. Le Cavalier de cendres

En portant son regard vers l'orient, un explorateur avisé aurait pu apercevoir l'île de la Mangouste. Vue du ciel, cette terre ressemblait à s'y tromper à l'animal tueur de serpents, d'où le nom qui lui avait été donné. Bien loin vers l'Occident, l'immense territoire du continent de Safran déployait ses rives rocailleuses. Peuplé de tribus nomades, comme les Ergoths, qui chassaient le yak à la lance, les Aboridors, experts dans l'art du piège forestier, ou les Hoïtos, dresseurs de fauves, le continent de Safran n'avait jamais été cartographié totalement, en raison de son étendue.

Au septentrion s'étalait l'archipel des Estuves, resté relativement sauvage. Personne ne s'aventurait dans les îles de cet amas volcanique pour deux excellentes raisons. Le premier motif tenait à une faune inquiétante et d'une férocité maintes fois évoquée dans le *Grand Échographe*, ouvrage érudit voué à la description des lieux et des mers, seule encyclopédie reconnue par Imâlat, quatorzième souverain de la lignée des rois de Bunkera. La seconde raison pour laquelle on savait si peu de choses des Estuves, c'est que parmi les quelques téméraires qui s'y étaient hasardés, un seul en était revenu, pour ensuite trépasser d'un mal inconnu, quelques jours après son retour.

Au méridien, l'excroissance infinie de Calcatar bloquait la progression des navires qui, pour la traverser, devaient franchir le canal du Négos, et payer un écot à l'Empire de Spyrhne et à son dictateur, Porgris le Hideux. Au beau milieu des quatre Terres cardinales baignées par l'océan Alayen, fleurissait le royaume de Bunkera, une contrée verdoyante et accueillante, au peuple docile et travailleur, pour la plupart des paysans. À une heure par la mer de Bunkera, les berges de Kirchnou commençaient à poindre.

L'île de Kirchnou était cerclée de plages au sable noir comme la suie. L'océan Alayen flattait la ceinture sombre de cette grande terre depuis des millénaires, sans jamais avoir réussi à l'éclaircir. L'eau et la poussière se livraient sur la plage une bataille incessante. Arrivée fraîche, émeraude et transparente, et précédée d'une mousse immaculée, l'eau de mer finissait toujours par se corrompre, pour ensuite quitter le rivage avec toutes les propriétés d'une rinçure brunâtre, avouant ainsi sa défaite. Une forme de sagesse émanait de ce mouvement équivoque, une leçon, un cycle vital qui provoquait immanquablement chez le visiteur un moment de recueillement.

C'est bien au-delà de la plage que commençait le territoire des cavaliers exilés. Il fallait marcher dix lieues à travers un mur touffu de plantes, toutes plus étranges les unes que les autres, pour accéder à ce secteur interdit de l'île. Si certains de ces végétaux étaient carnivores, ils n'étaient pourtant pas les plus inquiétants. En effet, d'autres avaient le don de la parole et savaient malignement s'en servir pour écarter le voyageur de son chemin. Il était fréquent de buter sur les restes d'explorateurs imprudents qui avaient été trompés par les plantes loquaces.

Le relief de Kirchnou variait considérablement jusqu'à la rivière de lave qui marquait l'entrée d'une forteresse. Des plaines aux vallées, des vallées aux collines, des collines aux pics de roc, ce sol inclément avait tout pour décourager l'intrusion. Si l'océan avait été calme, on se heurtait dès l'arrivée à l'aspect surprenant de sa plage, mais surtout à quelques aires mouvantes impossibles à distinguer des endroits où l'on pouvait poser pied en toute sécurité. Si la plage n'était plus un obstacle, l'intimidante végétation constituait une nouvelle embûche. Si la végétation s'avouait vaincue, c'est le relief qui venait à bout des forces du marcheur. Pour les derniers trois cents mètres, la lave incandescente, dont la chaleur irradiait très loin, devenait le dernier rempart naturel avant la forteresse d'Ignit, ainsi nommée en l'honneur du chef des cavaliers de l'armée de Bunkera.

Ignit avait été le premier à s'installer dans la région, après un immense chagrin d'amour suivi d'un deuil cruel, alors qu'il n'avait encore que 25 ans. Le preux guerrier, qui avait à présent atteint l'âge vénérable de 38 ans, était haut de taille, massif et de fort belle apparence. Ses jambes puissantes supportaient son corps athlétique. Ses yeux étaient légèrement bridés et sa longue chevelure de jayet tombait en souplesse sur de larges épaules aux muscles saillants. Son visage était régulier et sa peau mate. Ignit avait un regard verdâtre qui pétrifiait ses ennemis. Il était, parmi les guerriers, le plus vaillant. Comme chef, il savait prêcher par l'exemple.

Avant son exil vers l'île de Kirchnou, Ignit occupait une place de choix auprès du roi Imâlat, dont il convoitait la fille, la belle princesse Ratih. Une violente dispute entre Ignit et le prince Erilis, prétendant au trône, dispute ayant pour objet la stratégie militaire à employer contre les Molosses de Spyrhne, allait bouleverser la vie du preux Ignit. Imâlat n'avait eu d'autre choix que d'appuyer son fils Erilis face à Ignit. Le monarque avait dû, de même, refuser la main de Ratih au chef de ses cavaliers. Folle de chagrin, Ratih alla se jeter du haut de la falaise d'Irian. Un berger la retrouva, brisée par les rochers. C'est alors qu'Ignit, incapable de surmonter sa douleur, s'était retiré à Kirchnou, afin que nul ne le retrouve jamais, et pour qu'il ne puisse plus succomber à aucun autre amour, la trop belle Ratih demeurant dans ses songes l'unique objet de son affection.

Ignit avait construit la forteresse qui portait son nom avec l'aide des déserteurs de l'armée de Bunkera, une fois celle-ci mise en déroute par les cohortes de Spyrhne. Chacun des 1 000 soldats avait fait serment de fidélité à Ignit. Jamais ils ne quitteraient Kirchnou. Jamais ils ne prendraient femme. Jamais ils n'auraient d'enfants. Stoïques devant l'adversité, les hommes d'Ignit s'étaient donné comme mission de résister au malheur en lui faisant face. Maintes fois ils avaient rejeté à la mer les Molosses de Porgris, lorsque ceux-ci étaient venus chercher Ignit pour le tuer et ainsi l'empêcher de rendre au roi Imâlat son trône et, à sa famille, la liberté. Ignit ne se considérait pourtant plus comme une menace, lui qui avait depuis longtemps renoncé à retourner à Bunkera. Porgris le voyait cependant d'un autre œil, qu'il avait torve, d'ailleurs, et tout tyran qu'il fût, il avait pris la peine de consulter le Sage Métanoÿïs, après cette victoire qu'il avait souhaitée définitive.

* * * *

Métanoÿïs vivait au sommet d'une montagne dans la province de Paganot, l'un des sept duchés du royaume d'Imâlat. Métanoÿïs était considéré par tous comme un homme neutre et honnête, qui partageait volontiers sa connaissance des Êtres avec ceux qui avaient la force d'escalader le mont Jaya pour venir troubler son ennui. Personne n'avait jamais osé lui faire un mauvais parti, de peur d'attirer les foudres du destin. Le Sage n'était pas un adepte de la magie ni des oracles, encore moins de l'illusion, bien qu'il fut capable de se mettre à l'œuvre dans toutes ces tâches. Il avait une profonde connaissance de l'âme et il exerçait son pouvoir en saisissant simplement l'évidence dans le cœur des êtres. Il n'était aveuglé ni par l'espoir ni par l'envie, encore moins par la haine ou par l'amour. Les paysans lui avaient attribué le surnom d'Octar, ce qui signifiait littéralement, dans le dialecte paganotien, « celui qui sait voir ».

Métanoyïs avait soumis deux questions à Porgris le Hideux. La première était fort simple.

« Peut-on vivre séparé des siens ? »

Ce à quoi Porgris avait répondu spontanément :

« Certainement ! Pour peu que l'on régnât sur de fidèles sujets et que la richesse puisse compenser le manque de tendresse. »

L'autre question du Sage avait pris le Molosse de court.

« La vie a-t-elle une fin ? »

Porgris le Hideux avait d'abord cru à une feinte, à une moquerie, mais le Sage était resté sérieux. Porgris avait donc hésité longtemps avant de décapiter Métanoyïs, jonglant avec ce doute, pour ensuite se raviser et partir, en réfléchissant bêtement au sens véritable des deux questions du savant. Métanoyïs l'avait aussi gratifié de deux commentaires étranges propres à susciter la curiosité du molosse.

« Ignit, lui avait-il dit, n'est pas au bout de ses peines. Son existence pivotera sur son axe le jour où il aura fait la connaissance de celui qui sort de la terre. Cette rencontre lui apportera une très grande joie, mais son allégresse le contraindra à traverser le Pays des Oubliés. Ignit ne connaît pas l'origine de son malheur. Il ne sait pas non plus qu'une solution existe. Il s'imagine que son destin a trouvé sa fin. »

Après cette rencontre avec Métanoyïs, Porgris redescendit du mont Alayen avec l'impression désagréable d'avoir été confondu. Le tyran remettait en question la superstition populaire. La présence de Métanoyïs sur les terres du roi Imâlat devait bien signifier que le Sage avait une allégeance et qu'il était moins neutre qu'on voulait bien le croire dans le pays. En quittant Métanoyïs, tout le monde avait une vue plus pénétrante de la vie. Porgris ne faisait pas exception à la règle. Le Sage s'était effectivement moqué de la lourdeur d'esprit du tyran, mais sans lui mentir d'aucune manière…

* * * *

La fin du Cycle des Exumènes avait été terrible pour la température. Les tremblements de terre et les orages se multipliaient. Une violente tempête s'était formée sur l'océan Alayen, pour ensuite balayer le royaume d'Imâlat jusqu'aux côtes de Kirchnou. Plusieurs navires de l'armée des Molosses, qui surveillaient l'île, vinrent se fracasser sur les récifs. L'un d'eux avait même été transporté par les vagues jusque dans la brousse. Lorsque le soleil reparut, le vaisseau reposait sur des branches d'arbres, à plusieurs mètres du sol. Une désolation comparable avait affligé le continent. Les disparus se comptaient par milliers. Les familles étaient décimées. Pour une rare fois au cours de son existence, Porgris avait fait preuve de générosité. On voyait partout des Spyrhniens prêter main-forte aux paysans et aux pêcheurs de la côte, tellement le typhon avait ravagé le pays. Les barbares oubliaient leur méchanceté naturelle pour sortir les malheureux des décombres et ramasser les noyés, comme si les dieux avaient créé les conditions pour faire naître un peu de bonté dans le cœur des Molosses.

La tempête n'avait toutefois pas touché la forteresse d'Ignit et les cavaliers ignoraient tout de ce qui s'était passé. Chacun vaquait à ses occupations comme à l'habitude. Quelques-uns avaient bien aperçu le mauvais temps dans le lointain, mais puisque les vents avaient tourné avant d'atteindre la profondeur des terres de Kirchnou, jamais Ignit et ses hommes n'avaient été inquiétés par les intempéries. Malgré cette chance relative, une vive nervosité s'emparait des soldats de la forteresse. Ignit semblait en proie à une vague folie, ou à une fièvre, voire à une maladie du sang, ou des nerfs. Il était frappé d'un mal sans remède et, depuis la fin de la tempête, il s'était réfugié dans sa chambre, située dans la tour de la forteresse.

En plus de l'apathie et de la langueur qui s'installaient dans l'âme d'Ignit, l'homme perdait toute résistance. Il n'avait plus le cœur au combat et vivait reclus pour lutter contre sa torpeur.

Une rumeur affolante se répandit rapidement et tous cogitaient sur les raisons de cette situation bouleversante. Ignit restait néanmoins silencieux et avare de commentaires. Il ne répondait pas à ceux qui lui apportaient vin et nourriture. Il refusait sèchement toute discussion. Exigeant la solitude, il employait le peu d'énergie à sa disposition pour chercher les causes de son état. Après deux jours d'une telle incubation, le cavalier constata avec effroi que son corps avait entrepris une transformation graduelle. Cette sensation d'abattement qui avait affligé Ignit était annonciatrice d'un plus grand drame encore.

Les dernières phalanges de sa main droite prenaient depuis peu un aspect grisâtre et poussiéreux. De quel sortilège s'agissait-il donc? D'où venait ce maléfice et avait-il un rapport quelconque avec la tempête? Les yeux d'Ignit voguaient dans l'obscurité de la pièce à la recherche d'une explication qu'il ne trouvait pas. Tapi dans l'ombre et rongé par l'angoisse, le cavalier se rappela peu à peu une remarque sibylline de Métanoyïs, une métaphore poétique qui lui avait semblé dépourvue de sens, un avertissement lancé par le Sage au moment où Ignit l'avait consulté pour connaître ses chances de gagner le cœur de la princesse Ratih, bien avant les tragédies survenues depuis.

« L'être de cendres se consume à partir des extrémités jusqu'au cœur. Une fois tout de cendres, on ne le verra plus dans sa forme humaine que dans la lumière de la lune pleine, une seule fois par cycle de 29 jours, 12 heures et 44 minutes. »

Allumé par le souvenir, Ignit tremblait maintenant de tous ses membres et la sueur perlait sur son visage. Le vent siffla subitement à la fenêtre et le cavalier eut un petit sursaut. Un bref sourire égaré vint trahir son désarroi. Puis, ses yeux allèrent se poser sur son écu. Le bouclier dormait dans un coin, emprisonné dans la toile patiemment tissée par les araignées rieuses de Kirchnou.

Les armoiries d'Ignit brillaient, dardées par un rayon de soleil impromptu. Une couronne de lauriers jaunes encerclait sept châteaux correspondant à chacun des sept duchés du royaume d'Imâlat. Ignit se demanda une seconde si son mal avait quelque chose à voir avec son exil. Il cherchait un détail, un élément de compréhension, un indice pour renverser cette malédiction. Il ne savait pas encore qu'il lui manquait l'essentiel pour y parvenir et que cette condition allait être remplie plus tard. Beaucoup plus tard.

* * * *

Parmi toutes les plantes loquaces, l'*Allegoria Juxta* était sans contredit la moins antipathique et la plus résistante. La tempête maritime avait fait moult victimes chez ses sœurs, mais l'*Allegoria*, qui possédait une tige courte et conique, plus large à la base qu'à la tête, résistait fort bien aux pluies et aux vents. La contrée des plantes loquaces, à l'orée de la plage de Kirchnou, comptait une infinité de spécimens. La *Cruciatus Litteralis* était la plus cruelle. Elle s'emportait facilement et cherchait à provoquer le voyageur. Le *Cogitatus Juvenis* appartenait à l'ordre des lierres. Son bavardage était léger, mais non moins fielleux et perfide. Elle savait développer des raisonnements complexes à partir de phrases en apparence simples et sans conséquences, créant déroute et incertitude dans l'esprit de la personne qui l'écoutait.

Ce fut cependant devant une *Allegoria Juxta* qu'Areo ouvrit les yeux pour la première fois depuis qu'une vague énorme l'avait soufflé d'un bateau de pêcheurs, après l'avoir soulevé dans les airs pour ensuite le déposer dans la brousse. Une pluie de sucre noir l'avait enfin recouvert en entier, l'avait enterré vivant. Ce n'est que lorsqu'il se réveilla, avec un goût de sable dans la bouche, que le jeune garçon comprit que ce n'était pas du sucre, mais un peu de cette plage d'ébène que la tempête avait fait tourbillonner dans l'air.

En le voyant sortir du sol, l'*Allegoria Juxta* demeura sceptique un court instant, puis s'adressa à lui dans une forme de langage qu'Areo n'avait pas entendu fréquemment.

« Celui qui sort de la terre épouse l'air avec la fâcheuse assurance du sol dont il provient, dit-elle au pauvre garçon, sans plus d'explications.

— Quoi ? s'exclama Areo, rendu confus par sa douloureuse expérience. Une plante me parle ? Quelle est cette magie ? »

Ce à quoi l'*Allegoria* répondit :

« La nature des choses n'est pas dans l'humeur de celui qui pense, mais bien dans l'âme du sujet qui est. »

Areo avait déjà grand-peine à se rappeler ce qui lui était arrivé et il n'était pas dans un état pour comprendre les métaphores grotesques d'une plante qui n'aurait pas dû posséder le don de la parole.

« Je rêve. Sûrement que je dors encore. Ou peut-être suis-je mort ?

— Mais non, tu ne dors pas, petit imbécile. Encore moins, mort tu serais. Tu te réveilles sur l'île de Kirchnou, sur le territoire des plantes loquaces... Si tu étais mort, tu ne serais pas à Kirchnou. Tu discuterais avec les dieux, et tes membres frêles ne te feraient pas souffrir. »

Areo resta muet quelques secondes en dévisageant la plante qui semblait le regarder avec une attitude hautaine, le pistil de côté et les étamines froncées. Les fleurs de la plante étaient jolies et colorées, pourpres et ocre, mais les sons qui sortaient de la corolle rendaient le végétal aigre et désagréable. Du haut de ses sept années bien comptées, Areo apostropha la plante, en frottant ses yeux encore ensablés.

« Dans ce cas, ne me parle plus. Tu ne m'intéresses pas. Va-t'en !

— Comment veux-tu que je m'en aille, étourdi ? Je n'ai pas de jambes. Toi, va-t'en. Quitte notre domaine ! »

L'ordre de l'*Allegoria* avait mis Areo dans l'embarras. D'abord, il ne savait pas du tout dans quelle direction s'en aller.

Il était fatigué. La nuit qui venait ne le rassurait point. Il grelottait, malgré la chaleur et l'humidité des lieux. Il aurait eu besoin de sa mère, de son père, de sa famille. Areo était perdu sur une île étrange qu'il n'avait jamais visitée et qu'il ne connaissait pas.

« Qu'attends-tu ? Pars ! lui lança la plante, platement. Tu m'incommodes. Tu me déranges. Je ne t'aime pas.

— Les plantes n'ont pas de sentiments, répondit le garçon. Tu es ridicule. Je partirai quand moi je le déciderai ! »

L'*Allegoria* étira la tige pour avoir l'air menaçant.

« Il a la hauteur de l'aglaomène et le courage du chamois ; il a l'esprit de la loutre et la vigueur du chanvre. Sa tête a grisonné du sol envolé et il émerge du creux de mes aïeux comme une de mes sœurs. Respect je lui dois et devrai donc l'aider... »

Areo ne savait pas très bien pourquoi, mais il lui sembla que l'attitude de la plante avait soudainement changé. L'enfant dévisageait sa compagne botanique avec une méfiance tout indiquée. Il frappa d'un coup sec avec sa main le moustique qui venait de le piquer.

« Ne me regarde pas comme ça, petit crétin, lui susurra la plante. Je vais t'aider. Les enfants sont vraiment stupides. Il ne faut pas tuer les moustiques. Ils sont nos bénéfiques amis.

— Il m'a piqué !

— Il m'a *piiiiqué* ! Et puis ? Un petit peu de sang pour toi, un don magnifique pour la nature. Ne sois pas si geignard et écoute-moi. Ouvre grandes tes petites oreilles et laisse de côté ton égoïsme. »

Areo se rassit doucement sur le sol, moins par docilité que par lassitude. La tempête l'avait éprouvé. Cette conversation avec la plante n'était pas de nature à l'aider à reprendre des forces et il avait besoin de s'étendre un peu. La plante entreprit son laïus.

« Nous, les plantes loquaces, habitons Kirchnou depuis l'ère des volcans. Nous sommes nées du sol et les tempêtes sont pour nous des périodes de pause alors que pour les humains, elles sont des moments de changements importants. Les typhons sont les éternuements de la Terre lorsque celle-ci développe une allergie à certains êtres qui l'habitent. Nous, du royaume Végétal, avons fait tout notre possible pour mettre les Hommes en garde contre l'appétit de puissance, mais nos pouvoirs sont limités. Carnivores ou empoisonnées, nous sommes victimes de notre absence de motricité. Notre mère la Terre nous fait pousser, comme les poils sur le bras du soldat. Nous sommes une défense contre l'air qui tue et le soleil qui brûle. Lorsque nous ne suffisons plus, le vent et l'eau se déchaînent pour remettre l'Homme à sa place. C'est, entre autres choses, la raison pour laquelle, je crois, toi-même, tu pousses ici.

— Je ne pousse pas, rétorqua Areo, j'ai été enterré par le sable.

— Allons donc, répondit la plante, pas de fausse modestie. Tu es le premier cas de croisement entre les hommes et nous. Un être parfait né de la terre. Avec des jambes, une plante, tu es. Ne sois pas stupidement humble et remercie les dieux de la chance qui t'est donnée. »

Areo ne fut guère rassuré par la sollicitude de l'*Allegoria* et crut un instant que le végétal avait soudainement perdu la raison. Puis il se ravisa en convenant qu'il était probablement des deux celui qui avait sombré dans la folie, lui qui attribuait maintenant à une herbe insignifiante une âme, voire un esprit. En admettant que cette plante eût pu réellement parler – ce qui, pour Areo, restait à démontrer, en prouvant hors de tout doute que les blessures que la tempête lui avait infligées n'étaient pas à l'origine d'une illusion –, sans doute ce don de parole n'avait-il rien de plus sophistiqué que celui de l'ara, du cacatoès ou du mainate. Pourtant, la plante exprimait bien une pensée et ne se contentait pas de répéter bêtement ses paroles à lui.

« Tu dois accepter ta condition et le destin qui l'accompagne, ajouta la plante.

— Quel destin ? voulut savoir Areo. Où et quand a-t-il été question de mon destin ?

— Tu dois te rendre à la forteresse d'Ignit, où te seront fournies les réponses à tes questions.

— C'est où ? demanda l'enfant.

— Tout droit. Allez, va ! Ne me fais plus perdre mon temps. J'ai de la lumière à prendre avant que la nuit ne tombe pour de bon. Pousse-toi. Tu me fais de l'ombre. »

Areo hésita quelques secondes, puis il se remit sur ses jambes pour s'éloigner, moins par souci d'obéir à l'Allegoria que pour laisser derrière lui ce mirage inquiétant. Après qu'il eut fait quelques mètres, la plante le retint d'une autre recommandation...

« Surtout, ne t'égare pas en route. Il est si facile de se perdre dans Kirchnou. N'écoute personne, homme ou plante, bête ou être inconnu, et va ton chemin. Tu dois te rendre à la forteresse sans attendre, sinon tout sera définitif et perdu.

— Qu'est-ce qui sera définitif et perdu ?

— Ce n'est pas dans ma nature de m'expliquer sur mes formules. Va !

— Comment sais-tu tout ça ? demanda Areo, ne résistant pas à l'impulsion bien de son âge de vouloir comprendre tout de suite tous les mystères.

— Si tu étais une vraie plante loquace, tu ne me poserais pas la question, puisque tu saurais que nous avons inventé la rumeur, et que, de ce fait, nous l'avons toujours propagée. C'est la dernière fois que je te le dis, quitte ces lieux ! »

L'*Allegoria Juxta* ne résista pas à l'envie de terminer son discours par une nouvelle série de formules :

« Ce qui vient de la terre retourne à la terre. Ce que l'air transporte ne résiste pas à l'épreuve du temps. Il n'y a pas de feu sans eau ni d'eau sans feu. C'est au Banquet des esprits terrestres que la raison ultime parvient au témoin attentif et respectueux. Bonne chance ! »

Areo resta un instant perplexe devant l'obscurité d'un tel discours, puis il reprit sa route sans se retourner. Il allait se rendre à la forteresse, selon les recommandations de l'*Allegoria*, surtout parce qu'il n'avait rien d'autre à faire et qu'il devait se mettre à l'abri, et manger, et dormir dans un lit. Mû par une conviction difficile à expliquer, le garçon allait oublier sa mère, ses sœurs, son père et son grand-père, pour entamer son expédition solitaire sur le territoire inhospitalier de Kirchnou. Il allait cesser d'espérer retrouver sa famille, pensant que leur bateau avait sûrement sombré. Jamais plus il ne reverrait Haochow, le petit village où il était né, sur les côtes de la province du Mankin, dans le pays des Nomades, sur le continent de Safran. Areo commençait sa vie d'homme à l'âge où d'autres jouent encore avec des chevaux de bois ou des ballons de cuir.

Solitaire, mais avec une force intime inédite qu'il découvrait de seconde en seconde, en ce jour où il avait émergé du sol noir de Kirchnou, Areo faisait confiance au destin, avec le sang de la Terre qui coulait dans ses veines. La nuit était tombée sans qu'il s'en soit rendu compte. Des bruits étranges mais réguliers provenaient de la contrée qui s'ouvrait devant lui. Areo écrasa un autre moustique sur sa joue, de l'espèce des *Acriculus*, une classe d'insectes uniques à Kirchnou, dont la morsure avait un effet retardé et décisif, ce que l'enfant allait comprendre beaucoup plus tard, puis il mit un pied devant l'autre pour aller vers le destin qui était le sien.

* * * *

La prison aménagée par Porgris le Hideux pour la famille du roi Imâlat n'avait rien d'un palace. On y trouvait le strict nécessaire et le service était à l'avenant. La famille royale subissait ce traitement avec toute la dignité des nobles. Tous, du roi lui-même à son fils Erilis, de la reine mère Ashari aux deux filles encore vivantes, les princesses jumelles Delicia et

Puella, qui avaient tout juste 16 ans, souffraient de cette condition étrangère à leur état de naissance. Porgris se faisait un plaisir d'humilier Imâlat et les siens, en espérant que le monarque aimé du peuple allait finalement abdiquer devant ses propres sujets, donnant ainsi au nouveau régime du tyran la légitimité qu'il recherchait.

Imâlat se refusait à cette concession, avec raison d'ailleurs, sachant fort bien ce que le pouvoir absolu de Porgris avait créé comme misère à Calcatar, dans le fief du tyran. De son côté, Porgris ne pouvait se débarrasser du roi et de sa famille sans risquer d'installer le chaos. Il avait déjà vu des paysans brûler leurs récoltes pour moins que cela. Porgris ne voulait pas s'exposer au danger de répéter l'expérience. Il était bête et méchant, mais il avait une certaine connaissance de la politique et du peuple. Il valait mieux rechercher une solution négociée.

La rancœur d'Erilis à l'égard d'Ignit avait atteint un stade très élevé depuis la défaite aux mains de Porgris. Était-ce le désespoir d'avoir eu tort dans les questions de stratégie militaire, un tort qui avait conduit à la reddition d'Imâlat et des sept duchés, ou encore le doute face à la loyauté d'Ignit sur le champ de bataille ? Toujours était-il qu'Erilis recevait d'une oreille agacée les allusions de ses parents aux exploits passés du vaillant Ignit. De la même manière, le jeune prince ne tolérait pas les soupirs de ses sœurs lorsque celles-ci regardaient les images du cavalier parmi les enluminures du Livre d'Honneur.

Erilis avait fait taire en lui la culpabilité qui l'affligeait depuis le suicide de l'aînée de ses sœurs, la très belle Ratih. Il se refusait à endosser une quelconque responsabilité par rapport à ce geste funeste, tout en maudissant Ignit d'avoir entraîné Ratih vers la mort. Erilis n'était pas un méchant homme, mais il avait une tendance à souffrir de l'admiration que sa famille entretenait pour des tiers. Il avait aussi une malheureuse tendance à s'enivrer, la plupart du temps dans une solitude recherchée. Le jeune homme avait une pauvre estime de lui-même. Son père, le roi, ne l'aidait en rien pour gagner confiance en lui. Il lui reprochait souvent son manque de courage ou la simplicité de ses raisonnements de guerre. Erilis avait le statut d'un prince, mais la capacité d'un paysan. Il aurait été heureux à cultiver les champs et à élever le bétail. La richesse et le rang l'avaient détruit peu à peu, lui qui n'avait jamais eu la force d'en remplir les fonctions.

C'est dans un moment d'ivresse et de tristesse immenses qu'Erilis fit appeler la garde, pendant que le reste de sa famille dormait paisiblement. Il demanda qu'on le menât à Porgris. Les soldats de la garde rapprochée le conduisirent vers le Hideux. Ce soir-là, engourdi par le sirop des vignes de Paganot, Erilis allait accomplir une œuvre tragique à la mesure d'un fils indigne et malheureux. Son initiative deviendrait le Quatrième Précepte à l'origine de la Guerre des Îles.

* * * *

Quatre jours passèrent avant que la main droite d'Ignit ne fût complètement réduite en cendres. Le cavalier ne se présentait plus devant personne et n'osait même plus bouger, de peur que ses phalanges ne s'évanouissent en parcelles consumées. Le sentiment d'impuissance qui l'assaillait, lui guerrier jadis redouté, était à l'égal de sa volonté pugnace de résister à une transformation définitive. Dans un même nuage troublant, l'esprit du soldat ruminait la peur d'une mort insignifiante imposée par les dieux, une rage douloureuse dont Porgris le Hideux était la cible, puis enfin le souvenir tendre et désespérée de Ratih, dont le visage s'envolait chaque jour un peu plus de sa mémoire.

Une brise siffla une nouvelle fois à la fenêtre. Ignit tressaillit. Ce souffle léger pouvait éparpiller dans l'air la main qui avait tenu l'épée avec tant de fermeté. Plus le vent prenait de l'ampleur, mieux Ignit se mettait à l'abri. Puis il abdiqua. Il fallait qu'il se résigne à livrer sa main consumée à l'air tout-puissant, se pensant condamné. À sa grande surprise, son membre demeura intact. L'homme se transformait en cendres, mais cette cendre était ferme et tenait de la roche davantage que de la poussière. Un grand soulagement envahit le chef des cavaliers. Sa vigueur revint. La cendre allait sûrement le rendre monstrueux, mais elle ne le détruirait pas. Ignit se leva pour se poster devant la fenêtre et regarder en direction de Bunkera. Le soleil d'orient filtrait entre deux amas nuageux gris et empourprés. Le Cinquième Précepte avait été énoncé. La Guerre des Îles pouvait commencer...

La rencontre
avec Céline Dion

Le papa de Martunis, Céline Dion et notre héros.

En le voyant, Céline Dion a tout de suite compris que Martunis était né avec l'instinct de survie. Cet être, béni des dieux, a appris à se servir de sa force intérieure. Il s'est accroché pour rester vivant. Cette force-là ne s'apprend pas, ne s'enseigne pas... Martunis a établi avec son père un lien très fort. Même si le père et le fils ont dû être séparés pendant le tsunami, ils ne se sont jamais perdus vraiment et ne se perdront jamais.

avec Fabienne Larouche

Lorsque j'ai proposé à madame Fabienne Larouche de participer au projet, j'avais certains doutes, car je connais la charge de travail qu'elle devait abattre, jour après jour. J'ai été la première surprise lorsque, sans hésiter et avec beaucoup d'enthousiasme, elle a accepté ma proposition d'écriture.

En y repensant bien, Martunis, il me semble que ce n'est pas tant un hasard que la vie vous réunisse, ton auteure et toi, puisque vous avez bien des points en commun : tous deux, vous avez un parcours et une ténacité surhumains, tous deux, vous êtes des battants. On a tous besoin de gens qui nous inspirent et qui nous donnent envie de croire à l'impossible. Vous êtes, tous deux de ceux-là...

Dominique Drouin

Chapitre 6

À CŒUR OUVERT

L'histoire de Miles Coulson

Adrian et Leigh Coulson profitent d'un congé parental. L'arrivée toute récente de bébé Miles dans leur vie crée un joyeux tourbillon, et ils commencent tout juste à s'ajuster aux horaires chaotiques et aux nuits courtes. L'heureuse famille de Dixon, au Nord de la Californie, compte déjà un bambin de deux ans, Matthew, qui, à 21 mois, ne donne pas sa place non plus.

Ce qui ne facilite pas la routine, c'est qu'un petit virus vient de visiter le foyer, affectant Matthew et Leigh pendant quelques jours. Rien d'alarmant : un peu de fatigue et de fièvre, sans plus. Mais il semble que Miles l'ait contracté à son tour. Il dort davantage et mange moins.

Le matin du 14 avril 2004, bébé Miles, d'ordinaire si gourmand, boit à peine. Alors qu'il surveille l'enfant dans son berceau, Adrian remarque que les bras et les jambes de Miles sont froids, malgré la température élevée qui règne dans la pièce. De plus, sa peau est couverte de taches rouges et blanches.

Ces symptômes lancent un premier signal d'alarme. Les parents décident d'amener Miles à l'hôpital sans plus tarder. Dès leur arrivée au bureau du pédiatre, la poitrine du petit Miles se soulève difficilement à chaque respiration. L'inquiétude gagne Adrian et Leigh : et s'il ne s'agissait pas d'un virus bénin ?

Le diagnostic du médecin n'a rien pour calmer l'inquiétude grandissante des parents : après avoir examiné l'enfant quelques instants, le médecin l'amène directement aux urgences. Là, il est pris en charge par une équipe de médecins et d'infirmières aux aguets, qui font subir au nouveau-né toute une batterie de tests, y compris des radiographies et une ponction lombaire. Après l'analyse des résultats, l'angoisse grimpe lorsque le médecin annonce que le bébé nécessite des soins plus spécialisés, et qu'il doit par conséquent être envoyé aussitôt dans un autre hôpital, à Sacramento.

Ce qui avait commencé comme une vague inquiétude est vite devenu le pire cauchemar de tout parent. Le petit bébé d'à peine deux semaines est soudainement transporté dans un tourbillon de tubes reliés à des machines envoyant des signaux illisibles pour le commun des mortels ; sa peau est transpercée d'aiguilles de toutes sortes, et l'enfant est manipulé par un régiment d'infirmières et de médecins que les parents voient pour la première fois.

Un autre diagnostic sombre ne manque pas d'arriver : « Votre enfant est très malade » annonce le médecin. Aucune marque d'encouragement, aucune lueur d'espoir dans ces mots qui résonnent dans la tête des parents, affolés et déconfits. Absolument rien pour les rassurer. Selon les explications du médecin, le cœur de Miles est enflé et très faible. Un virus s'est de toute évidence attaqué à son cœur et l'enfant risque de ne pas passer la nuit. Déjà, son cœur pompe si peu de sang que son foie et ses reins fonctionnent péniblement.

La seule façon de maintenir le bébé en vie, c'est de le brancher à une machine – un oxygénateur extra-corporel à membrane – utilisée entre autres pour soutenir le cœur et les poumons d'un patient durant une chirurgie à cœur ouvert. Les parents sont alors placés face à une vision profondément désolante : leur petit bébé est relié à cette grosse machine par un réseau intriqué de tubes. Les médicaments analgésiques l'ont transformé en une poupée de chiffon, ses mains sont enflées et son corps tout rouge.

La douleur des parents est telle que, jour après jour, Leigh et Adrian se demandent s'ils ne feraient pas mieux d'abréger les souffrances de leur enfant. Après huit horribles journées pendant lesquelles Miles est demeuré branché à la machine, son état semble s'améliorer, ce qui ravive l'espoir des parents. Toutefois, cette lueur n'aura été que de courte durée puisqu'un autre spécialiste, David Rosenthal, constate après une étude approfondie de son électrocardiogramme, que le bébé a définitivement besoin d'une greffe du cœur. Lorsqu'on sait qu'un adulte peut attendre des mois avant de recevoir un organe pour une greffe, on peut imaginer que les chances de tomber sur un donneur nouveau-né au cœur compatible et encore en état de fonctionner sont bien minces. Il n'est pas rare que l'on doive attendre au moins quatre ou cinq mois pour un cœur de nouveau-né. Celui de Miles est si fragile qu'on ne peut attendre aussi longtemps.

Après avoir consulté ses collègues, le docteur Rosenthal conclut que la seule manière de sauver Miles, c'est d'utiliser le Berlin Heart, un minuscule appareil utilisé en Europe, mais encore en attente d'approbation aux États-Unis. Il s'agit d'un dispositif mécanique portable qui maintient la circulation du sang dans le cœur malade. Ce cœur artificiel est supposé maintenir les fonctions vitales en attendant qu'un organe soit disponible. Cet appareil sauvera-t-il leur fils ou prolongera-t-il ses souffrances ? Une fois de plus, Adrian et Leigh se retrouvent face à une décision déchirante. Ils décident de tenter le tout pour le tout et en quelques heures, le Berlin Heart arrive, directement de l'Allemagne.

Ce n'est pas trop tôt car le bébé a alors un teint blafard qui laisse présager le pire. Pendant que les médecins mettent en place l'opération d'implantation qui aura lieu le lendemain matin, les parents espèrent au chevet de Miles, en tenant ses petites mains froides dans les leurs.

L'implantation se déroule comme prévu et au bout de deux heures, le bébé quitte la table d'opération dans un bien meilleur état que ce que les médecins auraient osé espérer. Des couleurs rosées teintent même ses pommettes. Au fil des jours, le nouveau-né prend du poids et s'amuse, comme n'importe quel enfant de son âge, à jouer avec le mobile aux formes de pieuvres et de tortues suspendu au-dessus de son lit. Adrian et Leigh, soulagés, reprennent leur vie où ils l'avaient laissée et apprennent à connaître ce petit être que le sort n'a, jusqu'à présent, pas épargné.

Mais plus les parents de Miles sont émus devant ses sourires et ses yeux bleus rieurs, plus l'angoisse de le perdre grandit. Et chaque jour qui passe ébranle leurs espoirs. Leigh ne peut s'empêcher de songer à cette réalité tragique: la seule façon pour que son fils survive, c'est qu'un autre enfant

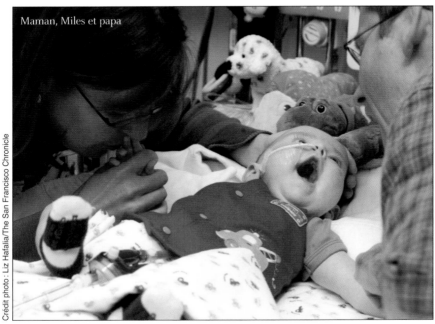

Maman, Miles et papa

Crédit photo : Liz Hafalia/The San Francisco Chronicle

meure et lui fasse don d'un cœur. Sa joie de mère sera inévitablement liée à la douleur d'une autre...

Le 4 septembre, plus de sept semaines après l'implantation du Berlin Heart, Adrian et Leigh reçoivent une nouvelle douce-amère : un enfant de 11 mois vient de succomber des suites d'un traumatisme crânien. Son cœur est transporté d'urgence de San Francisco à Stanford, où l'équipe de médecins prépare la longue chirurgie nécessaire pour greffer cet organe à Miles.

À 21 heures, Miles entre au bloc opératoire. Cette fois, au lieu de l'angoisse, des tourments et des adieux, Adrian et Leigh sont sereins et optimistes. Ils savent qu'ils ont fait tout ce qui était en leur pouvoir pour aider leur enfant. Ils s'en remettent maintenant au destin. Et ils seront exaucés puisque le lendemain matin, aux aurores, Miles ressort de la salle d'opération avec un tout nouveau cœur.

Dans les semaines et les mois qui suivent, le bébé doit rester à l'hôpital. La famille doit composer avec les complexités qui accompagnent une greffe : les nombreuses visites du médecin, les tests sanguins, les biopsies, les médicaments pour empêcher le rejet de l'organe, et les effets secondaires parfois imprévisibles.

À la fin du mois de novembre, la petite famille est heureuse de rentrer à la maison, même si le bal des visites à l'hôpital se poursuit. Nourri à l'aide de tubes depuis les premiers mois de sa vie, Miles doit réapprendre à manger. Sa croissance physique est retardée, mais ses progrès sont fulgurants. Et chaque fois que bébé Miles fait quelque chose pour la première fois, Leigh a une pensée émue pour la mère de l'enfant dont le cœur a sauvé la vie de son fils.

Mais comme tout n'est pas parfait en ce bas monde, un événement vient assombrir cette fin heureuse. Au mois de juin 2006, le petit Miles reçoit un diagnostic d'autisme, ce qui explique quelques retards d'apprentissage. Aujourd'hui, les parents de Miles continuent de se battre pour améliorer l'existence de leur garçon qu'ils aiment de tout leur coeur.

Tiré de « Baby Miles », par Denise Grady.
© The Reader's Digest Association Inc.;
Reader's Digest (Etats-Unis), mai 2005.
Adapté par Mariève Desjardins, les Éditions La Semaine.

Miles, Andrian,
Leigh et Matthew

UNE HISTOIRE DE CŒUR

*Un texte de Charles Tisseyre,
offert par l'auteur à Miles Coulson.*

Quand je suis arrivé à Katmandou, au Népal, pour rejoindre mes camarades de trek, le soleil se couchait sur cette ville, exotique, déroutante, polluée, débordante de vie.

Des rues étroites où passants, voitures, cars, motos et taxis-triporteurs louvoyaient pour se frayer un passage dans un va-et-vient incessant. Et partout, des gens, jeunes et vieux, essayant de vous vendre quelque chose, n'importe quoi, comme si tout le monde, ici, était commerçant et ne vivait que grâce aux quelques sous glanés des mains des touristes étourdis par tant de tumulte.

Après avoir soupé avec mes compagnons sur la terrasse d'un restaurant, parmi les toits hétéroclites disparaissant peu à peu dans la pénombre naissante, je redescendis dans la rue pour trouver quelques articles dont j'avais encore besoin pour affronter l'Himalaya.

Tandis que je tentais d'éviter les véhicules – qui roulent, ici, à gauche – une petite main se posa dans la mienne. Surpris, je baissai le regard pour découvrir les yeux d'un enfant d'environ cinq ans qui me regardait d'un air désarmant.

« J'ai faim, me dit-il en anglais. J'aimerais avoir des biscuits. »

Il était pieds nus, couvert de saleté et si vulnérable ! Il m'entraînait déjà en douceur vers une épicerie, non loin de là, avant même que je puisse réagir. Tandis que je marchais, sa petite main dans la mienne, je pensais à mes propres enfants et ne pouvais croire que ce petit vivait comme cela, dans la rue, abandonné, sans parents, sans protection.

Arrivé au commerce, il savait exactement où aller et montra du doigt une étagère, tout en haut, où se trouvaient les biscuits. Tandis que je lui en mettais un paquet entre les mains, une fillette d'à peine huit ans entra elle aussi dans la boutique et me demanda instamment du lait en poudre. Me tirant par le bras, elle m'emmena quelques pas plus loin, dans une autre allée, et m'indiqua la boîte en question.

Pendant que je m'approchais de la caisse avec le garçon et la fillette pour payer mes achats, une dizaine d'autres enfants entrèrent en trombe et me demandèrent de la nourriture.

La situation dégénéra rapidement. Avant même que je puisse payer pour les deux premiers, les autres leur arrachèrent les biscuits et le lait en poudre, puis se mirent à se chamailler. C'était insoutenable de voir des enfants se disputer ainsi pour de la nourriture. Je tentais tant bien que mal de rétablir l'ordre en leur disant qu'ils allaient tous en avoir, mais en vain.

La bataille reprit de plus belle, sous le regard impassible du commerçant assis à la caisse. Plusieurs petites mains tiraient énergiquement sur les mêmes paquets, qui risquaient de se rompre. Puis, les deux gardiens de sécurité, qui étaient restés un peu à l'écart, intervinrent en donnant aux enfants des claques derrière la tête et en les forçant à sortir. Deux d'entre eux, plus déterminés et plus rapides que les autres, s'échappèrent avec le butin.

J'étais consterné. Ce que je croyais être un simple geste de générosité avait dégénéré en une quasi-émeute où des enfants auraient pu être blessés. Et ce n'était pas fini : les petits restaient derrière la vitrine et m'imploraient toujours de leur acheter de la nourriture...

En espérant que d'autres enfants ne viendraient pas gonfler leurs rangs, je donnai suite à ma promesse en leur achetant tous des victuailles. Je les fis entrer, l'un après l'autre – plus ou moins dans l'ordre, car ils se disputaient sans cesse – en commençant par le petit du début. Ils eurent tous ce qu'ils voulaient, puis disparurent dans la nuit en courant. Les gardiens de sécurité ne s'étaient pas interposés, cette fois-ci, et le commerçant n'avait pas protesté...

Ébranlé, m'en voulant d'avoir déclenché une telle scène, je sortis dans la rue pour rejoindre ma collègue, Hélène Leroux, qui m'avait soutenu d'un regard compréhensif – étant une mère elle-même – chaque fois qu'elle m'avait aperçu dans le tumulte par la porte entrebâillée de l'épicerie.

Dans les jours qui suivirent, je me demandai souvent ce qui avait bien pu se passer dans cette épicerie. La frénésie désespérée des enfants, l'inaction du commerçant, le rôle des gardiens de sécurité. Que faisaient-ils là au juste ? Ce n'était manifestement pas la première fois qu'une chose pareille se produisait, puisqu'ils avaient observé la scène pendant plusieurs minutes avant d'intervenir... Tout cela était-il mani-gancé par le commerçant, qui en tirait un profit évident ?

Et pourtant, ce soir-là, alors que je retournais à l'hôtel, le petit de cinq ans était apparu soudainement devant moi et m'avait fait le plus beau des sourires en me disant, avec une reconnaissance qui n'était manifestement pas feinte : « Merci, merci, merci ! »

Le lendemain matin, les 12 membres de l'expédition prirent le grand départ en vue du trek qui nous mènerait au sommet du mont Mera, à 6 476 mètres d'altitude. Une journée de car durant laquelle nous avons parcouru des centaines de kilomètres dans le Sud du Népal, à flanc de montagne, à travers des villages aux maisons de pierres superposées tenant par simple gravité, entourés de cultures en terrasses que surplom-baient des forêts de pins. Vers la fin de l'après-midi, après avoir franchi un poste de garde des maoïstes qui contrôlent la région, nous sommes arrivés au début du sentier qui nous mènerait au cœur de l'Himalaya.

Notre expédition scientifique, tournée dans le cadre de l'émission *Découverte*, avait plusieurs objectifs : souligner les bienfaits de la remise en forme pour les baby-boomers sédentaires – particulièrement à risque de développer le syndrome métabolique (hypertension artérielle, diabète, taux de cholestérol élevé) ; vérifier si l'exercice en altitude pouvait favoriser la genèse de nouveaux vaisseaux sanguins, ce qui pourrait permettre éventuellement de traiter les patients souffrant de troubles cardiaques dans des cliniques en altitude, où ils viendraient s'entraîner pour revasculariser leur cœur ; et finalement, identifier les personnes à risque de souffrir du mal des montagnes, une pathologie potentiellement mortelle qui se manifeste par un œdème cérébral ou pulmonaire dû au manque d'oxygène en altitude.

Dans notre cordée, il y avait, entre autres, les cardiologues Michel White, de l'Institut de cardiologie de Montréal, et Heather Ross de l'Hôpital général de Toronto, ainsi que deux greffés – l'un du cœur, Dale Shippam, de Thunder Bay, et l'autre du rein, Dave Smith, d'Edmonton. Ces derniers s'étaient joints à l'expédition pour démontrer qu'il était possible, après avoir reçu une greffe d'organe, de relever un grand défi tel que gravir un sommet de l'Himalaya.

J'ai trouvé les premiers jours du trek difficiles. Il fallait marcher huit à douze heures par jour, sac au dos, souvent sous la pluie, toujours en montant ou en descendant des centaines, voire des milliers de mètres quotidiennement. Cette approche permettait de s'acclimater à l'altitude en augmentant progressivement le taux de globules rouges porteurs d'oxygène dans le sang.

Le peu d'hygiène – il n'y avait pas d'eau courante et les toilettes se résumaient souvent à un simple trou creusé dans la terre ou à une fente entre deux planches dans une cabane rudimentaire –, et le fait de manger presque exclusivement des légumes et de dormir sous la tente (je n'étais pas un campeur) ont constitué des défis que j'ai surmontés peu à peu.

En revanche, la camaraderie, la solidarité, la beauté du paysage et le fait d'avoir à se dépasser pour aller toujours plus haut et plus loin, sans défaillir, ont peu à peu transformé ce qui avait été au début, pour moi, une épreuve en une expérience profonde et enrichissante.

Je regardais Dale Shippam progresser avec admiration. Grand et mince, ce greffé du cœur de 57 ans marchait d'un pas régulier avec une merveilleuse aisance. Il avait reçu son nouveau cœur neuf ans auparavant. Il pratiquait toujours son métier de sapeur-pompier. C'était un travail exténuant qui exigeait le port de lourds vêtements protecteurs et d'appareils de survie, dans des conditions de stress et d'efforts extrêmes où sa propre vie et celle des autres étaient souvent menacées.

Et il effectuait ses tâches avec brio, au point où il venait tout juste d'être nommé capitaine.

Dale avait été un athlète aguerri dans sa jeunesse, avant d'être atteint soudainement d'une sévère insuffisance cardiaque de cause inconnue. Sa transplantation lui avait permis de recouvrer sa forme d'antan. Depuis, il s'entraînait en trekkant dans la région de Thunder Bay et en marchant une dizaine de kilomètres par jour d'un pas rapide. Il n'en était d'ailleurs pas à sa première expédition, s'étant déjà attaqué à un sommet de plusieurs milliers de mètres en Antarctique.

Dave Smith, 44 ans, qui avait aussi plusieurs hauts sommets à son actif et vivait depuis 11 ans avec le rein que son frère lui avait généreusement donné. Il était aussi parmi les plus forts et les plus résistants trekkeurs du groupe, progressant avec une facilité déconcertante. D'une grande générosité, il se dévouait à la cause de la transplantation d'organes au sein de l'Association canadienne des greffés, qu'il dirigeait depuis Edmonton. De plus, ce mécanicien aguerri sauva notre génératrice du trépas à plusieurs reprises, permettant la poursuite du tournage.

Un matin, nous arrivâmes dans un petit hameau. Sur le bord du chemin, un peu en hauteur, assise sur un muret de pierre, une femme d'une quarantaine d'années, l'air triste mais digne, nous montrait son pouce décoloré et gonflé. Il avait une profonde entaille et était manifestement très infecté.

Le groupe s'arrêta. La cardiologue Heather Ross se mit immédiatement au travail. Sortant de sa trousse de premiers soins un désinfectant, du coton et de petites pinces, elle se mit à nettoyer la plaie en s'excusant à sa patiente d'avoir à lui faire mal – n'ayant pas d'analgésique – pour enlever les particules de terre profondément enfouies sous la peau. La malade détournait simplement la tête sans broncher. « Quel courage ! » disait doucement Heather, incrédule.

À côté de la mère, un petit garçon de trois ans souriait, amusé à la vue de ces étrangers avec leur accoutrement bizarre vêtements de montagne high tech, lunettes de soleil dernier cri, grosses bottes et bâtons de randonnée. Mais son frère de 10 ans était très inquiet, lui, car il comprenait que sa mère était en danger ; et il ne semblait pas y avoir de père dans cette famille, seulement une très vieille grand-mère qui souriait béatement, ne comprenant manifestement pas ce qui se passait...

Des larmes coulaient silencieusement sur mes joues tandis que j'observais la scène. Une maman – comme ma femme – avec ses fils à ses côtés – comme mes garçons –, usée par une vie trop dure, mais si belle, si digne, un être humain qui avait simplement eu la malchance de naître dans un pays où les soins de santé, en région rurale, étaient quasi inexistants et... payants, lorsqu'on en trouvait.

Si nous n'étions pas passés par hasard ce jour-là, elle serait sans doute morte d'une infection généralisée. Après les soins attentionnés de Heather, qui badigeonna généreusement sa plaie d'une pommade antibiotique et lui fit un solide pansement, elle allait maintenant avoir une vraie chance de survivre...

La maman remercia la cardiologue, et dans l'émotion du moment, oublia la consigne de garder sa main blessée levée en tout temps, directive que son fils aîné lui rappela sur-le-champ d'un regard ferme mais combien aimant et soulagé...

Nous reprîmes notre chemin, un peu inquiets de la laisser comme cela, sans suivi... Mais que pouvions-nous faire de plus ? Il fallait avancer si nous voulions arriver au camp avant la nuit. Et pour atteindre le mont Mera avant la mousson, il ne fallait pas perdre de temps...

Cet après-midi-là, nous fûmes surpris par la pluie, qui se mit à tomber de façon soutenue. Des torrents d'eau boueuse dévalaient le sentier, composé de roches hétéroclites. Notre progression était laborieuse, car nous risquions de glisser à tout moment et de nous blesser.

Après des heures d'efforts, transis et trempés jusqu'aux os, nous arrivâmes à un joli petit village, perché au sommet d'une montagne à 3 200 mètres d'altitude. Les sherpas qui nous guidaient dans notre randonnée décidèrent, à notre grand soulagement, que nous allions dormir dans un lodge (un gîte népalais). Celui-ci était rudimentaire – le vent passait entre les planches des murs – mais si accueillant ! Nous étions enfin au sec, et il y avait un poêle à bois bienfaisant où nous nous sommes séchés à tour de rôle.

Ce soir-là, après notre repas habituel composé de pommes de terre, de légumes verts et de riz, nous nous couchâmes avec un saturomètre au doigt, afin que les médecins de l'expédition puissent vérifier notre taux d'oxygène sanguin, la nuit. Je dormis comme un pape, mais le lendemain, après m'être habillé et être sorti dehors, je ressentis un étourdissement en me penchant pour ajuster mes lacets. Un signe que l'altitude commençait à m'affecter ? Pourtant, nous n'étions pas très haut...

Ce jour-là, nous traversâmes plusieurs hameaux à flanc de montagne, où les enfants d'âge préscolaire – comme ce fut le cas tout au long de notre trek – nous saluaient, les mains jointes comme pour prier, avec un sourire éclatant, en nous disant « namaste » – « bonjour, bienvenue » en népalais –, sous les regards bienveillants de leurs non moins accueillants parents et grands-parents.

De jour en jour, les heures se succédaient dans l'effort sans cesse renouvelé d'une ascension difficile, faite de grosses roches à gravir comme autant de marches d'escalier, de formes et de tailles différentes, menant au mont Mera, le plus haut trek du monde, loin devant nous, caché derrière plusieurs murailles montagneuses encore à franchir.

Pendant notre ascension, les sherpas chantaient fréquemment, de leurs voix hautes presque féminines, si douces et si apaisantes. Leurs chants séculaires nous encourageaient à persévérer et contribuaient à créer une ambiance sereine propre à la méditation.

Je découvrais le plaisir intense de la haute montagne. Ce voyage intérieur qu'imposent les gestes sans cesse renouvelés dans l'effort, à la limite de ses capacités. Un cheminement qui permet de se recueillir au plus profond de soi-même, un endroit rarement visité où l'on retrouve ses rêves et où l'on fait le point sur sa vie, avec en toile de fond la beauté enivrante de paysages aux cimes enneigées, à perte de vue...

Ce soir-là, Jani Laramée, la stagiaire en cardiologie du docteur White, vérifia les données enregistrées par nos saturomètres la veille. Quand elle vit la courbe de mon taux d'oxygène, elle s'exclama : « Charles ! Qu'est-ce que tu as fait la nuit dernière ? C'est incroyable, regarde ta courbe ! »

Celle-ci n'était faite que de sommets et de creux prononcés qui se succédaient rapidement. Le docteur White, qui n'était pas loin de nous, jeta un coup d'œil à son tour.

« Charles, tu arrêtes de respirer fréquemment, dit-il. Tu fais de l'apnée du sommeil !

— Et puis après ? lui répondis-je, frondeur. Mon père arrêtait de respirer lui aussi quand il ronflait, et cela ne l'a pas empêché de vivre jusqu'à 85 ans !

— Oui, mais ici, tu es en altitude, rétorqua-t-il. Regarde, quand tu arrêtes de respirer pendant 20 ou 30 secondes de suite, ton taux d'oxygène dans le sang descend fréquemment à 60 % ou moins de la normale. C'est inquiétant. »

La nouvelle me sonna. Je venais d'apprendre que j'avais un syndrome qui pouvait avoir des conséquences graves. Il faudrait que je sois suivi à mon retour à Montréal, car l'apnée du sommeil, lorsqu'elle est sévère peut, si elle n'est pas traitée, quadrupler le risque d'infarctus ou d'AVC chez les personnes qui en sont atteintes.

Le docteur White m'indiqua toutefois qu'à une altitude modérée comme celle où nous nous trouvions, soit environ 3 000 mètres, je ne risquais rien, mais qu'à une altitude plus élevée – 4 000, 5 000 ou 6 000 mètres –, la situation deviendrait beaucoup plus préoccupante.

Cela dit, il consulterait Heather, et possiblement, par téléphone satellite, le docteur Pierre Mayer, de la clinique du sommeil du CHUM à Montréal, afin de me donner les meilleurs conseils possibles, et il me surveillerait de près au cours des prochains jours...

Cette nuit-là, je dormis mal. Je me réveillai en cherchant mon souffle, comme si je manquais d'oxygène dans la tente, une réaction sans doute psychologique, car nous n'étions pas encore très haut...

Le lendemain, je marchais en essayant de ne pas y penser. Plus les heures passaient, plus je me sentais fort, ce qui ne manqua pas de me rassurer. Nous eûmes de très beaux moments en longeant un col. Nous étions en altitude mais sur le plat, pour la première fois depuis une semaine, et la vue des hautes montagnes de l'autre côté de l'étroite vallée que nous surplombions était spectaculaire. Une légère brise nous caressait le visage dans la lumière encore chaude de cette fin d'après-midi.

Puis, en redescendant, la pluie se mit encore une fois de la partie. J'étais fatigué. Je sentis mon cœur s'emballer. Je faisais manifestement une crise de tachycardie. Cela m'arrivait de temps en temps depuis l'adolescence. Mon cœur battait à 160 pulsations à la minute. Je m'étendis sur un muret de pierre. Heather prit mon pouls. « Oh, il bat la chamade, ton cœur, me dit-elle. Attends, je vais t'arranger ça. Ça va pincer un peu. »

Avec deux doigts, elle fit pression solidement à un endroit précis de mon cou pendant deux ou trois secondes. Mes battements cardiaques revinrent immédiatement à la normale.

« Cette manœuvre envoie un signal au cœur de ralentir. Ça va mieux ? »

— Oui, lui répondis-je, impressionné par la compétence et l'assurance de cette cardiologue qui dirigeait une unité de transplantation cardiaque à Toronto, et qui en avait manifestement vu bien d'autres...

Ce soir-là, je partageai une chambre avec Dave Smith, que mes ronflements ne dérangeaient pas, ce qui n'était pas le cas de tout le monde, loin de là... Durant la nuit, les chiens du village se sont mis à aboyer. Dave sortit dehors pour voir ce qui se passait. Les chiens s'approchaient du lodge, le poil hérissé sur le dos, s'apprêtant sans doute à attaquer la bête féroce qui grognait à l'intérieur. Puis, au son particulièrement tonitruant d'un de mes ronflements, ils s'enfuirent la queue entre les jambes, terrifiés ; une réaction que je trouvai particulièrement gratifiante – quand Dave m'en parla le lendemain –, car cela semblait confirmer une hypothèse anthropologique – que j'invoquais souvent pour me faire pardonner mes ronflements, selon laquelle les humains ronflaient pour protéger leurs clans des prédateurs, la nuit. Un comportement hérité de la préhistoire qui devait jadis avoir son utilité lorsque nous dormions dehors, à découvert, mais qui n'en avait manifestement plus du tout, aujourd'hui, au grand dam des ronfleurs et de leur entourage...

Ce matin-là, je partis donc avec mes camarades, le sourire aux lèvres, confiant d'avoir protégé le groupe – bien malgré lui – des terribles carnivores qui l'avaient menacé. Ce que je ne savais pas encore, c'est que mes ronflements de la nuit précédente avaient aussi scellé mon sort pour cette l'expédition...

Après avoir franchi plusieurs ponts suspendus qui se balançaient à chaque pas, nous laissant entrevoir, par les fentes dans les tabliers, les bouillonnements des torrents sous nos pieds, nous nous attaquâmes à un flanc de montagne au chemin interminable. Toutes les quinze minutes, nous traversions un hameau de quelques maisons qui surplombaient des cultures en terrasses, puis l'ascension reprenait de plus belle.

Vers midi, nous nous arrêtâmes pour manger à un petit lodge rustique, et c'est là que le docteur White m'annonça la nouvelle :

« Dave m'a parlé tout à l'heure. Il m'a dit que la nuit dernière, en ronflant, tu avais cessé de respirer à plusieurs reprises, chaque fois pour des périodes de 30 secondes ou plus. J'en ai parlé à Heather. Elle est d'accord avec moi : ces observations de Dave, qu'on peut qualifier de "cliniques", confirment le diagnostic préliminaire que nous avions posé à partir des données obtenues grâce à ton saturomètre. À la lumière de ce qu'il nous a dit, il est clair que tu souffres d'une apnée du sommeil assez grave. Malheureusement, tu ne peux plus continuer avec nous. Ce serait trop dangereux pour toi. Tu dois redescendre. »

Le verdict me frappa en plein cœur. J'avais travaillé si fort ! Pendant plus d'une semaine, je me sentais bien, de plus en plus fort. Je n'avais aucun symptôme du mal des montagnes. Apprendre que je ne pourrais pas atteindre le sommet du mont Mera et que mes camarades continueraient sans moi me chavira littéralement.

Mais il fallut bien que je me rende à l'évidence : mon problème se manifestait la nuit, à mon insu. Et il avait été bien documenté. Les médecins craignaient que je meure dans mon sommeil par manque d'oxygène. Je n'avais pas le choix ; le but de l'expédition, avant tout, était de revenir sain et sauf, et j'avais promis à ma famille de ne pas prendre de risques indus...

Je partis donc le lendemain pour Lukla, un trek de deux jours, avec un sherpa et un porteur. Puis, je rejoignis Katmandou par avion de brousse. Les adieux furent émouvants. Mes camarades me félicitèrent pour le travail accompli et me consolèrent, les sherpas aussi, puis... nos chemins se séparèrent.

Trois jours plus tard, j'eus la surprise de voir arriver Heather et Dale à Lukla. Heather avait dû abandonner aussi : à cette altitude de 3 600 et 4 400 mètres, elle a fait un début d'œdème cérébral, une grave manifestation du mal des montagnes qui peut être mortel.

Elle avait lutté pendant deux jours, malgré de terribles maux de tête et de cœur, mais avait dû se résigner et suivre les consignes de son collègue Michel White et de notre guide Emmanuel Daigle, et elle était redescendue de la montagne. À 3 000 mètres, d'un seul coup, comme si on avait actionné un interrupteur dans sa tête, ses symptômes avaient disparu. Elle était maintenant hors de danger.

Dale aussi avait décidé d'abandonner, même s'il se sentait très bien. Il n'avait aucun symptôme du mal des montagnes et aurait sans doute atteint le sommet du mont Mera sans problème.

Ses raisons d'arrêter étaient autres : dix ans plus tôt, Heather lui avait sauvé la vie. Son cœur défaillant avait cessé de battre, et il s'était retrouvé mourant sur une civière. Heather lui avait fait un massage cardiaque pour tenter de le réanimer, mais cela ne fonctionnait pas. Après environ une heure, son équipe l'enjoignit de laisser tomber, estimant que c'en était fini, qu'on ne pouvait plus rien faire pour lui.

Mais Heather persista parce qu'elle croyait l'avoir vu reprendre brièvement conscience à deux reprises. Elle continua à le masser obstinément pendant une quarantaine de minutes, jusqu'à ce que finalement, contre toute attente, il revînt à lui. Quelques semaines plus tard, il reçut son nouveau cœur et une nouvelle chance de vivre. Jamais il n'oublierait ce qu'Heather avait fait pour lui. C'est pour cela qu'il était redescendu de la montagne. Il voulait l'accompagner pour être sûr qu'elle arriverait sans problèmes à Lukla.

Notre autre courageux greffé, Dave Smith, continua l'expédition, avec aisance, force et détermination arborant un sourire contagieux tout le long du trek. Une dizaine de jours plus tard, il atteignit le sommet du mont Mera avec les autres, démontrant qu'une personne ayant bénéficié d'une transplantation d'organe pouvait non seulement mener une vie tout à fait normale, mais aussi relever de grands défis.

Quant à moi, je revins au Canada avec Heather et Dale, déçu de n'avoir pu me rendre jusqu'au sommet, mais heureux d'être allé au bout de moi-même ; et habité par des images inoubliables des cimes enneigées de l'Himalaya, d'enfants aux sourires enchanteurs, et d'une petite main blottie au creux de la mienne.

La rencontre
avec Céline Dion

En voulant que le petit Miles fixe la caméra, on lui demandait quelque chose qui était contre-nature pour un enfant autiste. Dissipé, Miles se promenait dans la pièce, ricanait, sautillait. Ses parents essayaient tant bien que mal de capter son attention.

Céline Dion a été estomaquée par le courage des parents de Miles. L'autisme est un mal qui requiert un amour incon-ditionnel, 24 heures par jour, 7 jours par semaine. Miles a besoin d'anges et il les a en ses parents, aimants et sensibles, qui fournissent à leur fils la tendresse, les soins et une affection sans bornes. La chanteuse porte une admiration infinie aux parents de Miles qui l'ont bouleversée par tant et tant d'amour donné sans compter. Ils sont de grands héros !

avec Charles Tisseyre

« Je ne savais pas que Miles était autiste. En l'apprenant, j'ai évidemment songé au fardeau supplémentaire que cela représentait pour les Coulson, qui doivent en plus composer avec le suivi médicamenteux et thérapeutique d'une transplantation cardiaque loin d'être banale. J'ai toutefois vite senti que la famille était unie par un lien très solide. Manifestement, les parents de Miles lui donnent toute l'affection et tout l'encadrement dont il a besoin. J'ai d'ailleurs été impressionné de voir à quel point ils étaient attentionnés à son endroit, s'occupant de lui avec tant d'assiduité et de tendresse.

J'étais donc avec la famille Coulson dans une pièce où se déroulait une fête d'enfants après le cocktail. À un moment donné, une musique très saccadée s'est fait entendre et ça a beaucoup dérangé Miles. Il s'est aussitôt jeté par terre en se couvrant les oreilles. Ses parents l'ont donc conduit à l'extérieur de la pièce et je les ai suivis. C'est là que nous avons pu avoir une longue conversation sur Miles. C'est une des premières fois que j'avais la possibilité de passer 2 ou 3 heures en compagnie d'un enfant autiste. J'ai trouvé fascinant de le voir si merveilleusement intégré à son milieu familial.

En dépit de sa condition d'autiste, Miles est extrêmement attachant et attendrissant. Comme tous les enfants autistes, il vit dans son petit monde. Il a une certaine difficulté à communiquer avec son environnement immédiat, bien qu'il reconnaisse parfaitement son père, sa mère et son frère aîné. Miles est un garçon costaud qui a l'air bien dans sa peau et qui ne semble pas angoissé outre mesure. J'ai même réussi à jouer au ballon avec lui. Si on ne le brusque pas, Miles est calme et agréable à côtoyer. Tout compte fait, ça semble aller très bien pour lui.

Miles fait des progrès, mais jusqu'où va-t-il se développer?

Quel sera son avenir? Le temps le dira, mais pour l'instant, il semble être sur la bonne voie et il peut compter sur des parents formidables. »

Propos de Charles Tisseyre, recueillis par Mariève Desjardins

Miles dans les bras de papa

Chapitre 7

LE PLUS BEAU CADEAU DE NOËL

L'histoire de Samu Grundström

« Maman, est-ce que je vais mourir ? » s'enquiert Samu, d'une voix blanche. Pour avoir déjà survécu à deux chirurgies très risquées, l'enfant de six ans sait très bien ce qu'implique un nouveau passage sur la table d'opération. Le tourbillon incessant des visites des médecins et des infirmières, l'angoisse palpable sur les visages de ses parents et la douleur indicible... Tout cela, il ne le connaît que trop bien. Or, le 18 décembre, à quelques jours de Noël, il s'apprête à subir une nouvelle intervention chirurgicale encore plus dangereuse que les précédentes.

Samu souffre d'un grave problème génétique qui affecte le développement de ses os et qui a endommagé sa colonne vertébrale à la naissance. Deux ans plus tôt, un support de métal a été inséré dans son cou pour maintenir sa tête droite, mais les barres de titanium ont cédé, découvrant désormais sa moelle épinière. Cette partie centrale de l'organisme, qui assure la transmission de l'influx nerveux entre le cerveau, les organes et les membres, est aussi fragile qu'une framboise mûre. Cela signifie qu'une simple blessure pourrait coûter la vie à Samu. Ilkka Helenius, le spécialiste en orthopédie de l'hôpital pour enfants d'Helsinki, est d'avis que seule une nouvelle opération pourrait réparer les dommages.

Comme ce Noël sera peut-être le dernier pour Samu, ses parents, Janet et Toni Grundström, ont décidé de devancer les

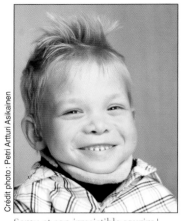

Samu et son irresistible sourire !

célébrations de deux semaines. Dans les bras de son père, le petit Samu place l'étoile au sommet de l'arbre de Noël érigé au milieu du salon. Pendant ce temps, Janet prépare les mets traditionnels finnois des jours de fête. Poissons marinés, pain de Noël, biscuits en pain d'épice sont disposés sur une table décorée et éclairée aux bougies. Dans la plus grosse boîte sous le sapin, Samu trouve le bateau de pirates qu'il désirait tant, celui qu'il avait demandé au père Noël.

Lorsque Janet apprend qu'elle est enceinte, en décembre 1999, elle est folle de joie. Elle n'est mariée que depuis quelques mois à Toni, mais le couple a déjà un réel désir de fonder une famille. La seule ombre au tableau : les nausées persistantes qui incommodent Janet, bien au-delà des classiques symptômes d'une grossesse. Au bout d'un moment, la jeune femme consulte son médecin pour connaître l'origine de ces désagréments. À sa grande surprise, elle est hospitalisée sur-le-champ. Le médecin ne veut pas prendre de risques inutiles, mais après avoir procédé aux examens de routine, il conclut que le fœtus est normal.

Un peu plus tard, après 35 semaines de grossesse, le médecin découvre toutefois un surplus de liquide amniotique dans l'utérus de Janet, ce qui peut annoncer un défaut dans la structure des chromosomes. Une nouvelle série d'examens prénataux, dont une échographie, détecte un problème : le bébé n'a pas de nez. Malgré la tentative des parents de prendre la nouvelle avec humour, soulignant le fait qu'au moins leur enfant n'aurait pas leur gros nez, Janet et Toni commencent à se faire du mauvais sang.

Samu naît le 25 juillet 2000, deux semaines avant la date prévue pour l'accouchement. Au lieu de marquer sa venue au monde par un grand cri, le bébé reste inerte, et son corps a une inquiétante teinte bleutée. Il est tout de suite transporté à l'urgence, laissant les nouveaux parents dans l'angoisse. Heureusement, quelques instants plus tard, ils entendent ses premiers cris.

Placé dans un incubateur, le bébé est ensuite amené à ses parents. Lorsque Samu ouvre ses yeux bleus, Janet est immédiatement conquise. Il n'a peut-être pas de nez, mais c'est pour elle le plus bel enfant du monde. Il est celui qu'elle aime déjà inconditionnellement. Il est le sien.

Alors qu'elle n'a qu'un désir, celui de passer tout son temps avec son petit Samu, le bébé doit cependant être encore transporté à l'unité des soins intensifs et la nouvelle maman doit se contenter de regarder le visage de son fils sur un polaroïd, pris par un membre de la famille. Le soir suivant l'accouchement, elle serre à nouveau la main de son enfant, comblée par sa présence.

Mais le bébé ne va pas bien. À part l'absence de nez qui entraîne son lot de problèmes, les médecins viennent de lui diagnostiquer une chondrodysplasie punctata, une maladie grave très rare qui affecte le développement des os et des cartilages. Dans sa forme la plus bénigne, cette maladie ne fait que retarder le développement, mais les formes plus sévères peuvent être mortelles. Sans compter qu'elle est le plus souvent accompagnée d'une malformation de la colonne vertébrale. Dans le cas de Samu, les examens démontrent que ses organes sont normaux ; sa vie n'est donc pas en danger. Toutefois, la maladie, incurable, fera toujours partie de sa vie et de celle de ses parents.

De retour à la maison, la petite famille tente de mener la vie la plus normale possible. Toni reprend le boulot et Janet, qui a heureusement une formation d'infirmière, prodigue à son fils les soins nécessaires. Il vient tout juste d'apprendre à respirer sans l'aide d'un tube lorsque Janet fait une découverte troublante : la tête de son fils retombe mollement sur sa poitrine. À l'âge de 15 mois, Samu passe un examen qui ne fait que confirmer les appréhensions : la structure osseuse dans la région du cou de Samu est insuffisante et sa moelle épinière est à l'étroit. Une simple blessure au cou pourrait lui être fatale. Une peur de tous les instants accompagne les moindres gestes des parents. Une opération doit être effectuée mais, Samu étant trop jeune, cela est encore trop risqué.

Le développement de Samu est suivi de près par les spécialistes. À quatre ans, l'opération devient inévitable. Pour l'équipe de chirurgiens de l'hôpital d'Helsinki, il s'agit d'une première. Ce qui devait durer deux ou trois heures s'étire pendant plus de cinq heures, au grand dam des parents, pour qui le suspense est insoutenable. Or, Samu ressort de la salle d'opération complètement paralysé.

Une nouvelle chirurgie doit donc être tentée. Samu est transporté à l'hôpital pour enfants, où le Dr Ilkka Helenius le prend en charge. Le garçon est grandement affaibli par la première tentative, et ses chances de s'en sortir sont minces.

Une fois de plus, Janet et Toni assistent au triste théâtre de l'opération. À travers une vitre, ils entendent les cris effrayés du petit Samu, qui réclame désespérément leur présence. Pendant les heures qui suivent, Janet et Toni ne peuvent qu'attendre, impuissants. Leurs visages épuisés sont décomposés par les larmes et la peur. Tout espoir semble évanoui. Ils sont envahis par des images morbides de l'enterrement de leur garçon. Dans leurs têtes, ils imaginent même les paroles qu'ils prononceraient à ses funérailles. Même si ces pensées dévastatrices les plongent dans la souffrance, elles ont au moins l'avantage d'imaginer une fin à celle de leur fils.

Pourtant, de l'autre côté du mur, le Dr Helenius est en train de réaliser un premier miracle. Il réussit à fixer deux plaques de titanium au-dessus de l'épine cervicale de Samu pour maintenir sa tête et ainsi prévenir d'autres dommages à sa colonne vertébrale et à sa moelle épinière.

Après cette chirurgie éprouvante, la vie de Samu reprend son cours normal. Par une belle journée du mois de mars, Samu fait même du traîneau dans les bras de sa mère, une activité qui aurait été impensable avant l'opération. Le développement de Samu est retardé, il a besoin d'aide pour effectuer certains mouvements, mais il est actif et son développement mental est tout à fait normal. Il commence même l'école au mois d'août. Toutefois, au début de l'hiver, les plaques de titanium, qui sont supposées rester fixées pendant plusieurs années semblent s'être déplacées. La tête de Samu pend à nouveau.

Le 18 décembre 2006, la famille Grundström se retrouve à l'hôpital pour une autre chirurgie. Une fois de plus, l'angoisse, la peur, les pleurs meublent les interminables neuf heures et demie que dure l'opération. Par chance, un deuxième miracle se produit et le médecin réussit à remplacer les plaques sans endommager le reste. Cette fois, Samu récupère si vite qu'il obtient son congé de l'hôpital juste avant Noël.

De retour à la maison, Samu est radieux de célébrer son deuxième Noël de l'année. Sous le sapin, une autre boîte, contenant un cadeau tout aussi extraordinaire que le bateau de pirates reçu quelques jours plus tôt, est apparue. Pour les parents, le plus beau cadeau, c'est évidemment de revoir leur fils vivant.

Samu a aujourd'hui huit ans. Sa mobilité a beau être

Samu n'hésite pas à jouer au hockey

Crédit photo : Petri Artturi Asikainen

réduite, il n'est pas du genre à se laisser abattre par les limitations que son corps lui impose. Au lieu du football, il joue au « floorball » et il raffole des cours d'éducation physique, sa matière préférée. Comme tous les garçons de son âge, il est un as de la manette et des jeux vidéo. Cela donne un répit aux parents, qui trouvent son autre passion légèrement plus bruyante. En effet, Samu est un vrai fan de hard-rock. Il est fini, le temps où il s'amusait à faire naviguer son bateau de pirates...

Tiré de «Christmas Miracle», par Lasse Talvitie.
© The Reader's Digest Association Inc.;
Valitut Palat (Finlande), décembre 2007.
Adapté par Mariève Desjardins, les Éditions La Semaine.

TOUS FEUX ÉTEINTS

Un texte de Guillaume Vigneault,
offert par l'auteur à Samu Grundström.

Cher Samu,

Je t'avertis tout de suite : je n'ai jamais été très doué pour parler aux enfants. Mes histoires sont presque toujours pour les grandes personnes. Mais attention, je sais faire pas mal de choses avec les enfants : par exemple, je suis très bon avec des Legos ou des voitures de course. Je sais faire des cabanes dans les arbres, des voiliers en bois, des feux de camp qui s'allument du premier coup (même dans la neige ; et je sais faire ricocher des cailloux sur l'eau. Mais pour leur raconter des histoires, aux enfants, je n'ai pas beaucoup d'expérience, et peut-être pas tellement de talent. Raconter aux grandes personnes, je trouve que c'est plus facile : elles sont moins intelligentes.

Je me demande ce que je peux te raconter, à toi. Car tu sais déjà des tas de choses que je ne sais pas, et tu as vécu en très peu d'années des épreuves que je n'aurai jamais à vivre. Puis je vais te dire un secret : je ne suis pas très courageux et j'ai très peur des médecins, des hôpitaux, des opérations et des piqûres. Imagine-toi que je me suis déjà évanoui à cause d'une toute petite piqûre ! Pas à quatre ans, pas à neuf ans : à dix-sept ans ! Tu peux te moquer de moi, vas-y...

Tout ça pour te dire que tu m'impressionnes beaucoup. Je sais tout le courage et la force qu'il t'a fallu pour devenir qui tu es aujourd'hui. Les médecins qui t'ont soigné, tes parents qui sont restés avec toi, tout ce monde a seulement fait la moitié du travail. C'est toi, toi tout seul, qui as fait l'autre moitié. Et je sais que ce travail-là, il continue chaque jour, pour toi et tes parents. Mais quand je te vois *sourire sur les photos, quand je te vois jouer au hockey, je suis convaincu que, chaque jour, tu es à la hauteur.*

Tu dois bien te demander pourquoi j'ai voulu t'écrire une histoire, moi qui ne sais tellement pas raconter aux enfants, non ? Eh bien, je vais te le dire, et je pense que tu es assez grand pour comprendre. J'ai voulu t'écrire quelque chose parce que cette année, je suis devenu un papa. Et quand on devient un papa ou une maman, il y a une chose très étrange qui nous arrive: du jour au lendemain, soudainement, on aimerait que tous les enfants soient heureux et en santé, même les enfants qu'on ne connaît pas, même les enfants qui habitent à l'autre bout du monde ! C'est pour ça que je n'allais sûrement pas laisser passer la chance de rencontrer quelqu'un comme toi, quelqu'un qui sourit et qui joue au hockey, même s'il a traversé plus d'épreuves que la plupart des grandes personnes vont vivre dans toute leur vie. Peut-être que si je te rencontre, si je te donne ma petite histoire, alors peut-être que tu me donneras un peu de ton courage. Peut-être que j'aurai moins peur des piqûres…

C'est une petite histoire que j'ai dans la tête depuis très long-temps. Il y a des bouts un peu compliqués mais, dans le fond, c'est une histoire simple, tu verras. Dedans, il y a un grand-père, une petite fille, un bateau et une surprise. Et il y a une drôle d'idée, aussi : que parfois, on voit mieux les choses avec les yeux fermés.

J'espère qu'elle te fera sourire.

Tout était calme sur le pont du voilier lorsque l'incident eut lieu. À mi-hauteur du mât de misaine, la vergue du petit hunier se brisa. Monsieur Dubreuil qui, par chance, s'affairait à des réparations sur celle-ci, put retenir sa chute, qui eût été désastreuse. La situation demeurait toutefois délicate : le poids des câbles qui reliaient la vergue au pont de la goélette rendait la position du vieux marin extrêmement précaire. Il fallait réparer l'avarie sur-le-champ. Au pied du mât et sur le pont du navire, officiers et matelots, immobiles et muets, semblaient observer les gestes méticuleux et précis du vieil homme, alors qu'il s'employait à éviter la catastrophe.

Lentement et avec d'infinies précautions, monsieur Dubreuil ramena la vergue à la hauteur de son point d'attache, où il la maintint à l'aide d'un outil. Il prit un instant pour souffler. « Patience et délicatesse », murmura-t-il pensivement. Tout en maintenant la vergue dans l'angle approprié, il se saisit d'un second instrument et vint rattacher la pièce au mât. Après deux minutes d'une immobilité forcée, il desserra progressivement l'étreinte de ses pincettes et constata avec soulagement que la colle tenait. Il poussa un long soupir et s'enfonça dans son fauteuil. Il caressa du bout des doigts la bouteille où reposait la goélette et se versa, au son, un demi-verre de porto. Monsieur Dubreuil sourit à l'idée de la folle entreprise dans laquelle il s'était lancée. « Construire des bateaux dans des bouteilles, à mon âge, passe encore, songea-t-il, mais dans ma condition... c'est de la folie ! » Il rit. Monsieur Dubreuil était aveugle.

* * * *

L'horloge au mur sonna minuit et monsieur Dubreuil décida de remettre au lendemain les travaux de finition qu'il avait entamés. Avec la fatigue, ses mains perdaient de leur assurance et il devenait périlleux de persévérer.

Il se leva à tâtons et se cala dans le vieux canapé élimé. Il se souvint du chef-mécanicien qui l'avait initié à son art, pendant une traversée de Marseille à Hong Kong. Le canal de Suez se trouvant impraticable, ils avaient dû doubler le cap de Bonne-Espérance, et ce, sans escale. C'est par hasard, un soir de forte mer alors qu'il se rendait à sa cabine, épuisé par un quart de travail infernal, qu'il surprit le chef-mécanicien affairé au-dessus d'un superbe trois-mâts, presque achevé. Fasciné par le jeu habile de ces mains bourrues et délicates à la fois, il était entré dans la cabine silencieuse. Surpris dans son travail, le gros homme l'avait d'abord sermonné vertement puis, remarquant le regard émerveillé du jeune marin, s'était radouci. Quelques heures plus tard, ils terminaient ensemble la finition du navire dans une complicité qui jamais auparavant n'avait existé dans la suie et la crasse de la salle des machines. Ronald

Hugon avait pris sa retraite quelques années plus tard mais le jeune Antoine Dubreuil, de pétroliers en brise-glaces, avait continué à construire les voiliers sur lesquels il aurait voulu naviguer. En trente ans de navigation, il avait assemblé plus de deux cents de ces bateaux. Des galions, des caravelles, des frégates, des clippers. Une flotte entière.

Puis, sa vue s'était mise à baisser, d'abord en périphérie. Elle était partie, doucement, presque poliment, sur de longues années, jusqu'à ce qu'il ne reste qu'une lueur diffuse au centre du regard, puis plus rien. Mais monsieur Dubreuil n'avait jamais cessé de rêver ses voiliers. Et, contre toute logique, faisant fi du bon sens le plus élémentaire, il s'était entêté à les construire.

Ainsi, ses mains, patiemment entraînées, avaient acquis une sorte de vision. Les plus fines aspérités du bois, le moindre angle imparfait, peu de choses leur échappaient. Le plus infime tressaillement au bout de ses pincettes lui signalait un hauban trop peu tendu, une figure de proue mal fixée. Bien sûr, la complexité de ses maquettes et la finesse du détail avaient souffert considérablement de son handicap, mais la goélette en chantier était un cas différent ; il y travaillait depuis bientôt un an. Chaque soir, à sept heures précises, monsieur Dubreuil entrait dans son atelier, une tasse de thé à la main, et allumait rituellement une ampoule brûlée depuis trois ans. Puis, il s'assoyait devant son établi. La goélette serait son dernier voilier, il le devinait. Il allait l'offrir à sa petite-fille. Ce serait la plus belle pièce de sa vie. Monsieur Dubreuil hocha la tête, termina son verre et éteignit la lumière. Il monta se coucher. Dans ses rêves, il voyait.

* * * *

Monsieur Dubreuil se levait toujours de bon matin. Comme l'anniversaire de sa petite-fille, Marion, approchait, il se mit au travail dans l'avant-midi. Il lui restait quelques matelots à

L'ARRIVÉE

Martyne Huot (à gauche), fondatrice du réseau Familles d'aujourd'hui, est en compagnie de l'interprète de Samu et de la représentante de l'ambassade de la Finlande. Il y a beaucoup de fébrilité dans l'air alors qu'elles guettent l'arrivée de Samu, d'Elisabeta et de Fanni, qui ont tous pris le même vol.

Elisabeta et sa mère, Elvira, sont accompagnées de David McGuire, le travailleur humanitaire qui a aidé la jeune fille à recouvrer la vue. Leurs visages rayonnants ne trahissent aucunement les quelque 20 heures de voyage qu'ils ont dans le corps.

Mary Justin arrive à l'hôtel Delta en compagnie de sa mère.

«Terve!» lance-t-on chaleureusement au petit Samu et à ses parents lorsque la famille Grundström arrive à Montréal. C'est ainsi qu'on dit bonjour en finlandais.

LE TOUR DE VILLE On part à la découverte de Montréal...

Dans l'autobus, sur le point de démarrer pour un tour de ville, Andrew prend quelques instants pour étudier la carte de Montréal.

Premier arrêt: le Vieux-Montréal et sa splendide basilique Notre-Dame. On raconte aux familles l'histoire de ce lieu sacré.

Chris Stewart allume un cierge en compagnie de sa petite sœur et d'Ashly Scott, qui est venue avec Donald.

En voilà un qui a rapidement saisi l'essence des Montréalais! Samu porte fièrement un chandail des Canadiens. Son choix s'est évidemment arrêté sur le numéro 11, le Finlandais Saku Koivu!

Deuxième arrêt: le mont Royal.
Miles et sa mère, Leigh, apprécient le
magnifique panorama que la montagne
offre sur l'est de la ville... et sur le Stade
olympique!

Depuis qu'elle est au Canada, Mary Justin craque pour
la nourriture nord-américaine. Elle découvre avec délice
la spécialité montréalaise par excellence: le fameux
smoked meat!

Milagros est arrivée à Montréal avec un peu de retard. Épuisée par le voyage, elle fait une petite sieste sur
l'épaule de l'infirmière qui l'accompagne. En arrière-plan, son père, Ricardo Cerrón.

LE GRAND JOUR

On prépare les enfants pour la séance de photos avec Céline Dion.

Pas besoin de grand-chose pour illuminer une beauté naturelle comme celle d'Anna! Une petite touche de poudre et voilà!

Après le maquillage, l'habillage. Anna est maintenant fin prête pour rencontrer sa chanteuse préférée...

Le coiffeur a décidé de boucler la belle chevelure de Mary Justin. Pendant qu'il s'exécute, l'adolescente rêvasse.

Au tour de Fanni d'être confiée aux mains expertes de la maquilleuse.

Nerveux à l'idée de rencontrer Céline? Fanni et Donald répondent en feignant de se ronger les ongles!

Une dernière retouche avant que Chris soit appelé dans la suite présidentielle, où se déroule la prise de photos.

Samu attend patiemment son tour pour rencontrer Céline Dion.

LA RENCONTRE AVEC CÉLINE DION

**Un moment magique capté
par la photographe
Heidi Hollinger**

Heidi Hollinger, ou la photographe photographiée...
étrennant sa nouvelle Canon Jas-34 Hb.

Un moment tendre entre Martunis et Céline Dion.
L'enfant pose avec le chandail qu'il portait
lorsqu'on l'a retrouvé sur la côte indonésienne,
19 jours après le tsunami.

Chris, Céline Dion et la maman de ce jeune
garçon intrépide et audacieux!

Pour la photo avec Milagros, Céline Dion a revêtu
une grande queue de sirène. Il fallait voir la petite
s'en amuser.

Céline Dion succombe au charme tranquille de Samu, qui reçoit son accolade avec plaisir.

Junior sort rayonnant de sa rencontre avec Céline.

Peu habituée aux flashs, Elisabeta se laisse peu à peu amadouer par la caméra de Heidi. Il faut dire que cette photographe talentueuse, qui est aussi maman, sait comment s'y prendre avec les enfants.

LA FÊTE DES BONBONS
Pendant que les enfants s'amusent ferme...

Souriez, on prend une photo de groupe! Dans l'ordre habituel: Elisabeta, Andrew, Chris, Martunis, Donald, Anna, Maria (interprète pour Samu), Mary Justin, Milagros et son infirmière. Devant, Junior et Samu.

Junior et Elisabeta se servent parmi l'avalanche de bonbons sur la table.

La fête des enfants a été très animée.

Le petit Samu tient fermement son bouquet de ballons.

Chris, Andrew, Elisabeta, Céline Dion, Milagros, Fanni et Mario, un peu cachés, posent pour la photo!

LE COCKTAIL Les adultes jacassent!

Madame
Sylvie Payette
et sa fille
Flavie Payette
Renouf

De gauche à droite, l'auteur Guillaume Vigneault, sa conjointe et
Isabelle Cyr, une artiste multidisciplinaire qui a aussi accepté de
prêter sa plume au projet.

Bryan Perro, créateur de la
populaire série *Amos Daragon*,
pris sur le vif.

L'auteure
Fabienne
Larouche et
Dominique
Drouin,
directrice
du secteur
livres aux
Éditions
La Semaine

LA RENCONTRE DES ENFANTS AVEC LES AUTEURS

Martunis et Fabienne Larouche

Bryan Perro et Donald

Anique Poitras et Junior

Anna et Stéphane Laporte

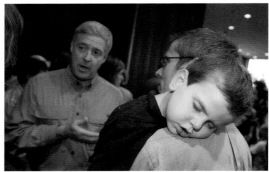

Charles Tisseyre, Adrian Coulson et Miles, qui se repose paisiblement sur l'épaule de son papa.

Isabelle Cyr et Mary Justin

Fanni et Jean Lemire, deux passionnés de l'eau!

David McGuire, Elisabeta, Elvira et Chrystine Brouillet

Samu et Guillaume Vigneault

UNE JOURNÉE BIEN CHARGÉE

Mary Justin fait un tour d'hélicoptère au-dessus du fleuve Saint-Laurent.

Anna au Biodôme découvre un animal tapi dans le buisson.

Milagros se sentait tout à fait dans son élément dans la forêt tropicale du Biodôme. Encore une fois, son infirmière est à ses côtés.

En grand fan de foot (soccer européen), Martunis a eu le plaisir de visiter le tout nouveau stade Saputo. Il a pu assister à l'entraînement des joueurs de l'Impact.

Fanni et sa sœur reviennent d'une délirante escapade en montagnes russes.

En cette chaude journée de juillet, Samu et ses parents prennent un peu d'air dans la Grande roue.

Boire deux boissons à la fois? Il n'y a rien de trop beau pour Chris l'intrépide!

Andrew, ses deux sœurs et son père posent à l'entrée de La Ronde. Ils se sont visiblement bien amusés.

LE SOUPER D'ADIEU Ce n'est qu'un au revoir...

Nos 12 héros, leurs parents, les interprètes, les organisateurs de la rencontre et les parrains.
Tout ce beau monde est malheureusement sur le point de se dire au revoir.

Fanni est bien entourée. D'un côté, sa sœur, et de l'autre, la jeune interprète qui l'a accompagnée durant
son séjour à Montréal.

On a demandé
à Junior s'il
accepterait de
tenir un petit rôle
dans le spectacle
présenté en soirée.
Il a accepté avec
joie. Mais avant, il
faut se costumer.

Et le voilà qui
apparait à travers
un nuage de
fumée!

Donald et Chris sont captivés par le spectacle. Fait à noter,
ces deux-là ne se sont pas quittés de la semaine. De toute
évidence, une belle amitié est née.

Deux jolis visages superposés: ceux de
Miles et de Leigh.

LE DÉPART
Puisque toute bonne chose a une fin!

Avant son départ, la famille Williamson visionne le diaporama des meilleurs moments de la semaine, préparé par l'organisatrice Martyne Huot et laissé en souvenir à tous les participants.

Au tour de Mary Justin de faire ses adieux. Elle repart à Toronto en compagnie de deux nouveaux amis. Elle y restera encore quelques semaines avant de regagner les Philippines, où elle retrouvera le reste de sa famille.

Junior quitte l'hôtel au terme de cette magnifique semaine remplie d'émotions.

ajouter sur la goélette et il passa quelques heures à les façonner. Vers deux heures, il se rendit à L'Épave, le bistro de quartier où il avait ses habitudes.

« Monsieur Dubreuil... On vous a pas vu, hier... On s'inquiétait un peu ! lui lança Philippe, le fils du propriétaire.

— Ben, moi non plus je vous ai pas vus hier, et puis pas plus le jour d'avant, hein... Ça fait quinze ans que je t'ai pas vu, petit gars, mais est-ce que je m'inquiète, moi ? »

Philippe eut un sourire.

Monsieur Dubreuil alla s'asseoir à sa table. Après le son de la vapeur, celui d'une tasse déposée sur une soucoupe. Puis les pas du garçon.

« Vous savez, monsieur Dubreuil, j'ai grandi depuis le temps... lui dit-il en posant le café devant l'aveugle.

— J'espère bien, petit ! »

Il prit une gorgée prudente du liquide fumant. Comme le garçon s'apprêtait à rejoindre son comptoir, monsieur Dubreuil le retint.

« Philippe ! Attends. J'aurais besoin de tes conseils. Assieds-toi un peu... »

Le jeune homme obéit, perplexe. Monsieur Dubreuil fouilla la poche de son pardessus et en sortit une demi-douzaine de minuscules figurines grises qu'il posa délicatement sur la table. Philippe se pencha, intrigué. Après les avoir observées quelques secondes, il se tourna vers le vieil homme, incrédule.

« C'est vous qui avez fait ça ?...

— Évidemment que c'est moi ! Mais dis-moi donc, on reconnaît que c'est des matelots ou pas ? Ils ont pas l'air trop bizarres au moins ?

— Ah ! mais pas du tout ! On dirait des vrais, j'vous jure ! »

Il fit une pause et observa les matelots un moment, un par un.

« Par contre, y a celui-là... Il a une tête un peu grosse, celui qui a l'air de laver un plancher... »

Il tendit la figurine au vieil homme, qui la tâta un moment du bout des doigts, l'air concentré. Il hocha la tête.

« Il lave pas, il *brique*. Il brique le pont, corrigea enfin monsieur Dubreuil. La tête un peu grosse, c'est vrai... Mais sinon, ils sont bien, tu crois ?

— Je suis sûr. Mais... vous travaillez sur... un nouveau bateau ?

— Ah... mystère ! » répondit-il, un sourire narquois aux lèvres.

Il but une nouvelle gorgée du café noir et rempocha une par une les figurines, prenant soin de ranger le matelot imparfait dans sa poche de chemise.

« T'as encore celui que je t'avais fait ?

— C'est sûr... Au-dessus du bar, toujours... Personne n'y touche.

— Une brigantine, si je me souviens...

— Bleue. Ouais...

— Bleue. Hmm, je voyais encore quelque chose... »

Il se leva.

« Je te remercie, mon petit. Je te le ferai voir en premier, c'est promis. »

Il posa sa main sur l'épaule de Philippe un moment, puis se dirigea vers la sortie.

« Tu mets le café sur mon ardoise...

— Allez, je vous l'offre ! » fit Philippe, sortant de ses rêveries.

Monsieur Dubreuil lui adressa un sourire et sortit, faisant tinter la clochette de la porte.

* * * *

Il faisait chauffer la cire rouge, avec laquelle il scellerait la bouteille. L'anniversaire de Marion était le lendemain et monsieur Dubreuil était satisfait. La goélette était terminée. Il l'imaginait mieux qu'il n'eût pu la voir de ses yeux. Il en connaissait chaque hublot, chaque écoutille, chaque poulie, chaque hauban, et il savait qu'elle était réussie. Peut-être même était-ce la plus belle maquette qu'il eût jamais achevée. Le façonnage de la coque avait été repris à zéro une dizaine de fois. L'accastillage à lui seul avait demandé deux mois de travail ; pour une poulie réussie, il en avait raté vingt. Le choix de la bouteille aussi lui avait demandé des jours de tâtonnements, surtout après qu'il ait renversé la tablette où il les classait de façon si méticuleuse. La mâture, le vernis, le gréement et la voilure, tout avait été fait au toucher. Mis à part les minuscules membres de son équipage, personne n'avait jamais posé l'ombre d'un regard sur ce bateau. Sa patience l'étonnait lui-même. Il cacheta de cire le bouchon puis se servit l'habituel verre de porto, un Cabral de dix ans, en forçant un brin la dose en guise de célébration. La bouteille enfin scellée, le travail était pratiquement achevé.

Cette nuit-là, il fit un rêve. Il naviguait sur la goélette, tous feux éteints, sur une mer d'encre. Pas une étoile ne perçait le ciel noir, et il eut l'étrange impression que jamais l'aube ne se lèverait.

* * * *

Monsieur Dubreuil s'éveilla doucement à l'aube, qui avait finalement décidé de se lever. Il se sentait empli d'une gaieté peu commune. Il fredonna un vieil air de marine en faisant sa toilette et se prépara un petit-déjeuner des plus copieux. Il ne restait qu'à installer la bouteille sur son socle de noyer, qui était déjà fabriqué, puis à y apposer le nom de la goélette, que monsieur Dubreuil avait fait graver sur une fine plaque d'étain. *La Vaillante* était son nom. Le vieil homme savourait déjà l'instant où la petite Marion poserait les yeux sur le bateau. Il se sentait une fébrilité d'adolescent.

Vers les dix heures, il descendit dans son atelier, et c'est avec un certain décorum qu'il accomplit les derniers travaux. Il ressentit un léger serrement à la gorge tandis qu'il fixait au socle le nom de la goélette. C'était sa dernière. Deux petites vis dorées. Un coup de chiffon doux sur la bouteille, pour effacer les dernières traces de doigts.

Et soudain, ce fut terminé. Un an de patience et d'entêtement trônait dans cette bouteille. Elle devait avoir fière allure, pensa monsieur Dubreuil, avec ses sabords rouges, ses matelots et ses grandes voiles. Ah ! qu'elle devait être belle ! Il la prit doucement dans ses mains, comme il eut tenu un bébé, et remonta à la cuisine. Là, il l'enveloppa dans une couverture et mit le paquet ainsi formé dans un grand sac de toile. Il enfila ensuite son pardessus et sortit, emportant avec lui son trésor.

Il entra dans le bistro et se rendit à sa table. Au bout d'un moment, une serveuse vint prendre sa commande.

« Philippe est là ? s'enquit monsieur Dubreuil.

— Ah... non. Mardi, mercredi, il est en congé. Vous prenez un café quand même ? »

Il hésita un moment, puis acquiesça. Il aurait bien aimé montrer le bateau à Philippe. Mais bon. Marion serait la première à voir *son* bateau, c'était très bien ainsi.

Il but son café plus vite que de coutume. Il sourit en constatant sa propre impatience.

« Il est quelle heure, s'il vous plaît ? demanda-t-il à la serveuse.

— Midi et quart. »

Le temps de se rendre chez sa fille, la famille aurait fini de dîner. Monsieur Dubreuil détestait arriver chez les gens à l'heure du repas. La fête d'enfants ne serait pas commencée, il aurait donc un peu de temps avec la petite, avant que ne débarque la meute d'amis.

Le vieil homme se leva, paya son café et sortit. Il se dirigea vers la station de taxis, à deux coins de rue du bistro. Il aurait pris le métro et l'autobus comme d'habitude, mais aujourd'hui, sa précieuse cargaison justifiait un transport plus confortable.

* * * *

« Bonjour, papa ! »

Sophie fit la bise à son père et le débarrassa de son pardessus. Il insista par contre pour conserver le sac de toile avec lui.

« Qu'est-ce que c'est ?

— C'est pour Marion », fit le vieil homme, réprimant un sourire.

Monsieur Dubreuil s'assoit à la table de cuisine tandis que Sophie lui servait un thé. Puis, elle ouvrit la porte du jardin et appela Marion, qui débarqua dans la cuisine au pas de course et atterrit brusquement sur les genoux de son grand-père.

« Hé, doucement ! Il faut m'avertir ! s'exclama le vieil homme en rigolant.

— Pff ! Franchement, Papi, tu m'as entendue arriver... se défendit-elle en l'étreignant de ses petits bras.

— C'est mon cadeau, ça ? demanda-t-elle dans la seconde qui suivit.

— Ah, parce que c'est ton anniversaire ? Ben tiens, j'avais complètement oublié... Ou peut-être que c'est Noël ?

— C'est pas Noël ! C'est ma fête !

— Ben si c'est ta fête, d'accord... Mais attends, je vais te le déballer, OK ? »

La petite acquiesça, impatiente. Sophie regarda soudain son père d'un air effaré.

« Papa... T'as quand même pas construit... »

Elle ravala sa phrase.

« Un bateau ! » s'exclama Marion.

Son grand-père sourit et fit glisser la fermeture éclair du sac. Il en tira le cadeau emmailloté qui s'y trouvait et le déposa lentement sur la table.

« Tu le déballes doucement... »

Avec des gestes prudents, Marion ouvrit les pans de la couverture.

Monsieur Dubreuil guetta sa réaction, savourant l'instant. Pourtant, Marion ne fit pas un son. Sophie, en revanche, poussa un drôle de petit cri, une exclamation de stupeur. Puis, un étrange silence suivit.

« Alors... ? risqua monsieur Dubreuil. Il... Il te plaît... ?

— Papa... murmura Sophie, il est... La bouteille... la bouteille est noire, papa... On ne... on voit rien dedans... »

Monsieur Dubreuil comprit la monumentale gaffe en un éclair. Il en comprit également l'origine, se souvint instantanément du jour, de l'heure exacte où il l'avait commise, cette gaffe. *Une bouteille de porto.* Pas du Cabral, dont le verre de la bouteille était dépoli, satiné, et donc reconnaissable au toucher. Une autre bouteille. Un Feist millésimé, offert par Sophie à Noël, deux ans plus tôt. Une bouteille lisse, à peu près opaque. Des dimensions parfaites pour une goélette.

Monsieur Dubreuil se rendit compte qu'il avait le vertige. Plus précisément, le mal de mer. Pour la première fois de sa vie.

Puis, Marion risqua une question.

« Il y a un bateau dedans, Papi ? »

Monsieur Dubreuil posa une main à plat sur la table, comme s'il cherchait son équilibre. Il prit une profonde respiration. Puis il décida qu'il chasserait ce mal de mer.

« Oui. Il y a un bateau. »

Un silence passa. Marion réfléchissait intensément, et elle ne remarqua pas sa mère qui essuyait une larme du revers de la main.

« Il est... comment ?

— C'est une goélette. Elle a deux mâts, un grand et un petit. Elle a deux focs, aussi. Tu te souviens de ce que c'est, un foc ?

— Une voile avec pas de mât, en avant ? Elle en a deux ?

— Deux focs, tout blancs, comme les grandes voiles. Et la coque, tu sais de quelle couleur elle est ? »

Marion réfléchit un moment.

« Ferme les yeux, ma chouette. Imagine. Regarde la coque... » murmura son grand-père.

Les paupières closes, la petite sourit.

« Rouge ! » dit-elle en riant.

La coque était rouge.

« Et pis, y a des matelots dessus ! » ajouta-t-elle, les yeux toujours bien fermés.

Le vieil homme sourit. Le mal de mer avait disparu.

« Tu vois celui qui est à genoux, qui brique le pont ? J'ai travaillé fort sur celui-là... »

Marion hocha la tête, la bouche entrouverte.

* * * *

Monsieur Dubreuil raconta ainsi sa goélette, durant plus d'une heure, à sa petite fille. Il raconta la mer houleuse qui battait les flancs de *La Vaillante*, il décrivit chaque matelot qui s'affairait sur le pont, sa tâche et sa posture. Chaque poulie, chaque cordage. Et Marion, moussaillon captivé, garda les yeux fermés tout le temps du récit.

Lorsque ses amis arrivèrent pour la fête, elle leur montra avec fierté le bateau dans sa bouteille noire. Ses amis n'y comprirent rien, bien évidemment. Mais Marion ne s'en offusqua pas le moindrement, bien au contraire. *La Vaillante* était la plus belle, la plus racée et la plus élégante goélette du monde entier. Et savoir cela, en avoir l'entière et intime conviction, c'était le plus délicieux des secrets.

La bouteille noire trône toujours sur la table de chevet de Marion. Et Marion passe encore de longs moments à en admirer chaque détail. Les matelots, les voiles blanches et la coque. Rouge.

La rencontre
avec Céline Dion

Céline Dion a été totalement intimidée par l'aisance de Samu, mais surtout par la profondeur et l'intensité du regard de l'enfant lorsqu'elle a dû se mettre nez à nez avec lui pour la pose. Cet enfant est grand a-t-elle pensé en le voyant. Grand par son charisme et par la force tranquille qu'il dégage. Céline Dion s'est exclamée : « J'étais intimidée par ses yeux qui communiquent tant de choses et par le charme qu'ils dégagent. Franchement, James Bond peut bien aller se rhabiller ! »

avec Guillaume Vigneault

La rencontre entre Samu et son auteur a été particulière. Elle a d'abord exigé beaucoup de temps. Rien ne laissait présager une telle chose puisque, lorsque j'ai appelé monsieur Vigneault pour lui demander de participer au projet, il s'est empressé d'accepter, heureux de pouvoir faire quelque chose pour les enfants. Il m'a d'ailleurs parlé de sa petite Marion toute nouvellement née et qui est devenue l'héroïne du texte qu'il t'a dédié, cher Samu.

Après un départ en flèche, les choses sont ensuite devenues plus compliquées. Je crois que monsieur Vigneault n'avait pas mesuré l'ampleur de l'engagement qu'il avait pris, ni à quel point il est difficile d'écrire pour un jeune enfant qu'on ne connaît pas. Je n'ai plus eu signe de vie de ton auteur, Samu. Le silence total...

Toutefois, monsieur Vigneault s'était mis au travail. Pas comme les gens de la ville, qui sont si pressés et font tout très vite. Plutôt avec la sagesse des pêcheurs. Un peu à l'image du grand-père aveugle de l'histoire qu'il t'a dédiée. Lentement. En pesant chaque mot, en équilibrant chaque phrase. En jetant le texte à la poubelle parfois. En traversant tantôt une phase de doute, de découragement ou d'angoisse. Puis en reprenant courage, pour réécrire l'histoire et la raconter de nouveau. Lorsque j'ai reçu la splendide nouvelle que monsieur Vigneault t'a écrite, Samu, je me suis sentie emportée par le vent du large, celui qui ouvre les horizons et qui fait vibrer l'âme. Tous ceux qui ont lu le texte ont eu cette même impression de souffle, porté par un talent immense et bouleversant. Et c'est pour toi, Samu, que ce magnifique cadeau a pu exister, par toi que cette rencontre aura été rendue accessible.

Dominique Drouin

LA PRINCESSE DES EAUX

L'histoire de Fanni Illés

Fanni Illés, 14 ans, prend quelques secondes pour ajuster ses lunettes de piscine avant de s'élancer dans le corridor de natation du centre Heviz, dans l'Ouest de la Hongrie. On ne voit plus que sa tête sautiller de haut en bas ainsi que ses bras et ses épaules musclés fendre la surface de l'eau dans une brasse papillon à la technique irréprochable. Gracieuse, la nageuse avance à une vitesse folle. Dans le corridor à côté d'elle, un jeune homme à la carrure imposante plonge et tente de la rattraper. Pendant quelques instants, il concentre toutes ses énergies à rétrécir l'écart qui le sépare de la nageuse, mais lorsqu'il la voit tourner à l'autre bout de la piscine, il abandonne. Il reconnaît que ses tentatives sont vaines.

Après une vingtaine de minutes, et au moins autant de longueurs de piscines, la « turbo nageuse » reprend son souffle. Le visage du jeune homme présente un mélange d'admiration et de surprise lorsqu'il la voit sortir de l'eau. Celle dont la rapidité l'avait impressionné quelques minutes plus tôt n'a pas de jambes, mais des moignons de longueurs inégales. Un regard plus attentif lui permet également de remarquer que ses doigts sont soudés les uns aux autres. « Comment arrive-t-elle à maintenir ce rythme alors qu'il lui manque ses jambes, pourtant si cruciales pour de la brasse papillon ? » s'interroge le spectateur, médusé.

Crédit photo : Horvath Péter

De l'autre côté de la piscine, Fanni rejoint son père, qui tient dans ses mains un grand registre où il note les résultats de sa fille. « Qu'est-ce que je fais, maintenant ? » demande-t-elle à son « entraîneur ». Après avoir écouté attentivement ses indications, elle prend une gorgée de thé et repart de plus belle. Elle redevient la « princesse des eaux », véritable fierté du centre de natation où elle s'entraîne, et où les murs du vestibule sont recouverts d'articles de journaux relatant ses exploits.

Quatorze ans plus tôt, Erzsébet Illés se présente au département de maternité après ses premières contractions, comme toutes les autres femmes sur le point d'accoucher. Durant sa grossesse, elle a eu plusieurs échographies qui ne révélaient absolument rien d'anormal. Tout ce que les médecins lui avaient dit, de s'attendre à une césarienne, car le corps du bébé se présentait par le siège.

Après l'accouchement, Erzsébet est donc choquée qu'on ne lui montre pas immédiatement son bébé, transporté par les infirmières dans une annexe spéciale. Au lieu de cela, un médecin au regard fuyant se penche sur elle et lui annonce qu'il y a un grave problème. Il lui recommande de quitter l'hôpital sans même voir son enfant.

Dans un désir de fuir la réalité, les parents obéissent au médecin, mais les tourments les poursuivent. Rongée par les doutes et la culpabilité, la nouvelle maman se réveille chaque matin aux aurores, le corps couvert de sueurs et secoué par des tremblements. Au bout d'une semaine, elle ne tient plus en place et décide de ramener sa petite fille à la maison, coûte que coûte. Quelques jours plus tard, elle rentre à Rezi, un petit village de l'Ouest de la Hongrie, emmenant cette fois Fanni dans son berceau. Les jambes et les mains de Fanni sont déformés, mais cela n'empêchera pas le cœur de cette mère de craquer pour cette petite au visage si charmant.

Contre toute attente, Erzsébet n'est pas affectée le moins du monde par le handicap de sa fille. Même les publicités télévisées montrant des bébés parfaits gigoter des jambes et faire leurs premiers pas ne la rendent nullement envieuse. Lorsqu'elle promène sa petite Fanni en poussette, elle s'assure de bien mettre en évidence le bas du corps de l'enfant, afin que les villageois s'habituent à sa déformation. Ce que les Illés désirent par-dessus tout, c'est élever Fanni comme une personne complète, et non pas comme une handicapée.

Fanni est un bébé craquant malgré son handicap

Crédit photo : Horvath Péter

Le pari est réussi, car la petite fille apprend vite à s'asseoir, à se mettre debout, puis à se déplacer sur les moignons de ses cuisses. Un peu plus tard, elle reçoit des prothèses et des béquilles, grâce auxquelles elle peut se rendre à la garderie, puis à l'école. Dans la cour de récréation, elle joue avec les autres enfants. Elle est même nommée capitaine de son équipe de ballon, non pas par pitié, mais en raison de son agilité et de son talent inné pour le sport. Malgré cette vie normale en apparence, et tous les efforts des parents pour élever leur fille sans se limiter à son handicap, Fanni commence à se poser des questions et à s'attrister de ne pas être comme les autres. À l'âge de 10 ans, elle demande à son père, Tihamér, de lui expliquer pourquoi elle est née ainsi.

Lorsqu'elle atteint l'âge de 12 ans, le médecin de Fanni lui recommande de se mettre à la natation pour améliorer sa posture. Tihamér organise rapidement des leçons de natation pour sa fille et quelques jours plus tard, elle se dirige vers la piscine pour y faire le grand saut. Contrairement à ses habitudes, Fanni arrive à la piscine enroulée dans une serviette. Elle est gênée de dévoiler son handicap dans ce nouvel environnement, devant des compagnons dont les membres sont intacts. Malgré cette timidité qu'elle porte comme un boulet, elle aime se retrouver dans l'eau chaude de la piscine. Après son premier cours, elle complète une longueur à la brasse et deux semaines plus tard, elle peut nager le crawl. Dans l'eau, elle est légère, forte et souple. Elle réalise vite qu'elle s'y sent complètement dans son élément. Au bout de quelques semaines de progrès fulgurants, l'instructeur de natation enseigne à ses élèves la brasse papillon. Même si Fanni pratique mieux que ses compagnons tous les autres styles de nage, il la décourage d'essayer cette nouvelle technique. Il est persuadé que son handicap rendra la chose impossible.

Quoi qu'il en soit, Fanni continue ses progrès. Son père, ébloui devant l'agilité et la rapidité de sa fille, se renseigne sur les meilleurs temps des compétiteurs paralympiques. Or, il

Fanni et Istvan Malnai, son entraîneur

Crédit photo : Horvath Péter

découvre que Fanni est de calibre pour participer à ces compétitions. Pour cela, il a toutefois besoin de l'aide d'un expert. Il s'adresse donc à Istvan Malnai, un entraîneur réputé que tous surnomment « oncle Pista ». L'homme a développé des techniques pour aider les enfants handicapés à nager. Le sexagénaire aux yeux bleu ciel inspire tout de suite confiance à Fanni. Lorsqu'il serre la main de la jeune fille, il remarque la difformité de ses doigts, mais il a vu tellement d'enfants dans sa situation qu'il est surtout étonné que Fanni se présente à lui les jambes recouvertes d'une serviette. Il comprend alors que la jeune fille lutte contre ses démons intérieurs : les inhibitions. L'entraîneur l'invite à lui montrer les styles de natation qu'elle pratique. Après une démonstration époustouflante, oncle Pista lui demande : « Et la brasse papillon ? » Fanni répond en baissant les yeux.

Le credo d'oncle Pista ? « Avec de la volonté, tout est possible ! » À partir de leur première leçon, il guide donc Fanni dans une série de mouvements qui l'amènent peu à peu à développer un style qui commence à ressembler à la brasse papillon.

Moins d'un an après sa première leçon avec oncle Pista, en octobre 2005, Fanni figure déjà parmi les meilleures de sa catégorie au Championnat de Budapest. En novembre, elle remporte sa première médaille d'or au 100 mètres brasse. Accompagnée de son père, elle s'entraîne dans le plaisir, travaillant à améliorer sa technique et sa vitesse. Et les résultats sont prodigieux.

En décembre, elle participe à sa première compétition internationale au Caire, en Égypte. Elle y rafle tous les prix de sa catégorie. Encore plus important que toutes ces médailles, Fanni casse la glace : elle surmonte sa gêne et réussit à se faire de nouveaux amis. Depuis son voyage de 10 jours en Égypte, elle ne couvre plus ses jambes. Son humeur a changé radicalement. D'une jeune fille renfermée, gênée par sa condition physique, elle est devenue confiante, épanouie, même un peu bouffonne avec son groupe d'amis. Depuis juillet 2005, elle est membre de l'équipe paralympique hongroise. En plus de tous ces exploits sportifs, Fanni est aussi une excellente étudiante. Elle rêve de devenir avocate. Et pourquoi pas ? Après tout, avec de la volonté, tout est possible !

Tiré de « The Princess of the Waters », par Julianna Sandor.
© The Reader's Digest Association Inc. ;
Reader's Digest (Hongrie), novembre 2006.
Adapté par Mariève Desjardins, les Éditions La Semaine.

RUSTY ET LE DÉFI DE LA VIE

Un texte de Jean Lemire,
offert par l'auteur à Fanni Illés.

Lettre à une petite sirène

Ma très chère Fanni Illés,

Nous ne nous connaissons pas, et pourtant… J'ignore s'il faut croire au destin, mais mes nombreux voyages sur les mers du monde m'ont permis de voir la beauté et la force de la nature sous différents regards. Ton histoire est celle d'un rêve accompli, une histoire de courage et de détermination. Dans la nature, j'ai souvent vu le sort des différentes formes de vie se jouer en une décision, en un instant. Les animaux qui décident de se battre pour leur survie deviennent plus forts et, selon les lois de la sélection naturelle, ils gagnent souvent leur pari. Dans cette nature fragile, les plus forts survivent, à grands coups de courage et de détermination. Les plus faibles, ceux qui abandonnent devant le défi à relever, sont souvent mis de côté. Sur notre Terre des Hommes, les lois qui déterminent la survivance sont bien différentes. Mais il faut avoir surmonté un obstacle important dans sa vie pour savoir comment les lois de la nature s'appliquent aussi aux humains. Car il ne suffit pas de survivre à la vie : il faut aussi tout mettre en œuvre, avec nos forces, nos faiblesses et nos différences, pour réellement apprécier cette vie.

J'ai parcouru la planète, du nord au sud. J'ai affronté les mers les plus redoutables pour nourrir mes envies de découvertes. J'ai rêvé toute ma vie, et souvent, à force de courage et de détermination, je suis parvenu à toucher à mes rêves. Destin ou pas, ta petite histoire rejoint la mienne. Pas tellement parce que j'ai fait preuve d'un grand courage comme le tien. Pas non plus parce que j'ai su surmonter avec détermination un handicap qui me rendait différent. Non, plutôt parce que les hasards de la vie ont mis un jour sur ma route un petit phoque, dont le destin tient aussi à son courage et à sa détermination. Mais était-ce vraiment un hasard ? Ce petit phoque est né différent, presque condamné, mais il était déterminé à devenir un phoque comme les autres, malgré ses différences, malgré les obstacles que la vie lui avait imposés.

Je suis un marin et un biologiste qui aime l'aventure et les grands espaces. En mission pour la planète, je vis principalement sur l'eau, parcourant le monde à bord d'un grand voilier. J'aime l'eau, mais je suis un très mauvais nageur ! Ne le dis à personne, mais j'ai plutôt peur de l'eau et de la mer. Quand des vagues immenses viennent faire tanguer mon frêle voilier, il m'arrive de me questionner sur ma vie. Pourquoi affronter tout cela quand je pourrais simplement vivre confortablement à la maison ? Pourquoi prendre de tels risques ? Si une vague avait le malheur de m'entraîner par-dessus bord, je serais probablement incapable de rejoindre le voilier, tellement je suis un mauvais nageur. Toi, c'est plutôt dans l'eau que tu exprimes tout ton talent. Tu sembles heureuse quand ton petit corps te propulse à toute vitesse, laissant loin derrière ceux et celles qui tentent en vain de te suivre. Un jour, au gré d'un autre hasard de la vie, peut-être, tu m'apprendras. En cachette, bien sûr, car je ne voudrais surtout pas que le public sache que l'explorateur des mers est un piètre nageur.

Mes nombreux voyages me permettent d'observer la vie. Grâce à mes rencontres avec les animaux, j'apprends beaucoup sur la vie. L'expérience m'a démontré que les hasards de la vie sont parfois troublants. Laisse-moi te raconter une histoire. Une histoire vraie. Le récit d'une aventure qui s'est déroulée durant l'hiver austral, au bout du monde, dans une petite baie englacée de la péninsule antarctique. Jamais je n'aurais pensé qu'un jour je raconterais cette histoire. Jamais je n'aurais cru que l'histoire d'un bébé phoque, différent de ses congénères, allait trouver une certaine référence dans ta vie, toi, la petite sirène de Hongrie. Et pourtant… Destin ou pas, il n'y a peut-être pas de coïncidences gratuites…

Je t'écris de Montréal, au Canada. En ce moment, tu es probablement en entraînement, quelque part dans une piscine de ta Hongrie natale. Ce qui nous lie aujourd'hui, c'est ce petit phoque en Antarctique. Tu ne sais rien de lui. Tu ne sais rien de moi non plus. Et pourtant… Le défi, bien souvent, se révèle sous différents aspects *et par différentes formes de vie. Mais chaque fois, dans chaque petite histoire, il est question de courage et de détermination, deux éléments essentiels pour ceux et celles qui ont choisi la vie…*

À travers la petite histoire de Rusty-le-Rouge, le bébé phoque, j'ai l'impression qu'aujourd'hui, curieusement, nous nous connaissons tous un peu plus. Que cette planète est petite…

Merci pour ce heureux hasard de la vie…

Jean

Rusty et le défi de la vie

Il s'appelle Rusty. C'est le nom que nous lui avons donné quand il est venu au monde, un matin de septembre, sur la petite banquise d'une baie englacée de la péninsule antarctique. Rusty est un bébé phoque de Weddell. Nous l'avons appelé ainsi en raison de sa coloration atypique. Normalement, les jeunes phoques de Weddell présentent une robe aux teintes de gris ou de blanc, avec des reflets ambrés. Rusty, lui, est plutôt jaune et rouge, comme si son pelage était corrodé, comme si le poil de notre bébé phoque était déjà rouillé par l'eau de mer. C'est pourquoi nous l'avons baptisé ainsi, Rusty-le-Rouge. La mise bas a sans doute été difficile, si l'on se fie aux traces de sang laissées sur sa robe de fourrure.

Septembre, c'est encore l'hiver, dans cette région isolée de l'hémisphère Sud. Un hiver tellement plus doux qu'auparavant ! Un hiver qui tarde désormais à se manifester, depuis que les changements climatiques ont complètement transformé le climat autour de la péninsule antarctique. Cette région de la Terre s'est réchauffée cinq fois plus rapidement que le reste de la planète au cours des 50 dernières années. Pour les animaux qui vivent ici et qui dépendent de la glace pour leur survie, la menace est réelle. Pour les phoques, qui doivent donner naissance à leurs petits sur la banquise, l'hiver, il n'y a pas de place à l'erreur. Un accouchement trop rapide risque de compromettre les chances de survie du bébé phoque, qui pourrait s'enfoncer dans les fissures d'une banquise encore trop fragile. Mais trop attendre serait encore pire, car la banquise se disloque très rapidement au printemps. Ici, les phoques dépendent directement de la glace pour leur survie, et la diminution du couvert de glace en hiver représente une véritable menace.

Je suis venu ici, avec mon équipe, pour approfondir la recherche concernant ces changements climatiques. Notre voilier, le SEDNA IV, est englacé au fond de la petite baie. La banquise est plutôt mince, cette année, et elle a mis beaucoup de temps à s'installer. Normalement, la glace d'hiver se forme dès l'automne, soit vers les mois d'avril ou mai. Mais cette année, la petite baie ne s'est couverte de son grand manteau blanc qu'au mois d'août. Nous avons attendu longtemps pour que la glace ne s'installe. Nous ne sommes pas les seuls. Les phoques aussi ont attendu la glace.

Cet hiver, nous sommes 13 humains perdus parmi les animaux. Peu d'hommes et de femmes osent affronter l'hiver en Antarctique. Ici, pas de sauvetage possible, ni de rapatriement. Nous vivons à l'intérieur de notre voilier d'acier de 51 mètres – 165 pieds – et, malgré sa taille appréciable, l'espace est plutôt restreint pour notre groupe. Si les choses tournent mal, si une urgence menace la vie d'un de nos membres d'équipage, il faudra trouver une solution au sein même de notre équipe et faire face aux différents obstacles du quotidien entre nous. Nous sommes trop éloignés de la civilisation pour qu'un hélicoptère puisse venir jusqu'ici. Il n'y a pas non plus de piste d'atterrissage pour les avions, et tous les brise-glace ont déjà quitté le secteur depuis que l'hiver a forcé la migration de presque toutes les formes de vie vers le nord. La majorité des espèces de manchots sont parties, les humains aussi. Il ne reste que les phoques, quelques baleines retardataires, et certaines espèces d'oiseaux marins qui osent affronter les rigueurs de l'hiver antarctique. Nous, petits humains si loin de la maison, sommes donc plutôt seuls au monde.

Chaque jour, depuis que la glace s'est installée, nous quittons le voilier pour aller rejoindre les phoques. En skis ou en raquettes à neige, nous nous dirigeons vers une région de la baie que nous avons baptisée la « pouponnière ». Une bonne quinzaine de mamans phoques se sont regroupées dans ce secteur. Nos voisins d'hiver n'éprouvent aucune crainte envers nous. D'instinct, ils savent que nous ne constituons pas un danger. La majorité de ces phoques n'ont probablement jamais vu d'humains, surtout pas en hiver, et les phoques n'ont que peu de prédateurs ici, mis à part le redoutable phoque léopard, le plus puissant et le plus dangereux de tous les phoques, et quelques familles d'épaulards.

Les phoques de Weddell ont besoin de la glace pour survivre. Les femelles attendent l'installation de la banquise pour donner naissance à leurs bébés et, lorsqu'elles jugent que la glace est assez sécuritaire pour supporter leur poids, elles s'installent directement sur cette mer gelée pour mettre bas. Une maman phoque peut retarder l'accouchement si elle juge que la glace n'est pas assez solide, et que l'environnement essentiel à la croissance de son jeune n'est pas assez sûr. C'est ce qu'a décidé la maman de Rusty. Elle a attendu longtemps, avant de mettre bas sur une banquise devenue fragile en raison des changements climatiques.

Septembre tire à sa fin. La majorité des autres mamans phoques ont déjà donné naissance à leurs bébés, et notre arrivée à la pouponnière soulève toujours les têtes curieuses. Certains jeunes y vont de complaintes lancinantes, que l'écho de la baie répète sur de grandes distances. Le décor est magique. L'ambiance aussi. Toutes ces nouvelles vies fragiles, qui rampent maladroitement sur la blanche banquise, ravivent nos espoirs de voir les animaux s'adapter aux changements rapides du climat qui menacent leur survie. Les femelles gardent toujours un œil sur leurs rejetons. Depuis que les phoques occupent ce secteur de la baie, nous apprécions le spectacle. Ici, tout semble placé, immortel, et notre présence parmi les phoques ne dérange en rien la vie qui bat sur la petite banquise. Dans ce bout du monde que nous connaissons si bien, nous avons le sentiment de faire partie intégrante de ce paysage immuable. La vie nouvelle a transformé l'environnement hostile en un grand jardin glacé où la vie s'exprime dans toute sa force et sa fragilité. Quand nous rejoignons la petite pouponnière, nous ressentons souvent un réel sentiment d'éternité.

Parmi la quinzaine de bébés phoques, il y aussi Wally, le plus gros, le mieux adapté du groupe. Nous avons baptisé chaque nouveau-né en fonction de certains traits morphologiques le caractérisant et le différenciant du lot. Puisqu'ils sont différents les uns des autres, nous pouvons suivre leur développement et comparer leurs rythmes de croissance. Wally a été le premier de la bande à voir le jour. Curieusement, à la naissance, il avait de drôles de nageoires qui rappelaient un peu les pattes d'un alligator. Nous avons donc décidé de l'appeler Wally, en l'honneur de Wally Gator, ce héros de dessin animé. Wally tète vigoureusement. Si sa mère dort sur le ventre et qu'il ne peut accéder aux tétines, il hurle avec force, tape de la nageoire et gesticule suffisamment pour provoquer le repositionnement adéquat de sa mère. C'est le plus gros du groupe, et de loin. Son développement est rapide. Il pesait un peu moins de 30 kilos à la naissance. À la fin de sa période de sevrage, il fera osciller la balance à plus de 100 kilos, et tout cela en à peine six semaines d'allaitement. Sa mère, qui l'accompagne durant la majeure partie de cette période, n'ira pas se nourrir en mer pendant tout ce temps, et elle perdra près de 150 kilos.

D'autres bébés phoques tètent aussi. Il y a Tony, le phoque aux grands yeux noirs et cernés qui lui donnent des allures de phoque à lunettes. Nous l'avons baptisé ainsi en l'honneur d'un livreur de pizzas de Montréal qui possède le même type de regard. Il y a aussi Pattes-de-cigogne, un bébé phoque avec de grandes nageoires filiformes qui rappellent celles du grand oiseau. Et c'est sans parler de Domenico, né un dimanche, de Froot-Loops, avec ses anneaux de couleurs dans le poil, et de Gandhi, baptisé ainsi en raison de son air pacifique.

Ici, à la petite pouponnière, tout le monde tète. Tous, sauf Rusty. Il a vu le jour ce matin et il est différent des autres. Beaucoup plus petit, son corps semble se perdre dans une fourrure trop grande pour lui. Ses nageoires avant aussi sont différentes, beaucoup plus petites, presque atrophiées. Le jeune est peut-être venu au monde avant terme. Il est aussi né tardivement dans la saison. Une chose est certaine: Rusty n'est pas un phoque comme les autres. Il est différent et le sera sans doute toujours. Mais il s'accroche à la vie. D'autres auraient déjà abandonné. Pas lui. Pas Rusty. Il clame haut et fort son droit de vivre à tous les habitants de la baie. Difficile de rester insensible devant cette petite boule de poils qui vous regarde, les yeux mouillés, se mordillant les patoches et s'époumonant à tout vent pour crier sa détresse. L'écho reprend sans fin ses complaintes dans la baie, mais la mère demeure indifférente aux appels répétés de Rusty.

Il tremble. Beaucoup. La fourrure des bébés phoques est dense et les protège normalement contre le froid. Le lait maternel, très riche en gras, procure l'énergie nécessaire au corps pour combattre aisément le froid. Mais Rusty n'a pas encore eu droit à sa première tétée. Sa mère l'a abandonné. Dans la nature, quand les femelles mettent au monde un petit animal moins bien adapté, elles savent que ses chances de survie sont minimes. Il n'est déjà pas facile d'affronter la vie avec tous les attributs de l'espèce, alors imaginez un peu le défi pour un bébé phoque qui est né différent des autres. Le réflexe de la mère est dicté par les lois de la nature. Elle abandonne le jeune, conservant ses énergies pour sa propre survie. Elle aura une autre chance l'an prochain.

Nous sommes tristes, nous, les hommes et femmes de science. On nous apprend pourtant de ne pas analyser avec nos émotions une situation créée par la nature. En théorie, un scientifique ne doit pas intervenir en pareil cas. Sur le plan de l'éthique professionnelle, son statut d'observateur ne lui permet pas de tenter un sauvetage. Le biologiste se mettrait alors à jouer au Créateur et irait à l'encontre des lois de la nature. Si Rusty doit vivre, il devra combattre seul. Son sort dépend de sa capacité à survivre, même si ses chances semblent plutôt minces. Dans la nature, seuls les plus forts ont droit au privilège de la vie.

Nous installons un petit campement de fortune à proximité du jeune, entre deux morceaux d'icebergs prisonniers de la banquise, et faisons le guet pendant des heures et des heures. Les tremblements du bébé phoque n'annoncent rien de bon. La mère, toujours au repos à une cinquantaine de mètres de là, ne réagit pas aux hurlements de notre Caruso des glaces. Sans grande conviction, nous allons saluer Rusty, puis nous rentrons au voilier avant la nuit.

Le lendemain matin, en arrivant à la pouponnière, nous nous précipitons vers Rusty. Il n'a pas bougé. Sa mère a disparu. Il tremble toujours et nous ne lui donnons plus beaucoup de temps à vivre. Le jeune peut bien montrer tout le courage dont il est capable, il peut tenter de s'accrocher à la vie, mais sans sa nourriture essentielle, sans le lait maternel, il ne pourra pas survivre. Nous prenons sa température à l'aide d'un thermomètre à rayon infrarouge, pour éviter de toucher l'animal. Notre odeur risquerait de diminuer encore plus les chances de retour de la mère. Nous réintégrons notre abri de fortune et attendons. Longtemps. Très longtemps.

Soudain, une tête de phoque sort d'un des trous dans la glace. La femelle est de retour à la pouponnière. Elle hisse ses 350 kilos sur la glace et s'avance vers Rusty. Nous sommes aux premières loges pour vivre les retrouvailles entre la maman et son bébé phoque. Malheureusement, le rendez-vous est manqué. La femelle sent longuement son rejeton, puis elle repart un peu plus loin. Rusty, sans doute surpris de revoir sa mère, semble avoir retrouvé une certaine énergie. Il se met à crier, puis, lentement, difficilement, il rampe pendant des dizaines de mètres vers elle. Celle-ci, indifférente, ne bronche pas. Elle se retourne, lui jette un dernier regard, puis repart vers le fond de la baie. Le bébé phoque demeure sur place, impuissant et épuisé. Il n'a pas encore eu droit à sa première tétée, il tremble toujours, et le froid diminue de plus en plus ses chances de survie. Nous regagnons le voilier, tristes, mais conscients et reconnaissants d'avoir pu assister à un chapitre important de cette lutte pour la survie. L'humain ne contrôle rien dans la nature. Il ne peut qu'observer les forces en présence et espérer. Ce que nous faisons toute la nuit.

Le lendemain matin, nous déjeunons rapidement, impatients d'aller retrouver Rusty. Nous gardons peu d'espoir, puisque le mercure a chuté de façon importante pendant la nuit. Nous savons tous que c'est le jour J. L'aventure de Rusty va se conclure aujourd'hui, si ce n'est déjà fait. Une histoire, deux fins possibles. La première, celle dictée par la sélection naturelle, celle d'un petit bébé phoque qui est né différent des autres et qui affronte aujourd'hui la mort. Une mort naturelle, à la suite de l'abandon tout aussi naturel de sa mère qui, d'instinct, savait que les chances de survie de son bébé étaient bien minces. La deuxième conclusion possible, celle qui relève presque du miracle, voudrait que Rusty survive, qu'il réussisse à apprivoiser sa mère, qu'il puisse avoir droit à sa première tétée, qu'on lui accorde une petite chance de survie. Mais pour y arriver, il devra se montrer bien persévérant, et même lutter contre les lois naturelles. Toute cette aventure va enfin trouver son dénouement sur la glace fragile de notre petite pouponnière.

Nos skis glissent plus rapidement qu'à l'habitude. Nous pressons le pas pour arriver à destination. L'espoir de voir la vie triompher sur la mort l'emporte sur tous les autres scénarios.

Nous arrivons à la pouponnière. Aucune trace de Rusty. Wally, le gros, nous salue au passage par l'un de ses cris caractéristiques. Ce qu'il a grossi ! Il est devenu énorme et il continue d'accumuler les kilos. Il domine tous les autres, tant par sa taille que par son poids. Pas étonnant : il semble être branché en permanence sur les mamelles de sa pauvre mère, qui lui donne tout ce qu'elle a. Elle fond presque autant que la banquise en déclin. À mesure qu'elle rapetisse, Wally grossit. Domenico aussi a pris du poids, tout comme Tony, le jeune phoque à lunettes. Dans l'ensemble, les jeunes phoques vont plutôt bien, malgré la fragilité évidente de la banquise.

Un décompte rapide confirme nos appréhensions : certains manquent à l'appel. À ce stade de leur développement, les bébés phoques sont encore trop jeunes pour oser une incursion en mer. Ils devraient donc tous être là. Mais la glace devient de plus en plus fragile et le mouvement incessant des courants de marée a fragilisé une partie de la pouponnière. Les fissures dans la banquise sont maintenant nombreuses et présentent un réel danger. Deux jeunes sont introuvables, dont Rusty. Nous organisons les recherches. Une première équipe de terre va scruter le fond de la baie. Nous appelons également notre équipe de plongeurs sous-marins en renfort. Ils se chargeront de l'inspection sous la glace.

Ils sont les premiers au rapport : sous le grand couvert de glace, un jeune phoque repose en paix, complètement gelé. Sa mère fait le guet près de lui. Le jeune phoque n'a pas eu de chance. Les changements climatiques et la dislocation prématurée de certaines sections de la banquise auront eu raison de lui. Il a probablement glissé dans une fissure de la banquise et s'est retrouvé dans l'eau. Une eau froide, et souvent mortelle pour un jeune phoque qui n'a pas encore la force de remonter sur la banquise. Trop jeune et désarmé devant la vigueur des courants, il a sans doute été entraîné sous la glace. Incapable de respirer, il s'est noyé.

Nos plongeurs remontent la carcasse en surface, sous le regard impuissant de sa mère. Un examen rapide confirme ce que nous pensions : ses nageoires avant n'ont rien d'anormal. Ce n'est pas Rusty !

L'équipe de recherche du fond de la baie communique avec nous. Elle a retrouvé Rusty, mais il est encore loin de sa mère. Il tremble toujours et n'en a vraisemblablement plus pour longtemps. Nous nous dirigeons rapidement vers le lieu d'un autre drame en devenir.

Rusty et sa mère se sont déplacés considérablement durant la nuit. Ils ont sans doute voulu éviter la nouvelle section fragile de la pouponnière où la glace s'est disloquée. L'instinct animal étonne par son habileté à réagir rapidement aux changements dans l'environnement. C'est une bonne nouvelle. Rusty continue de s'accrocher à la vie. Il a parcouru une bonne distance sur la glace et sa mère ne semble pas l'avoir complètement laissé tomber. Nous nous dissimulons derrière un iceberg et observons la scène de loin. Les heures passent. Toujours rien. Le vent se lève et le froid transperce nos habits. Pauvre Rusty ! Il se protège comme il peut des rafales, mais il semble souffrir. Enfin, un mouvement. Puis un autre. Dans un ultime effort, Rusty se dirige, encore une fois, vers sa mère. Il l'approche ; elle le sent puis se retourne, comme pour l'éviter. En rampant de toutes ses forces, Rusty n'abandonne pas. Il la contourne et se dirige vers la tête de sa maman. Elle le sent encore une autre fois, puis une autre, puis une autre encore. Elle s'étend sur le côté, offrant enfin ses mamelles à Rusty. Le jeune se précipite d'instinct et commence à téter.

C'est la joie parmi nous. Rusty vient de remporter la première manche de son combat pour sa survie. Nous avons eu le privilège d'assister à cette incroyable aventure naturelle qui se termine bien. Certes, il reste encore beaucoup à accomplir pour Rusty. Mais sa détermination et son instinct de survie lui ont permis de relever ce premier défi avec succès.

Nous rentrons au bateau, heureux pour le petit Rusty, mais inquiets pour l'avenir de cette population. Il y aura d'autres tragédies, d'autres victimes, dans cette communauté dont la survie dépend de la glace. La rapidité des changements climatiques en cours affecte désormais différentes formes de vie. Dans cet ultime combat, certains s'adapteront, d'autres pas...

Les semaines passent et Rusty est devenu un vrai boute-en-train au sein de la pouponnière. Sa détermination et ses cris incessants ont fait de lui un véritable phénomène parmi les autres bébés phoques. Il demeure différent. Malgré une rapide croissance au cours des dernières semaines, il est toujours plus petit que les autres phoques, et la forme particulière de ses nageoires permet de le différencier de ses congénères. Rusty est né différent et il le sera pour toujours. Il a souffert davantage, mais aujourd'hui, à sa façon, il se distingue par son énergie débordante et sa vitalité. Il faut le voir nager! Il a un talent certain. Sa petitesse lui donne un avantage sur les plus gros, comme Wally, que la paresse a cloué sur la banquise pendant les derniers jours de son apprentissage. Rusty, toujours plein d'énergie, effectue des allers-retours entre la banquise en déclin et la mer. Il s'entraîne, sachant d'instinct qu'il va devoir quitter son monde de glace pour retrouver la mer. Un peu comme s'il ne voulait pas manquer la prochaine étape importante de sa vie.

La vie triomphe finalement sur cette petite banquise qui n'en a plus pour très longtemps. L'heure du départ vers le large a sonné. Les chauds rayons d'un soleil qui ne connaît plus la nuit en cette veille d'été austral vont bientôt achever le travail, réduisant les restes d'une banquise à de simples petits glaçons éphémères. Pour tous les jeunes phoques, il est temps d'affronter l'autre vie, celle de la mer, qui représente l'autre réel défi pour leur survie.

L'arrivée de l'été marque également l'appel du grand large pour nous, marins et biologistes. Après 430 jours d'isolement, de recherches et d'observations, c'est le moment de rentrer à la maison. Pour nous aussi, un autre grand voyage s'amorce : le retour à la ville constitue un véritable défi. Pour nous, comme pour les phoques, c'est la dernière nuit avant le grand départ. Une dernière nuit pour apprécier la douceur des lieux et faire le plein de souvenirs. Nous en aurons besoin, pour ne jamais oublier la force silencieuse de la beauté du monde, et pour que demeure à tout jamais, dans les mémoires du temps, les simples leçons d'une vie qui mérite tout notre respect.

Pour cette dernière nuit en Antarctique, les phoques de Weddell chantent fort et bien. Leurs chants résonnent à travers la coque de notre voilier. Les mélodies étonnent par leurs agencements extraordinaires. On dirait presque des sirènes. Difficile de trouver le silence dans la nuit et, malgré la poésie fascinante de nos sirènes des mers, je ne dors plus.

J'ai le sommeil troublé par ces chants incessants, mais je m'inquiète aussi pour Rusty, Wally et tous les autres, qui doivent rejoindre la mer plus tôt que prévu. La chaleur nouvelle a provoqué la dislocation prématurée de leur banquise. Ici, au printemps, il fait chaud, *trop* chaud, ce qui précipite le sevrage des jeunes phoques. Les meilleurs nageurs s'en tireront probablement. Ils sauront comment échapper aux attaques sournoises des prédateurs qui rôdent déjà dans le secteur. Les épaulards patrouillent en effet le territoire. Les phoques léopards aussi.

Wally, longtemps considéré comme notre premier de classe, sera peut-être le plus vulnérable du groupe. Il a tellement profité de la vie qu'il a accumulé des kilos de graisse en surplus, et il est plutôt paresseux. Il a eu une vie assez facile sur la glace, préférant se dorer au soleil au lieu d'utiliser les derniers jours de banquise pour s'entraîner. Souvent, dans la vie, ce sont ceux et celles qui ont connu des difficultés qui s'en tirent le mieux au final. Parce qu'ils ont su affronter des obstacles de la vie et surmonter des défis, ils ont pu développer une force de caractère qui leur permet de mieux batailler devant les obstacles qui se dressent sur leur chemin.

En ce jour de départ, curieusement, je ressens plus de craintes pour Wally, le privilégié. Je devrais m'inquiéter davantage pour le sort de Rusty, ce rescapé de la banquise qui ne l'a vraiment pas eu facile. Mais Rusty s'est battu, il n'a jamais abandonné. Malgré ses différences, même si la nature a décidé de faire de lui une exception, il s'est accroché à la vie ; il a redoublé d'effort et s'est élevé au-dessus des autres. Qui l'aurait cru !

Nous, les biologistes, regardons souvent la vie avec un œil différent, celui de la science. Nous essayons de ne pas verser dans l'anthropomorphisme, pour conserver une approche objective dans nos observations. Les sentiments n'ont souvent pas leur place quand nous analysons une situation sur le terrain, mais j'ai été franchement touché par la petite histoire de Rusty. Une histoire de courage, de discipline et de survie. J'aime quand ceux et celles que l'on classe dès le départ comme des perdants deviennent les petits héros de leur vie. J'aime quand la différence triomphe sur la normalité. Pas tellement parce que j'en ai contre ceux et celles qui réussissent avec facilité, mais surtout parce que je sais que les grands de ce monde sont souvent des gens qui ont dû affronter des épreuves considérables et gravir des montagnes plus hautes que de raison pour réussir. Le courage et la détermination nourrissent l'envie de mordre dans la vie.

Voilà donc pourquoi la petite histoire de Rusty-le-Rouge, un jeune phoque de Weddell perdu sur une fragile banquise de la péninsule antarctique, me rappelle celle d'une petite sirène hongroise. Cette histoire, aujourd'hui, c'est aussi ton histoire, chère Fanni Illés. Encore une fois, la vie me montre que les petites et les grandes victoires sur ce que nous sommes nous permettent de mieux définir ce que nous voulons devenir. Les véritables battants savent, par expérience, que les défis peuvent être surmontés, que les épreuves procurent une force nouvelle et que les différences, bien souvent, peuvent se transformer en un formidable tremplin pour s'accomplir et se révéler. Ces gens de courage, comme toi, deviennent alors de véritables inspirations pour les autres.

Pour ton courage et ta détermination, pour ce souffle d'espoir qui gonfle les voiles de ton petit voilier personnel, et surtout pour cette grande leçon de vie qui saura inspirer des milliers d'humains face à leurs propres défis et à leurs différences, je te remercie, Fanni Illés, petite sirène devant l'Éternel, de nous guider sur les flots de la vie que l'on croit, souvent à tort, infranchissables. Il fallait bien une petite sirène pour susciter l'admiration sans borne d'un marin. Pour ce que tu es, pour cette grande leçon de courage et pour l'espoir, toujours, qui nous permet d'aller toucher à nos rêves les plus fous, simplement merci...

Jean

La rencontre
avec Céline Dion

Frérot, papa, maman, Fanni en compagnie de Céline Dion

Dernière à se prêter au jeu de la séance photo, Fanni attendait patiemment son tour dans le vestibule. Son regard impassible, qui traduit toute sa détermination d'athlète, s'est soudainement illuminé lorsqu'elle a vu apparaître Céline Dion. La chanteuse s'est empressée de féliciter chaleureusement Fanni pour tous les exploits qu'elle avait accomplis dans la vie jusqu'à maintenant. Collée au dos de Fanni pour prendre la pose, Céline était étonnée par son corps solide et musclé, « celui d'une vraie gagnante ». Céline Dion a joyeusement déliré avec une paire de lunettes de piscine qui servait d'accessoire à la session photo, provoquant l'hilarité générale. Elle a d'ailleurs laissé à Fanni les lunettes, en souvenir de leur rencontre, qu'elle a pris soin d'autographier : « Fanni, je suis avec toi. P.-S. : Gold, baby ! »

avec Jean Lemire

« J'ai depuis longtemps la profonde conviction que les animaux se battent avec la même détermination que les humains. La loi de la sélection naturelle a beau avantager les plus forts, cela ne veut pas dire que les autres n'ont pas la chance de s'adapter à leur milieu et de vaincre. Lorsqu'on m'a approché pour participer à ce projet, j'avais envie de raconter l'histoire d'un bébé phoque qui lutte pour sa survie. J'avais choisi de dédier mon histoire à Fanni, tout simplement parce qu'on semblait partager la même passion pour l'eau. C'est un destin incroyable que d'être tombé sur une histoire aussi proche de ce qu'elle a dû vivre. Fanni est pour moi un exemple éloquent de ce à quoi on peut parvenir lorsqu'on a des buts, des rêves, lorsqu'on s'accroche à la vie et qu'on fonce avec détermination, en dépit d'un bagage qu'on ne choisit pas.

Fanni est une fille hyper déterminée qui semble vraiment avoir surmonté son handicap. Sous des dehors timides, je sentais l'esprit un peu rebelle d'une personne qui ne s'en laisse pas imposer. Je lui ai raconté que j'avais passé 430 jours dans une mission en Antarctique, perdu dans la glace pendant plus d'une année. Elle croyait d'abord avoir mal compris tellement ça lui semblait irréel. Juste le fait de se retrouver sous les feux de la rampe, devant un inconnu qui lui avait écrit une histoire, c'était effectivement un peu surréaliste. Mais la conversation a vite bifurqué vers ses exploits à elle.

Avant de rencontrer Fanni, j'étais impatient de savoir si elle avait réussi à se classer pour les Jeux paralympiques de Beijing. J'ai donc été enchanté d'apprendre qu'elle participera aux Jeux en septembre prochain. Elle m'a parlé un peu de son entraînement, qu'elle aborde avec une rigueur et une discipline qui m'impressionnent beaucoup. Elle semblait très heureuse d'être à Montréal pour vivre cette rencontre, mais comme tous les athlètes de haut niveau, elle restait concentrée sur ce grand objectif qu'elle s'est fixé. Cet événement représente pour elle un accomplissement ultime. Je lui souhaite tout le meilleur. »

Propos de Jean Lemire,
recueillis par Mariève Desjardins

Chapitre 9

UN TROU AU CŒUR

L'histoire de Mary Justin Galanza

Par la fenêtre, Mary Justin guette les allées et venues de ses trois sœurs, Jovilyn, Jessica-Margarett et Maria. Au retour de l'école, celles-ci s'empressent d'enfiler leurs vêtements de sport pour aller jouer au volley-ball. Avec son visage angélique, encadré par une chevelure de jais, et son regard morose, Mary Justin a l'air d'une princesse triste qui se languit en attendant le prince charmant. Elle passe tous ses temps libres à la maison à regarder la télé, à écouter de la musique et à feuilleter ses livres. Ce n'est pas l'envie qui manque d'aller rejoindre ses sœurs, ni une pénitence infligée par sa mère. Le cœur de Mary Justin est fragile. Elle est ainsi condamnée à mener une existence tranquille.

1993. Nous sommes aux Philippines, à San Pedro de Laguna, une municipalité de 231 400 âmes dans une banlieue industrielle à 60 kilomètres de Manille, la capitale. Fe C. Galanza essaie tant bien que mal d'allaiter Mary Justin, trois mois. Le poupon pleure sans cesse, laissant la mère désemparée, surtout qu'elle a sur les bras un autre bébé aux couches. Au lieu du teint rosé des nouveau-nés, Mary Justin affiche une carnation terne en plus de grelotter, malgré le chaud climat philippin qui descend rarement sous la barre des 25 °C. Mary Justin toussote continuellement et son cœur bat très vite dans sa petite poitrine. Inquiète, Fe consulte un médecin local. Des examens plus approfondis permettent de diagnostiquer que Mary Justin a un trou dans le cœur. Le médecin ne s'encombre pas de détails, mais il annonce que Mary Justin devra être opérée avant l'âge de neuf ans.

Aux Philippines, les infrastructures médicales sont souvent insuffisantes. Si la majorité de la population peut accéder aux soins de base, elle n'a pas les moyens de s'offrir des soins de santé spécialisés. Avec leur maigre salaire de professeurs au primaire, Fe et son mari ne peuvent imaginer amasser un jour l'argent nécessaire pour payer l'opération qui sauverait la vie de leur fille.

Accablée par ce triste constat, Fe songe à un incident survenu quelques mois auparavant. Après la naissance de son premier enfant, Jovilyn, Fe a été prise d'une forte fièvre, et son médecin lui a tout de suite administré un médicament puissant. Ce que la jeune mère ne savait pas, c'est qu'elle portait dans son ventre son deuxième enfant. Le médecin n'aurait certainement pas donné cet antibiotique à une femme enceinte. Pour la jeune maman, impossible de savoir si ce médicament est à blâmer, mais elle ne peut s'empêcher de ressentir une profonde culpabilité. Fe ne connaît pas tous les détails médicaux entourant la maladie de sa fille. De toute façon, cela ne l'aurait guère rassurée.

Un cœur normal a deux côtés, le ventricule droit et le ventricule gauche, séparés par une paroi musculaire appelée « septum ». Le ventricule droit reçoit le sang non oxygéné qui est pompé vers les poumons. Le sang ainsi oxygéné, revient dans le ventricule gauche pour ensuite être redirigé dans tout l'organisme. Lorsqu'un bébé naît avec une perforation du septum, le sang circule entre les deux ventricules plutôt que de se diriger normalement vers le reste du corps. En se contractant, le ventricule gauche laisse fuir le sang oxygéné dans le ventricule droit par le trou. Résultat: trop de sang est pompé dans les poumons, qui travaillent plus fort que la normale. Cette malformation cardiaque, appelée « communi-cation intraventriculaire » (CIV), mais mieux connue sous le nom de « trou dans le cœur », peut se résorber naturellement. Toutefois, lorsque la béance est trop grande, comme c'est le cas pour Mary Justin, elle s'accompagne d'une kyrielle de symp-tômes et de complications allant d'une augmentation de la taille du cœur à la défaillance cardiaque, en passant par l'hypertension pulmonaire et les difficultés respiratoires. Les médicaments traitent les symptômes, mais ne s'attaquent pas à la racine du problème.

Même si elle sait peu de choses du dossier médical de sa fille, Fe se rend bien compte que Mary Justin a du mal à mener une existence normale. Comme toutes les filles de son âge, elle va à l'école, apprend à lire et à compter. Mais après avoir parcouru les 20 minutes de marche entre l'école et la maison, elle revient épuisée et à bout de souffle.

Les années passent et Mary Justin atteint vite l'âge de neuf ans, moment butoir pour une opération selon l'avis du médecin local. Or, la famille Galanza n'a pas miraculeusement gagné à la loterie et la chirurgie se révèle toujours aussi indis-ponible qu'elle l'était neuf ans plus tôt. Fe assiste au passage des années, impuissante et rongée par l'inquiétude. Elle accom-pagne régulièrement Mary Justin à l'hôpital local ou à celui de la capitale. Même si ce dernier n'est situé qu'à une soixantaine de kilomètres de San Pedro, il faut souvent plus de deux heures pour s'y rendre, à cause d'un trafic infernal. La situation de Mary Justin a empiré depuis que l'adolescente a ses règles : chaque mois, elle ressent de vives douleurs au cœur. Ces derniers temps, elle s'évanouit de plus en plus souvent. Sans un miracle sur le point de survenir à l'autre bout du monde, sa vie serait sérieusement menacée...

Fe a une sœur, Jean, qui s'est installée à Toronto avec son mari il y a près de 10 ans. Un jour, en épluchant les journaux locaux, elle tombe sur un article à propos d'une organisation charitable qui attire son attention. Le Herbie Fund apporte un soutien financier à des enfants du monde entier pour qu'ils puissent subir une intervention chirurgicale dans un hôpital de Toronto, The Hospital for Sick Children, à condition que cette chirurgie ne puisse être effectuée dans leur pays d'origine. Créée il y a 27 ans, la fondation est déjà venue en aide à 600 enfants de plus de 80 pays différents. L'organisme reçoit chaque année plus de 1 000 demandes. Malgré toute la bonne volonté du monde et les efforts concertés d'une solide équipe de bénévoles, le Herbie Fund ne peut aider que 30 enfants annuellement. Pour Fe et Mary Justin, il s'agit là d'une chance inestimable. Elles demeurent toutefois réalistes : obtenir l'aide de la fondation équivaudrait à gagner à une loterie. Elles présentent tout de même leur demande et après des mois d'un suspense intenable, elles reçoivent le verdict : Mary Justin sera opérée à Toronto !

Mary Justin et sa mère arrivent dans la Ville reine le 21 février 2008. Le 6 mars, elles se rendent à leur premier rendez-vous avec le docteur Glen Van Arsdell, chef du département de chirurgie cardiovasculaire de l'hôpital Sick Children. L'anglais bancal de Fe jumelé à sa grande nervosité font qu'elle a du mal à déchiffrer les mots du médecin, qui résonnent dans sa tête en un charabia de termes médicaux. Dans la confusion, elle comprend toutefois que sa fille, atteinte d'une infection au cœur, devra attendre encore quelques semaines avant d'être opérée.

Le 3 avril, à 13 h 30, Mary Justin est conduite dans la salle d'opération. Comme pour toutes les chirurgies à cœur ouvert, celle-ci comporte sa part de risques. Mais Fe n'a pas d'autres choix que de mettre le cœur fragile de sa fille entre les mains expertes du chirurgien. Les sept heures que Fe passe dans la salle d'attente sont les plus longues heures de sa vie. Pour se donner de la force, elle égrène anxieusement son chapelet.

Pendant ce temps, sur la table d'opération, le docteur Van Arsdell referme le trou entre les deux ventricules à l'aide d'une pièce de dacron, une fibre qui sert aussi à fabriquer des voiles de bateau. Avec le temps, ce morceau deviendra une partie intégrante du cœur de Mary Justin. Il procède également à d'autres interventions pour améliorer la circulation du cœur de la fillette.

Mary Justin se réveille de l'opération avec l'impression de vivre un conte de fées. Après quelques semaines de convalescence, elle est déjà aux pieds des chutes Niagara. Là, émerveillée par le panorama, savourant la bruine qui se dépose sur son visage, elle se sent vraiment vivante pour la première fois de sa vie. Ce nouvel appétit de vivre est doublé d'un nouvel appétit tout court, car Mary Justin se découvre une passion pour la nourriture nord-américaine. Spaghettis, hamburgers, pizzas et crème glacée arrondissent les contours de son corps, autrefois si frêle.

Aujourd'hui, à 15 ans, Mary Justin a tout d'une adolescente normale. Elle craque pour le groupe rock Jonas Brothers, et rougit lorsqu'on la taquine au sujet des garçons. Elle a hâte de retrouver ses sœurs aux Philippines pour participer à leurs joutes de volley-ball et rêve d'ouvrir un restaurant où les mets canadiens seront à l'honneur !

Texte original écrit par Mariève Desjardins, les Éditions La Semaine.

LE TROU DANS MON CŒUR

Un texte d'Isabelle Cyr,
offert par l'auteure à Mary Justin.

« Comptez jusqu'à dix à reculons », dit le médecin avec un accent anglais impeccable, à une jeune fille qui le comprend à peine. Maria est allongée sur une table d'opération et regarde les infirmières s'activer autour d'elle. Elle regarde dans les yeux ce médecin qui attend, scalpel en main, qu'elle s'endorme. Elle sait que dans quelques secondes, il va lui ouvrir la poitrine et opérer son cœur.

* * * *

Mille et une fois, depuis l'âge de trois mois on a montré des photos et expliqué à Maria sa condition. Mais, depuis une semaine, à la veille de ses 15 ans, on lui parle dans un langage encore plus spécifique du trou dans son cœur et de l'opération majeure qu'elle s'apprête à subir. On lui parle des risques d'une opération à cœur ouvert, de pontages, de cœur-poumon artificiel, de son aorte qui s'engorge de sang, de son cœur qui est anormalement gros et du risque que du sang afflue dans ses poumons. Puis, on lui explique les avantages de cette chirurgie nécessaire. Courir, danser, sauter, plus rien ne sera à son épreuve si l'intervention réussit. Elle pourra vivre une vie parfaitement normale si tout se passe bien. « Si », ce mot ne lui a jamais paru aussi grave. Teresa, sa mère, qui l'a accompagnée dans ce long périple de Manille jusqu'à Toronto, tressaille chaque fois qu'on le prononce. Elle essaye de se montrer plus brave et plus encourageante que les spécialistes, mais elle se réfugie souvent aux toilettes pour en ressortir les yeux rougis de larmes. Maria le voit bien et trouve une façon de la réconforter en lui demandant de lui décrire ce Canada qu'elles découvrent ensemble pour la première fois.

Teresa, qui s'est toujours sentie responsable de la maladie de sa fille, se met à décrire un pays qu'elle n'a vu, en fait, qu'en photos. Depuis leur arrivée, elle n'a visité qu'un seul endroit, l'église de quartier où elle se rend tous les jours pour prier et demander pardon. Alors elle décrit la tour du CN et les chutes Niagara en répétant par cœur les textes des prospectus qu'elle a trouvés à l'entrée de la petite auberge où elle séjourne. Maria l'a deviné, mais ne dit rien. Elle préfère voir sa mère chercher des mots plutôt que de la voir pleurer.

* * * *

« Dix, neuf... J'ai un trou dans mon cœur, se dit-elle. J'ai toujours eu un trou dans mon cœur... et là, on va me le remplir ?... me le coudre ? le jeter ? » Elle se met à penser à son jean, qu'elle a tellement porté qu'un jour un garçon de sa classe s'est moqué d'elle devant les autres en montrant du doigt le trou dans son fond de culotte. « Maria, la fille trouée », avait-il dit en riant. Elle avait répondu du tac au tac : « Au moins, j'ai pas un trou dans la tête comme toi ! » Malgré son aplomb, le soir dans sa chambre, elle avait pleuré. Elle avait jeté son pantalon préféré à la poubelle et n'avait jamais plus porté de jeans.

Elle se rappelle aussi un jour d'été au bord de mer, alors qu'elle n'avait que cinq ans. Elle avait creusé avec ses mains un gros trou dans le sable. Avec sa petite chaudière, elle prenait plaisir à le remplir avec l'eau de mer. Cela l'amusait beaucoup, car le trou ne semblait jamais vouloir s'emplir. « C'est comme le trou dans ton cœur, avait dit Claudia, sa petite sœur de quatre ans. Peu importe les médicaments que tu prends, il ne se remplit jamais. » Maria trouva la comparaison juste. Mais elle ne comprit pas pourquoi sa mère disputa la petite, qui s'était mise à pleurer, faisant même pipi dans son maillot. Ni que sa mère ait déshabillé Claudia et l'ait laissé courir nue sur la plage. Ni que son père se soit fâché.

Et pourquoi donc sa grand-mère critiqua-t-elle la fausse pudeur de son père ? Pourquoi sa grande sœur Gabriela, qui s'était coupé le talon sur un coquillage en essayant d'attraper la petite, hurla-t-elle comme une mouette ? Pourquoi aussi Claudia s'était-elle étouffée en riant ? Maria ne comprit pas non plus pourquoi bébé Anna, dans son couffin, pleura quand le chien d'à côté lui lécha le visage. Pourquoi sa mère disputa la voisine qui n'avait pas surveillé son cabot. Et pourquoi, en deux temps trois mouvements, toute la famille plia bagage, rentra à la maison par la plus chaude journée d'été et s'entassa à la cuisine près du ventilateur de l'oncle Pablo...

* * * *

« Huit, sept... J'ai soif, pense Maria, essayant de combattre le sommeil. Et *si* on répare mon cœur, est-ce que je vais rester la même ? Je suis Maria, la fille au cœur troué. Maria la petite sœur fragile. La grande sœur maigre. La copine qui lit tout le temps. Maria la fille moche pour les garçons. La fille qui peut, quand elle a mal, repousser tout le monde et l'univers. »

Maria pense à son corps, long et maigre, filiforme. Elle qui rêve depuis toujours d'avoir un corps à la Marilyn Monroe, l'actrice fétiche de sa mère. Déjà quand Maria était toute petite, Teresa pour l'endormir lui racontait, non des contes pour enfants, mais les films de son actrice préférée. La narration pouvait s'étaler sur des semaines.

De soir en soir, les aventures de Marilyn faisaient rire ou pleurer mère et fille. Un jour, Teresa, une femme aux courbes à faire pâlir d'envie la défunte star, était rentrée à la maison les cheveux blondis et coiffés à la mode des années 1950. Maria, qui avait 11 ans, fut époustouflée par la ressemblance entre sa mère et la vedette de cinéma. Son père, Carlos, siffla d'admiration en la voyant. Puis, pendant un mois, le temps que dura la teinture, Maria eut droit, le soir au coucher, à une narration raccourcie du film *The Misfits*, sa mère étant pressée de rejoindre son mari dans sa chambre, pour discuter « de choses sérieuses ».

Maria imagina que sa mère allait quitter son père pour l'acteur américain, Montgomery Clift. Et qu'elle-même verrait sa vie soudainement basculer et serait obligée de choisir entre l'un ou l'autre de ses parents. Pendant ce mois, Maria avait tout fait pour les réunir. Elle leur avait préparé des gâteaux, des dessins, des montages de photos de famille. Elle avait écrit des petits poèmes d'amour qu'elle avait signés parfois Teresa, parfois Carlos. Elle avait écrit de sorte qu'ils se répondent avec de plus en plus d'ardeur, puis avait dissimulé ces billets doux sous leur oreiller. Mais plus ça allait, plus ses parents s'enfermaient dans leur chambre pour discuter. Maria était désespérée. Elle ne comprenait pas pourquoi tous ses efforts demeuraient vains. Jusqu'au jour où, voyant ses parents se chuchoter encore des mots à l'oreille, elle éclata en sanglots, déclarant qu'elle ne survivrait pas à leur divorce, qu'elle préférait se faire un autre trou dans le cœur plutôt que de subir leur séparation. Teresa et Carlos, amoureux plus que jamais, pourtant navrés de voir leur fille dans un tel état, ne purent s'empêcher d'éclater de rire. Maria ne comprenait plus rien.

Ce soir-là, au lieu de poursuivre *The Misfits*, Teresa lui avait parlé de l'amour charnel entre un homme et une femme. Maria avait ensuite passé la nuit à embrasser son oreiller en rêvant à Montgomery Clift. Le lendemain matin, confiante de l'amour entre ses parents, elle avait décidé qu'elle aussi serait une femme et exigea que dorénavant on la surnomme Marialyn.

* * * *

« Six, cinq... » Marialyn n'arrive plus à garder les yeux ouverts. Elle sait pourtant que le Dr Bradshaw va changer sa vie, pour le meilleur ou pour le pire. Elle entend quelques murmures, un bruit de scie en sourdine puis, un silence absolu. Elle sent soudainement son corps lui échapper. Elle n'arrive plus à le mouvoir ni même à le percevoir. Elle perd la maîtrise de ses sens. « Il ne faut surtout pas perdre le contrôle », pense-t-elle.

Depuis l'âge de trois mois, sa vie est gérée méticuleusement du matin au soir. Il est crucial qu'elle prenne ses médicaments à telle heure, qu'elle fasse attention à son alimentation, qu'elle se repose après chaque activité physique. Sa vie est parfaitement réglée. « Ne pas perdre le contrôle », se répète-t-elle. Elle s'efforce donc de faire une description mentale de son corps pour rester éveillée. « J'ai du vernis à ongles rouge sur les orteils, une éraflure au genou gauche provenant d'une chute ridicule la semaine dernière. Les os de mon bassin sont proéminents à cause de ma maigreur. J'ai un nombril en petite boule qui m'agace, des petits seins avec de gros mamelons rose foncé, des bras longs et décharnés qu'heureusement j'ai appris à cacher derrière mon dos. J'ai un cou bien proportionné, un menton mignon, une bouche pulpeuse, un nez digne d'une reine, des yeux noirs et perçants, des sourcils épais que je refuse d'épiler et une chevelure abondante qui tombe en cascade sur mes épaules. Finalement, je suis assez bien comme fille. Peut-être qu'un jour... »

Marialyn se met à pleurer. Elle ne goûte pas le sel de ses larmes, mais elle pleure. Son corps tremble. Elle n'a pas froid, mais frissonne. Elle n'arrive pas à crier, mais elle a mal. Mal à l'âme, au ventre, mal au cœur. Mal d'être fragile, vulnérable, mal d'avoir peur. Peur de ne pas survivre à l'opération. Peur de tomber dans le trou de son cœur et de s'y perdre pour toujours. Même en s'accrochant aux artères, aux ventricules, à la crosse aortique, au tronc pulmonaire, à toutes ces parties de ce muscle qu'on s'est évertué à lui faire connaître pour qu'elle comprenne mieux sa maladie, elle ne s'en sortirait peut-être pas vivante. Elle glisserait peut-être dans ce trou noir de son corps, dans cette tombe qu'elle porte en elle depuis sa naissance, et disparaîtrait à jamais dans ce vortex.

Marialyn rage contre sa mère qui, avant de prendre des médicaments pour une fièvre, n'avait pas vérifié si elle était enceinte. Elle rage contre le Bon Dieu de lui avoir donné la vie malgré tout, de lui avoir permis de connaître le sable, la mer, le sel, les poissons, les romans, les feuilletons, le cinéma, la musique, les garçons, les cigarettes en cachette, les rêves et les espoirs. « Va te faire foutre, la vie ! Tu es cruelle ! ».

* * * *

« Quatre, trois... » Marialyn tombe dans le trou avec une telle légèreté qu'elle croit avoir des ailes. Elle sourit. Souvent elle a rêvé d'être un oiseau et soudainement, elle en est un. Elle plane dans un ciel blanc. S'amuse à faire des culbutes dans les airs, à se laisser porter par le vent. Elle ne s'est jamais sentie si bien. « C'est peut-être l'effet de l'anesthésie », songe-t-elle. Elle se met à rire, à rire aux éclats. « Profites-en, lui dit sa mère. Ne pense plus à rien. Je t'aime, Marialyn. Tu es belle, tu es forte. Tu mérites ton bonheur. » En disant ces mots, les yeux de Teresa se gonflent de larmes. « Ne pleure pas, maman. Ce n'est pas ta faute », dit Marialyn en la prenant dans ses bras. Sa mère est devenue aussi petite qu'une enfant. Elle la berce doucement, lui chante une chanson et l'embrasse sur le front. « Je t'aime, maman. Ne t'inquiète plus pour moi. Tu as fait tout ce que tu as pu. Tu m'as soignée, aimée, appris à rêver. C'est tout ce qui compte. » Teresa finit par s'endormir. Marialyn la dépose dans son lit. Elle caresse tendrement les cheveux de sa mère, puis reprend son envol.

Elle zigzague à travers la blancheur du ciel avec allégresse. Elle ferme les yeux et quand elle les ouvre, elle voit son double qui lui sourit. Cette Maria est magnifique, une femme pulpeuse, sensuelle, gracieuse comme Marialyn a toujours souhaité le devenir. Cette femme qui la regarde avec des yeux remplis d'amour et de compassion lui tend la main. Marialyn lui donne la sienne et, toutes deux se laissent tomber dans un abysse invitant.

Marialyn est si heureuse qu'elle ne se souvient plus pourquoi elle a hésité toutes ces années à se laisser glisser dans le trou. « Le cœur est le plus bel organe du corps », se dit-elle. Puis, elle l'entend battre, doucement d'abord puis, de plus en plus fort. Jusqu'à ce qu'il résonne aussi puissamment qu'un tambour. Pa-pam, pa-pam, pa-pam. Le rythme s'accélère, s'accentue de façon de plus en plus inquiétante. Elle veut se sauver mais, un battement traverse son corps comme un éclair. Elle serre la main de sa compagne, mais celle-ci a disparu. Marialyn, affolée, regarde autour : plus rien ni personne, seulement ce battement qui la transperce. Soudain, elle sent une lourde vague lui rouler sur le corps, des pieds à la tête. Elle est tirée vers le fond de l'océan par une force inconnue, puis relâchée subitement. En remontant à la surface, l'air s'échappe de ses poumons. Elle n'arrive plus à respirer. Elle voit les bulles sortir de sa bouche. Elle sent son corps se vider, s'engourdir. Puis au bout d'un moment, la panique se transforme en béatitude, en un calme, en un silence parfait.

* * * *

« Deux, un... Est-ce possible que mourir soit si facile alors que vivre fut si difficile ? » Marialyn ne répondra pas à sa question. Le Dr Bradshaw ouvre sa poitrine et opère son cœur. À l'intérieur, il trouve une femme, une adolescente, une enfant joyeuse et aimante. Il salue son courage et sa détermination. Il palpe son cœur et le sent battre, plus fort, plus vivant que jamais.

* * * *

Le lendemain, à son réveil, Marialyn sent la chaleur de la main de sa mère dans la sienne. Quand elle ouvre les yeux, elle ne comprend pas pourquoi, mais en voyant le Dr Bradshaw au pied de son lit, elle sait tout de suite qu'elle est amoureuse... qu'elle est vivante. « Quel est ton nom ? » lui demande-t-il. « Je m'appelle Maria ! »

La rencontre
avec Céline Dion

En voyant cette jolie adolescente aux cheveux bouclés, Céline Dion avait peine à croire qu'elle avait subi une opération à cœur ouvert trois mois plus tôt. Mary Justin a remis à Céline Dion un petit bracelet à l'effigie de la fondation Herbie, qui a financé sa chirurgie cardiaque à Toronto. La chanteuse s'est empressée de l'enfiler à son poignet. Calme et souriante, Mary Justin s'est jointe à Céline le temps de quelques photos. Avant qu'elle ne quitte la pièce, Céline Dion a pris Mary Justin par les épaules, lui disant de rester forte. Elle s'est ensuite tournée vers la mère : « Vous, après tout ce que vous avez traversé, je sais que vous allez le rester. »

avec Isabelle Cyr

« Je venais de passer cinq jours à pondre mon récit. Lorsque je me suis retrouvée devant Mary Justin, j'ai été bouleversée. Elle était là, timide et douce, toute belle et charnue. À part la cicatrice sur son sternum que je voyais dépasser de sa blouse, elle était l'adolescente normale que j'avais imaginée, un peu dépassée par les événements après la journée extra-ordinaire qu'elle venait de vivre, mais comme n'importe quelle adolescente de son âge l'aurait été. Ça m'a émue de la voir vivre ainsi tout bonnement sa vie. Au point où j'ai dû retenir mes larmes. C'est là que j'ai réalisé l'ampleur du miracle qui avait eu lieu. »

*Propos d'Isabelle Cyr,
recueillis par Mariève Desjardins*

Chapitre 10

UNE SECONDE CHANCE POUR ANNA

L'histoire d'Anna Williamson

« À l'âge de deux mois, Anna nous sourit. À 6 mois, elle s'assoit toute seule. À 10 mois, elle rampe dans la maison. À un an et deux mois, notre Anna adorée fait ses premiers pas... » Le livre de bébé dans lequel Jason et Susan Williamson consignent les petits exploits d'Anna et s'extasient devant ses « premières fois » ressemble en tous points à celui de n'importe quel enfant normal. Mais lorsqu'on sait par quoi ils sont passés, les débordements d'enthousiasme de ces parents pleins de fierté prennent un tout autre sens. Dans le ventre de sa mère, Anna était déjà atteinte d'une maladie rare.

Plusieurs mois plus tôt, Susan jubile lorsqu'elle apprend qu'elle est enceinte de son premier enfant. Mariés depuis cinq ans, Susan et Jason sont en effet enchantés par cette nouvelle qui arrive à point : le couple vient tout juste d'emménager dans une nouvelle maison à Holly Springs, en Caroline du Nord. Et comme ils rêvent d'avoir quatre enfants, Susan et Jason conviennent qu'il est temps de s'y mettre...

En route pour le quatrième mois de sa grossesse, Susan est une future maman rayonnante qui savoure tous les instants de sa grossesse. Elle commence tout juste à troquer sa garde-robe pour des vêtements de maternité, mais sa bedaine arrondie ne l'empêche pas de pratiquer son léger jogging hebdomadaire.

 Le vendredi 7 avril 2000, Susan se rend à l'hôpital pour un simple examen de routine : un test sanguin visant à dépister le taux d'alphafœtoprotéines (AFP), un indicateur potentiel d'un trouble du développement chez le bébé. De retour à la maison après son examen, Susan trouve un message de son médecin sur le répondeur lui demandant de le rappeler. Lorsqu'elle le rappelle, le médecin est déjà parti pour le week-end, mais Susan ne s'en préoccupe pas outre mesure ; elle est convaincue que les résultats des tests seront négatifs. Or, une mauvaise nouvelle l'attend dès le lundi matin : une concentration élevée de protéines a été dépistée dans son sang, et elle doit passer une échographie pour confirmer le diagnostic.

Le jour suivant, Susan est allongée sur la table d'examen, tâchant de deviner le sens des symboles qui apparaissent sur le petit écran devant elle. La technicienne révèle d'abord des résultats encourageants. Le cœur est normal... Les mains aussi... Il s'agit d'une fille... Un murmure enjoué accueille cette information, car le couple avait déjà choisi le nom de l'enfant : Anna. Puis, un calme suspect emplit la salle. Les parents sont suspendus aux lèvres de la technicienne, mais au lieu de leur livrer le verdict attendu, elle s'efface pour laisser place à un médecin. C'est à lui qu'incombe la lourde tâche d'annoncer la mauvaise nouvelle : le fœtus est atteint de spina bifida.

Anna a un trou dans le bas du dos qui expose ses os, ses nerfs et ses méninges. Une intervention chirurgicale pourra refermer la fente à la naissance, mais les dommages, eux, seront irréversibles. Susan et Jason sont atterrés. Cette maladie, dont ils n'avaient jusque-là jamais entendu parler, ils s'apprêtent à en devenir malgré eux de véritables spécialistes, qui en récitent les statistiques par cœur, comme s'ils étaient des scientifiques dans un congrès médical.

Le spina bifida est une malformation congénitale liée à un défaut de fermeture du tube neural durant la vie embryonnaire, qui affecte un enfant sur 1 000. Les conséquences de cette malformation sur la santé de l'enfant sont nombreuses : en plus d'être potentiellement affecté par des problèmes d'incontinence, l'enfant est à risque de ne pouvoir marcher, et même de devoir subir de graves chirurgies au cerveau.

Dans le cas d'Anna, la position de son cerveau en formation laisse présager une hydrocéphalie, soit de l'eau au cerveau. Cela implique donc qu'une deuxième opération serait aussi nécessaire afin de drainer les fluides de son cerveau. Cette opération au coût faramineux doit souvent être répétée plusieurs fois. La facture peut alors facilement atteindre les 150 000 $ avant même que l'enfant soit en âge d'entrer à la garderie. Mais cela n'est pas le seul inconvénient : outre les longues périodes d'hospitalisation et les possibles complications, les études démontrent aussi que chaque intervention réduit un peu plus l'intelligence de l'enfant.

La plupart des parents dans la situation de Susan et de Jason auraient décidé d'interrompre la grossesse. Pour eux, il n'en était absolument pas question. Ils se sont mis à espérer une troisième solution...

Une amie de Susan avait justement entendu parler d'une chirurgie au stade expérimental qui se pratiquait au Vanderbilt University Medical Center à Nashville au Tennessee. Il s'agissait d'opérer l'enfant à même le ventre de la mère. Cette chirurgie prometteuse, mais infiniment délicate, pouvait refermer la lésion et redresser le cerveau à sa position normale. Or, seulement 89 femmes avaient osé l'essayer. Parmi elles, une femme avait perdu son enfant et 16 avaient accouché après moins de 30 semaines de gestation. Les conséquences d'une grossesse aussi prématurée vont des troubles respiratoires jusqu'à la mort, en passant par la paralysie cérébrale et la cécité. L'enfant n'était pas le seul à risquer sa vie dans cette aventure médicale. L'utérus pouvait se perforer durant les contractions, causant potentiellement la mort de la mère et de l'enfant. Aussi, pour que la chirurgie ait des chances de fonctionner, il fallait absolument qu'elle soit effectuée avant la 24e semaine de grossesse. Le temps est donc compté pour Susan, qui commence sa 18e semaine...

Décontenancés par les dangers de l'opération, Jason et Susan n'en demeurent pas moins très tentés de s'y résoudre. Après avoir amplement pesé le pour et le contre, ils en concluent qu'il vaut la peine de donner à leur bébé toutes les chances de vivre une vie meilleure. Ils se rendent donc à Vanderbilt.

Le centre médical Vanderbilt avait mis sur pied un rigoureux système d'épreuves afin de tester le sérieux de la démarche des parents. Mais ni la pénible discussion avec le spécialiste en éthique du centre, ni les 30 000 $ nécessaires pour financer l'opération ne suffisent pas à ébranler la décision du couple. Cependant, c'est en se trouvant devant un minuscule bébé sous incubateur luttant pour sa survie qu'ils réalisent tout à coup les conséquences parfois horribles d'une naissance prématurée.

Suivent quatre longues journées de délibération pendant lesquelles le couple remet en question la décision et passe par un vaste spectre d'émotions. Une véritable torture. Ce choix, ils le savent, va à tout jamais changer leur vie et celle d'un bébé qui n'était pas encore né. Après des heures d'échange de vues et de silences angoissés, les Williamson décident d'aller de l'avant.

Kelly Laduke

Le jour de l'opération, le 17 mai, Susan a beau n'avoir pu fermer l'œil de la nuit, elle tient à marcher les quelques kilomètres qui séparent l'hôtel de l'hôpital. Elle sait qu'après l'opération, le plaisir simple de mettre un pas devant l'autre lui sera interdit pendant plusieurs semaines. La main de Jason dans la sienne, sa mère à ses côtés, Susan s'engage dans une étrange procession qui la mène jusqu'à son lit d'hôpital.

Puis, la chirurgie débute. Une première incision est pratiquée sur le ventre de Susan pour avoir accès à son utérus. Suit une autre incision, cette fois à travers la matrice pour atteindre le minuscule corps d'Anna, qui à ce stade ne pèse même pas un demi kilo, et réparer la lésion dans le bas de son dos. Le tout est ensuite méticuleusement recousu. Maintenant, il suffit de voir si l'opération tiendra le coup et surtout, si Anna patientera assez longtemps avant de vouloir sortir du ventre de sa mère.

La convalescence n'est pas de tout repos. En plus des douleurs que Susan endure, son corps est secoué de contractions qui lui font craindre le pire. Toutefois, le 12 août 2000, trois mois plus tard, la petite Anna, un bébé vigoureux de 2,7 kilos, naît par césarienne. Ses joues bien rondes, comme Susan avait pu le deviner sur les photos des nombreuses échographies qu'elle avait dû passer au cours de sa grossesse.

Anna a maintenant 8 ans. Depuis sa naissance, elle n'a pas passé une seule nuit à l'hôpital. À part pour son pied bot, personne ne peut se douter que la vie de cette fillette pétante de santé a déjà été menacée. Mais cette petite différence ne l'empêche ni de faire du vélo avec ses amis ni de jouer au basket-ball. Souvent, Anna s'habille d'une longue blouse de chirurgien et soigne des patients imaginaires. Elle espère qu'un jour, elle pourra aider des enfants comme elle à obtenir une nouvelle chance. Ce tempérament altruiste fait aussi d'Anna une parfaite grande sœur pour Patrick, Lili et Jack, qui sont depuis venus compléter la famille.

Tiré de « A Chance for Anna », par Sara Avery,
Reader's Digest (Etats-Unis), juillet 2003.
The News & Observer of Raleigh,
North Carolina (Oct. 8-11, 2000).
© 2000, by The News & Observer of Raleigh, North Carolina,
215 S. McDowell Street, Raleigh, N.C. 27602, U.S.A.]
Adapté par Mariève Desjardins, les Éditions La Semaine.

DU CŒUR AU VENTRE

Un texte de Stéphane Laporte,
offert par l'auteur à Anna Williamson.

Anna est prête. Elle s'en va se faire photographier avec Céline. Dans sa jolie robe grise et rose, elle est toute mignonne. Belle et intelligente. Ça se voit. Elle a tout. Mais dans ses yeux, il y a un voile. Dans ses yeux, il y a une retenue. Une profondeur. Une sagesse. Regardez bien la photo. C'est comme si dans les yeux d'Anna, il y avait encore l'enfant qu'elle aurait pu être. Sans le miracle de la médecine. Sans cette opération de science-fiction, qui a changé son destin.

La petite fille pas jolie, la petite fille pas attirante, la petite fille diminuée, la petite fille brisée est restée dans un recoin de son âme. Invisible. Mais toujours là. On l'a rafistolée. On l'a arrangée. Bouché son trou dans le dos. Redressé sa tête. On lui a permis de bien se développer. De devenir une enfant comme les autres. Une enfant en santé. Mais on n'a pas touché à tout ce qu'il y avait déjà en elle pour compenser. La force et le courage.

Ce regard habité, c'est le secret de sa naissance. Et c'est pour ça que la beauté d'Anna est si touchante. C'est une beauté inespérée. Une beauté qui ne vient pas que des traits. Une beauté qui ne vient pas que de la génétique. Une beauté qui vient de loin. Une beauté qui vient du cœur. Du sien. Et de celui de sa mère. Deux cœurs qui durant presque neuf mois battaient au même rythme. Reliés à jamais.

Au nom de tous les enfants pas comme les autres, je voudrais dire merci à Susan, la mère d'Anna. Merci, madame. Merci d'avoir fait confiance à la vie, au moment où elle vous a fait le plus mal. Au moment où elle vous a trahie.

Apprendre que l'on attend un enfant est la plus belle nouvelle au monde.

Apprendre que l'enfant que l'on attend ne sera pas normal est la pire. Savoir qu'il sera diminué, qu'il souffrira, que plein de bonheurs simples ne seront jamais à sa portée, que le regard des gens ne cessera de le juger, de l'arrêter, de lui nuire encore plus. Toujours plus.

Apprendre que l'enfant que l'on mettra au monde sera en guerre, chaque seconde de son existence. Et que l'ennemi sera son propre corps. Et que seule la mort parviendra à le vaincre. C'est trop. Face au diagnostic impitoyable annonçant que le bébé qu'elles portent est lourdement atteint, cruellement affligé, plusieurs mamans décident de mettre fin à leur grossesse. C'est normal. Si normal.

Adieu, Anna...

Il n'y a pas de mères bonnes ou mauvaises, au moment de cette décision. Il n'y a pas celles qui ont raison et celles qui ont tort. Il n'y a pas les saintes et les lâches. Il y a celles qui sont capables de traverser tout ça et celles qui ne le sont pas. Comme il y a des enfants capables de marcher, de courir, d'attacher leurs souliers et d'autres qui ne le sont pas. Les limites de l'humain ne sont pas que physiques. Tellement pas. Mais on les croit moins graves parce qu'elles sont invisibles. Alors que c'est tout le contraire.

Susan était capable. Susan avait du cœur au ventre. Quoiqu'il lui arrive et peu importe sa condition, elle était prête à tout pour avoir cet enfant. Pour toujours.

Bonjour, Anna !

Juste avant d'entrer dans la salle d'opération, le docteur Bruner a demandé à Susan : « Y'a-t-il quelque chose que vous aimeriez dire à Anna ? »

Elle a répondu : « Dites-lui que nous l'aimons. »

Puis a commencé le voyage. La mission. Sur la plus fascinante des planètes : le ventre d'une femme enceinte. Imaginez aller là où s'invente la vie. Intervenir pendant que s'invente la vie. Opérer une enfant pendant qu'elle est encore dans sa maman. Pour la corriger. Pour la changer. L'aider. C'est de la folie. Une folie qui aurait pu mal virer. La condition d'Anna aurait pu s'empirer. Anna aurait pu mourir. Susan aussi. Elle le savait. Mais elle assumait. Quoi qu'il arrive. Pendant que les médecins coupaient, greffaient, réparaient, pendant que les médecins arrangeaient le physique, la mère et le bébé dormaient. Mais ça n'empêchait pas Susan, même dans les limbes, d'envoyer à sa fille de grosses doses d'amour. Du cœur au ventre. Ces doses d'amour qui sont aussi essentielles que le placenta, que le liquide amniotique. Ces doses d'amour qui font que l'enfant qui va naître est plus qu'en santé. Qui font que l'enfant qui va naître est bien.

Avant de quitter la planète de la petite princesse, avant de replacer Anna bien au chaud dans sa maman, le docteur Bruner lui a dit que ses parents l'aimaient. C'est tout ce qu'elle avait besoin de savoir. Anna était rassurée. Elle pouvait même naître avec un bras dans le front, ce n'était pas grave. Elle avait l'essentiel. Elle avait l'amour.

Car il existe un handicap bien pire que le spina-bifida, la paralysie cérébrale, la fibrose kystique ou n'importe lequel de ces maux maléfiques qui rongent les enfants : c'est le manque d'amour. Tous ces enfants qui naissent sans amour. Parce que leur mère, parce que leur père ne sont pas capables de leur en donner. Ce sont ces enfants qui sont les plus mal pris. Anna savait, avant même de voir le jour, que ce ne serait pas son cas.

La prouesse médicale insensée dont Anna est l'exemple bien vivant donnera peut-être espoir à des parents pris avec ce cruel choix : être ou ne pas être. Avoir ou ne pas avoir. Mais avant de vouloir un miracle, il faudra que les parents désirent l'enfant même si le miracle n'a pas lieu.

Et pour ça, il faut être convaincu, au plus profond de soi, qu'un enfant différent a aussi sa place dans ce monde. Que la beauté et l'intelligence sont deux qualités valables, mais qu'elles sont vides sans le courage, la volonté, l'honnêteté et la générosité. Et ça, il y a plein d'enfants en santé qui n'en ont pas et plein d'enfants différents qui n'en manquent pas.

Tellement d'ailleurs que souvent, c'est l'enfant différent, l'enfant tout croche qui donne à sa mère la force de l'aider. Avant qu'il ne vienne au monde, elle ne pensait pas pouvoir surmonter l'épreuve d'avoir un enfant handicapé. Et voilà que c'est l'enfant lui-même qui lui fait la courte échelle. Qui l'aide à grandir pendant qu'elle l'aide à avancer. Parce qu'elle sent en lui le désir d'exister. Encore plus qu'en elle. Il lui donne du cœur au ventre.

Maintenant, il faut que vous sachiez pourquoi l'histoire d'Anna vient autant me chercher. Si je me suis permis de remercier la mère d'Anna au nom des enfants pas comme les autres, c'est parce que j'en suis un. Quand on a été un enfant pas comme les autres, on le demeure, même quand on est vieux comme moi !

Dans mon cas, ma mère n'a pas eu le choix. Quand je suis né, j'étais un beau gros bébé qui semblait en santé. C'est quelques mois après ma naissance qu'ils se sont rendu compte que je n'étais pas normal. Que j'avais de la misère à marcher. Que mes membres étaient raides. Que mes tendons étaient trop courts. Surprise ! Elle était prise avec moi. Mais encore fallait-il qu'elle m'accepte. Qu'elle m'aime quand même. C'est une chose de donner la vie à un enfant, c'en est une autre de lui donner l'amour.

C'est sûr que ma condition n'avait rien de dramatique. Mais je tombais plus souvent qu'à mon tour. À l'école, je me faisais niaiser. Il fallait m'aider, me protéger, m'accompagner, me surveiller. Il y a des mères qui rejettent leur enfant pour moins que ça. Pas la mienne. J'aurais pu être son fardeau. J'ai été sa fusée. Celui à qui elle a appris à foncer. Vers le haut. En m'aimant. Tout simplement.

Et si la médecine avait pu m'arranger, moi aussi, comme Anna, serais-je plus heureux ? Honnêtement, je ne le sais pas. Faut-il que ma mère m'ait beaucoup aimé pour que je réponde ça.

C'est la grâce que je souhaite à tous les enfants : avoir tout l'amour dont ils ont besoin.

Anna est toute gênée en tenant la main de Céline. Elle ne dit pas un mot. Sérieuse. Céline essaie de la faire rire un peu. En faisant des folies. Anna sourit. Timidement. On entrevoit ses petites dents. Céline lui demande si c'est encore ses dents d'enfants. Anna répond que oui. Mais ses deux palettes n'en ont plus pour longtemps. Elles tiennent de peur. Elles bougent tout le temps. Même que durant les derniers jours, elle a fait bien attention pour ne pas manger de pomme ou rien de trop dur pour ne pas les perdre. Elle ne voulait surtout pas faire sa photo avec Céline sans ses deux dents d'en avant. La coquette ! C'est aussi pour ça qu'elle ne fait pas de trop gros sourires devant la photographe. Au cas où ça provoquerait un tremblement de dents.

La petite Anna de l'ancien destin, derrière le voile, au fond de ses yeux, pousse un soupir : « Ne t'en fais pas pour tes dents, ma grande, il pourrait te manquer beaucoup plus que ça... »

Céline refait une folie. Et soudain Anna rit. À belles dents ! Et tout le monde autour rit avec elle.

Il y a des personnes qui vous font du bien simplement en existant. Anna est de celles-là.

Merci, Anna.

La rencontre
avec Céline Dion

« Je sais que tu as pris beaucoup de photos dans ta vie. Moi aussi. Est-ce que ça te dérange si on en prend une ensemble ? » Ainsi a débuté la rencontre entre Anna et Céline Dion. Grande admiratrice de la chanteuse, Anna était légèrement figée au moment de rejoindre Céline Dion devant la caméra. Elle cachait bien son jeu, mais ses parents, eux, le savaient. Ils ont tout de suite été enchantés par l'attitude chaleureuse et maternelle de Céline Dion. Comme Anna a le même âge que René-Charles, 7 ans, Céline l'a questionnée au sujet de la perte de ses dents de lait. Fait cocasse, les deux dents avant d'Anna étant sur le point de tomber, ses parents se sont assurés de ne pas la faire croquer dans une pomme avant la séance de photos !

avec Stéphane Laporte

« Le bonheur existe, je l'ai rencontré. C'est la famille Williamson, de Raleigh, North Carolina ! La mère et le père, Susan et Jason, sont éblouissants. Enthousiastes, souriants, heureux. Ils semblent ne pas en être revenus encore de ce cadeau du destin. La vie a réécrit son scénario pour leur petite Anna. Et l'épouvantable tragédie prévue est devenue un conte de fées. Ils en seront à jamais reconnaissants. Et ça paraît. Une heure à jaser avec les Williamson vous inspire pour dix ans. On a parlé d'Anna et des miracles de la médecine, bien sûr, mais aussi de leur voyage à Montréal, de Céline et même de la Coupe Stanley des Hurricanes de la Caroline en 2006 ! Peu importe le sujet, il y avait tellement de lumière dans leurs yeux, que chaque moment de vie devenait passionnant.

Et la petite Anna, auprès d'eux, toute calme. Toute posée. L'air de se demander pourquoi on s'énerve autant à son sujet. Son histoire s'est déroulée avant même qu'elle voie le jour. Ça lui donne un côté irréel. Fantastique. J'avais hâte de la voir en vrai. Eh bien, Anna est mieux que fantastique, elle est vraie.

Il fallait la voir avec Céline prendre des poses. Tout en restant sage comme une image. Et Céline, toujours aussi gentille, attentionnée, sensible. Céline, toujours aussi maman, l'enlaçait tendrement. Un moment de soie. À nous sortir du quotidien. Pourquoi faut-il que la vie nous blesse ou nous échappe, pour qu'on prenne conscience de sa beauté et de sa bonté? Ce mercredi-là au Delta, grâce à Anna et aux siens, j'ai pu apprécier la vie, sans avoir eu à en payer le prix. Ils l'avaient fait pour moi. Et je leur en serai éternellement reconnaissant.

Il n'y a rien de plus beau que de regarder une famille qui s'aime. Les Williamson s'aiment infiniment. Et les Dion aussi. La rencontre pouvait bien être émouvante.

J'espère que je reverrai les Williamson un jour. Une chose est sûre, je penserai sûrement à eux souvent. Et quand je ferai face à l'impossible, à l'inévitable, au lieu de baisser les bras, je me souviendrai d'eux. À eux qui étaient prêts à tout. À eux qui n'avaient peur de rien. Parce qu'ils savaient leur amour plus fort que le destin. Et j'y croirai. Et je continuerai. »

Stéphane Laporte

Chapitre 11

RETOMBER SUR SES PIEDS

L'histoire d'Andrew Bateson

« On ne sait jamais ce que demain nous réserve... » Cette parole, qui nous rappelle que tout change parfois plus vite qu'on aurait pu l'imaginer, on l'entend sans cesse, au point où elle est devenue un véritable cliché. Or, ça ne pouvait être plus vrai que dans cette histoire. Un jour, Andrew s'amuse avec sa sœur aînée et le jour suivant, il lutte pour sa vie sur un lit d'hôpital.

Le 3 juillet 1997, veille de la fête de l'Indépendance des États-Unis, Scott et Rebbeca Bateson, leur fils Andrew, six ans, et leur fille Erin, huit ans, vont admirer un feu d'artifice à North Providence, dans l'État du Rhode Island. Vers 22 heures, la famille fait un arrêt dans un supermarché sur le chemin du retour pour acheter de la crème glacée. À ce moment-là, le petit Andrew ne se sent pas bien. Il a chaud, il est épuisé, et ses jambes lui font mal. Il demande à sa mère de le porter dans ses bras. Venant d'un garçon vigoureux comme Andrew, à qui l'on doit presque retirer de force les patins à roues alignées avant d'aller au lit, cette requête est inhabituelle. Rebecca se penche sur le front de son fils et remarque qu'il a de la fièvre. En le mettant au lit, elle lui donne des analgésiques. Sans doute une simple grippe, se dit-elle.

Mais le lendemain matin, Andrew ne va pas mieux. Sa fièvre est encore plus intense et son corps est secoué par des vomissements. Rebecca téléphone au pédiatre. Les symptômes qu'elle lui décrit – température élevée, fatigue, vomissements – ont beau être courants, le ton inhabituellement angoissé de la mère met la puce à l'oreille du pédiatre. Lorsque Rebecca ajoute que l'enfant a un teint grisâtre, le médecin lui suggère de ne pas prendre de risque et d'amener Andrew sur-le-champ à l'hôpital le plus proche.

Les quelques kilomètres séparant la maison des Bateson de l'urgence du Hasbro Childrens Hospital filent à la vitesse de l'éclair. Dans la salle d'attente, le garçon, vêtu de son habituel habit de baseball, a maintenant du mal à se tenir debout. La première rencontre avec le médecin de garde n'est guère rassurante : le docteur James Linakis repère sur le corps d'Andrew une éruption de taches rouges et mauves. À son œil expérimenté, ce signe n'est pas de bon augure : cela laisse présager une infection sanguine. Le docteur Linakis a déjà vu de tels symptômes chez d'autres petits patients, et certains sont morts en quelques heures... Il inspecte de plus près les rougeurs suspectes, qui ne disparaissent pas lorsqu'il exerce une pression. Il devine tout de suite qu'il s'agit d'une méningococcie, une infection sanguine rare et souvent fatale. Cette maladie contagieuse provient de la même bactérie qui cause la méningite, et se transmet par contact direct de personne à personne, par des gestes aussi banals que s'embrasser, éternuer ou tousser sur quelqu'un, ou encore partager un verre.

L'extrême gravité de la méningococcie s'explique par la chaîne de réactions violentes qu'elle déclenche dans l'organisme. Face aux toxines libérées par la bactérie, le système immunitaire envoie des substances qui, au lieu d'agir comme agents protecteurs, deviennent toxiques pour l'organisme. Cela mène en quelque sorte le corps à son propre suicide. Déjà, le petit Andrew ressent les effets pernicieux de la bactérie : à cause des problèmes de circulation de son sang, ses bras et ses jambes deviennent de plus en plus froids et flasques. À partir de maintenant, chaque seconde compte. En moins de deux, le personnel de la salle d'urgence enfile gants et masques et commence les soins.

Scott et Rebecca sont affolés par la progression fulgurante de la bactérie. Ils ont peine à croire à la gravité du diagnostic. Rebecca songe à ces moments où elle embrassait les bobos de son fiston lorsqu'il se blessait en tombant. Elle réalise que ses « lèvres magiques » ne peuvent absolument rien dans la situation actuelle. Cette dure réalité la frappe de plein fouet. Même les interventions des médecins sont limitées : ils ont beau éliminer la bactérie, ils ne peuvent rien contre les toxines qui sont en train de faire des ravages chez l'enfant. Même s'il n'en a pas l'air, le corps d'Andrew est désormais un véritable champ de bataille où s'affrontent des organismes microscopiques, mais néanmoins sans merci.

En voyant partir Andrew pour un périmètre isolé des soins intensifs, Scott et Rebecca ont l'impression d'envoyer leur fils à l'abattoir. Monica Kleinman, la médecin qui prend le relais, constate à son tour avec inquiétude la rapide progression de la maladie. Ce qui met habituellement des heures à se développer se calcule en minutes chez Andrew. Malgré son piètre état, l'enfant amasse encore assez de force pour prononcer quelques mots.

La docteure Kleinman rassemble les Bateson pour une annonce des plus délicates : malgré tous les efforts médicaux, la situation d'Andrew ne fait qu'empirer. Elle promet qu'elle fera tout ce qu'elle peut pour sauver leur enfant, mais face à l'infime probabilité qu'il s'en sorte vivant, elle suggère aux parents de se préparer au pire. Rebecca est incrédule. Un peu plus tôt, elle parlait à Andrew. Comment serait-il possible qu'il disparaisse aussi soudainement ?

De retour au chevet du garçon, Monica Kleinman constate que l'état déjà critique de son jeune patient s'est déjà beaucoup détérioré : il est confus, sa respiration est laborieuse, et ses organes ne reçoivent plus assez d'oxygène pour fonctionner normalement. À peine une heure après son arrivée à l'hôpital, l'enfant est placé sous respirateur et doit être maintenu dans un coma artificiel.

Sur son lit d'hôpital, Andrew est méconnaissable. Son corps comateux, intubé de partout, est enflé et couvert de lésions. Ses pieds sont bleus et si gonflés qu'ils semblent irréels. Le bruit de sa respiration difficile se mêle aux sons stridents et hypnotiques des moniteurs qui témoignent de la précarité de son état. Les Bateson mettent des photos d'Andrew dans la chambre pour que les infirmières sachent qui était ce petit garçon qu'elles essaient de sauver. Pour la seconde fois, Rebecca demande au médecin si son fils va mourir. Celle-ci répond d'une voix grave : « Quand je pourrai vous regarder dans les yeux pour vous annoncer qu'il ne mourra pas, je le ferai. »

Après 14 jours dans le coma, un examen révèle que le sang ne circule plus du tout sous les genoux d'Andrew. Les jambes de l'enfant sont atteintes de nécrose, ce qui provoque chez lui de dangereux accès de fièvre. Il faut donc l'amputer pour éviter les complications. Cette nouvelle assombrit encore davantage Scott et Rebecca. Leur fils allait-il être condamné à regarder, de son fauteuil roulant, ses amis pratiquer ces sports qui lui procuraient tant de plaisir ?

Le soir avant l'opération, les parents d'Andrew rencontrent le chirurgien en charge de l'amputation. Ce dernier leur explique que s'il arrive à garder les genoux d'Andrew intacts, cela augmentera ses chances de marcher avec des prothèses. Les Bateson s'accrochent à cet espoir qui est ravivé le lendemain matin, lorsque Monica Kleinman vient rencontrer les Bateson, bien qu'elle soit en congé. « Je vous ai dit que je vous le ferais savoir lorsque la vie d'Andrew serait hors de danger. Eh bien, voilà : je vous regarde maintenant droit dans les yeux pour vous annoncer qu'il vivra. »

Puis vient le moment crucial de l'amputation. Au bout de deux heures d'une opération très délicate, Scott et Rebecca apprennent qu'un des genoux a été sauvé. Après une autre heure d'attente, ils poussent un grand soupir de soulagement lorsqu'on leur annonce que l'autre genou a également été épargné. Non seulement leur fils vivra, mais il pourra aussi marcher à nouveau.

Quelques jours plus tard, l'état d'Andrew est stabilisé et les médecins lui retirent le respirateur artificiel. Le soir du 27 juillet, le garçon sort du coma. Il a retrouvé la vie, mais il ne sait pas encore qu'il a perdu ses deux jambes. Rebecca attend avant de le lui annoncer, redoutant le choc que cela donnera à son fils.

Dire qu'Andrew n'a pas pleuré en apprenant la perte de ses « anciennes jambes », ce serait mentir. Mais il s'habitue vite à l'idée, surtout lorsque, à sa sortie de l'hôpital, le 7 septembre, on lui montre ses prothèses. Le 13 octobre, il fait déjà ses premiers pas à l'aide de ses nouvelles jambes. En un temps record, Andrew est de retour sur son vélo, puis sur ses patins à roues alignées.

Seulement un an après sa maladie, Andrew retrouve le plaisir de pratiquer ses sports favoris. Dans ses rêves, l'enfant s'imagine en train de courir, de conduire son vélo et de patiner avec des jambes en santé. Mais la réalité est tout autre : chaque jour, à son réveil, Andrew doit affronter le défi que représente le fait de vivre avec des prothèses. Qu'à cela ne tienne ! Il n'y a rien que l'intrépide garçon n'essaie pas. C'est le cas de le dire : Andrew est bel et bien retombé sur ses deux pieds !

Tiré de « The Comeback Kid », par Mark Patinkin, Reader's Digest (Etats-Unis), mars 2002. The Providence Journal (July 8-13, 2001). © 2001, by The Providence Journal Co., 75 Fountain Street, Providence R.I. 02902, U.S.A.] Adapté par Mariève Desjardins, les Éditions La Semaine.

PLUS PRÈS DES ÉTOILES

Un texte de Joël Legendre,
offert par l'auteur à Andrew Bateson.

« Voici une épreuve pour découvrir
si ta mission sur terre est terminée :
si tu es vivant, c'est qu'elle ne l'est pas. »

— Richard Bach

« Là où sont tes deux pieds, là est ta vraie place. »

— Violette LeBon

« Je n'irai pas loin, maman ! Juste devant, dans la rue. Je m'en vais jouer au hockey ! » C'est ce que je crie à ma mère, beau temps, mauvais temps, tous les jours de la semaine à 15 h 45 précises, en lançant mon sac d'école dans le portique. J'évite à tout prix de mettre un pied dans la maison pour ne pas risquer que maman me dise : « Viens faire tes devoirs avant d'aller jouer dehors, Andrew ! »

Je sais très bien, à force de l'avoir expérimenté depuis un an déjà, que si j'entre et sors à la vitesse de l'éclair, maman n'a pratiquement jamais le temps d'ouvrir la bouche avant que je claque la porte pour ressortir. C'est d'ailleurs toujours ces mêmes paroles qui retentissent alors que je suis, pour mon plus grand bonheur, déjà rendu à l'extérieur.

« Et s'il te plaît, chéri, ne claque pas la porte ! »

« Je t'aime gros, maman ! À plus tard ! »

J'adore ce sentiment de liberté, j'aime avoir l'impression que je suis plus vite que l'éclair, que rien ni personne ne peut m'arrêter. Je me plais à penser que ma mère comprend bien que son petit garçon, après une journée en classe, a besoin plus que quiconque de dépenser toute cette énergie retenue, assis sur un banc d'école.

Mais aujourd'hui, c'est différent. Aujourd'hui, c'est le début de mes vacances d'été. Fini la peur de me faire harceler par maman. Je n'ai plus besoin de prendre la poudre d'escampette ou de me déguiser en courant d'air : je peux aller et venir à ma guise dans la maison, entre le frigo et le garde-manger, ou encore entre la porte d'entrée et l'extérieur de la maison. Je n'ai plus à craindre les gentilles menaces maternelles.

Mon esprit est encore assez bien programmé pour vivre le moment présent. Mais, de plus en plus, il me permet d'aller dans le futur. Je n'envisage que des jours de bonheur pour les prochaines semaines, et même les prochains mois. Après cette première année en classe, je comprends pour la première fois de ma vie la signification du mot *vacances* et je m'en réjouis. Parmi toutes ces journées où j'ai rendez-vous avec le bonheur, l'une m'enthousiasme plus que les autres : la journée du 3 juillet.

Dans neuf jours exactement, j'irai avec papa, maman et Erin assister aux feux d'artifice de ma ville. D'aussi loin que je me souvienne, j'ai toujours été fasciné par les feux d'artifice. Ce n'est pas leurs couleurs qui m'épatent, ni leurs formes originales. Ce qui me fascine, c'est la hauteur à laquelle ces feux peuvent monter dans le ciel et la vitesse à laquelle ils disparaissent. Comme si leur seule mission était de toucher les étoiles et de s'éteindre tout de suite après. Comme si ces étincelles devaient payer de leur vie le privilège ultime d'embrasser une étoile. Chaque nuit, depuis que papa m'a dit qu'il m'emmènera voir les feux d'artifice, je ferme les yeux et je me vois projeté dans les airs parmi les étoiles, d'où j'entends les applaudissements des spectateurs. Je suis un super héros ; je vole dans le ciel et je touche ces astres. Demain sera la plus longue journée de ma vie, car le seul désavantage d'un feu d'artifice, c'est qu'il doit venir en toute fin de journée, et chez un enfant de six ans comme moi, la patience n'est pas encore acquise.

* * * *

En ouvrant les yeux ce matin, je ne suis pas dans l'état que j'avais imaginé hier en m'endormant difficilement. Je suis amorphe, sans énergie aucune, comme si j'avais pendant la nuit changé de corps avec un vieillard.

En sortant de mon lit, je ne me sens vraiment pas bien. Je m'efforce de me lever quand même, car je veux être en pleine forme pour les feux de ce soir. Mais en mettant mes pieds par terre, je me rends compte que mes jambes me font extrêmement mal, comme si on avait piétiné mes cuisses. Je décide cependant de ne rien dire à maman, car je ne veux pas manquer de voir ces étincelles toucher aux étoiles. Je n'ai pas faim, ce matin. Maman pense que c'est tout simplement l'excitation de cette journée tant attendue. Mais après seulement quelques minutes, elle comprend que quelque chose ne va pas. Je dois avoir le visage blême et les yeux moins pétillants que d'habitude, car ma mère se met à s'agiter dans la maison. Elle, qui est toujours d'un calme légendaire... Cela m'étonne ! Voilà que du salon, je l'entends parler à notre médecin de famille ; je sais donc qu'on ira le consulter cet après-midi. D'habitude, je déteste aller à la clinique, mais cette fois-ci, j'en suis heureux. Vite ! Du sirop, et je serai remis sur pied pour cette soirée tant attendue.

Maman m'enroule dans une couverture et soulève tendrement ma tête comme elle seule sait le faire, pour la déposer tout doucement sur un coussin. Elle allume le téléviseur et je regarde mes dessins animés. Une pensée me traverse l'esprit : « Pas de danger que je tombe malade une journée d'école ! Il fallait que ce soit en été et en plus un 3 juillet ! »

Quelques heures plus tard, je me transporte tant bien que mal jusqu'à la voiture. Je ne comprends pas d'où me vient cette douleur. Est-ce que j'ai trop couru hier ? Peu importe ! Le docteur me donnera du sirop et tout ira comme avant.

* * * *

C'est à partir d'ici que mon histoire devient plus confuse. Une minute après être entré dans le cabinet, le docteur me demande de me dévêtir pour examiner mon corps en entier. Et c'est là qu'il aperçoit des taches rougeâtres sur mes pectoraux et mon ventre. Aussitôt, je le vois s'agiter lui aussi. Décidément, les adultes sont stressés, aujourd'hui. En moins de deux, me voilà admis à l'hôpital. Tout me semble aller à la fois rapidement et au ralenti. On me couche sur un lit froid et dur, on me déshabille, on me fait des piqûres. À certains moments, j'entends des sons très aigus et quelques secondes plus tard ils me semblent lointains et faibles. Dans ce dédale de syllabes incongrues, trois mots se fixent dans mon esprit : infection sanguine fatale.

Maman me tient le bras et papa, qui vient d'arriver en vitesse, me flatte les cheveux. Je suis dans un tourbillon étourdissant, mais en même temps, cela me rassure. Je sais que papa et maman sont là, donc il ne peut rien m'arriver de grave. La main de papa cesse soudainement de me caresser les cheveux ; je le vois quitter mon chevet avec tous ces Martiens vêtus de chapeaux étranges et de robes aux couleurs délavées. Ils sont de l'autre côté de la fenêtre, mais je crois voir mon père pleurer. « Papa pleure, maman ? » — Chut ! Ferme les yeux et ne pense à rien, Andrew. Maman est là. » Elle a toujours su m'apaiser. Pendant ce temps, les médecins reviennent avec papa pour annoncer les nouvelles à maman. Elles ne sont pas bonnes du tout. Mon corps réagit terriblement mal à l'infection. Ce qui habituellement met des heures à se développer ne prend que quelques minutes, dans mon cas. Ma mère demande alors aux médecins : « Mon petit garçon ne va pas mourir ? » L'attente de la réponse doit être terrible à vivre pour une maman. « Préparez-vous à cette éventualité. » répondent-ils.

Maman colle sa joue contre la mienne et me dit, en sanglotant : « Tu es très malade, Andrew, mais les médecins vont te guérir. On va te donner du bon sirop. Celui que tu voulais tant. Maintenant, repose-toi. » Mes parents quittent ma chambre, mais quelques secondes plus tard, les voilà qui reviennent en me donnant plein de bisous et en me disant qu'ils m'aiment gros. « Ça va, je vais bien me reposer, c'est pas comme si c'était la dernière fois qu'on allait se voir, quand même ! Vous allez aux feux d'artifice sans moi ? » « Non, mon amour, on reste ici tout près, tout près... »

Et c'est alors que je m'endors.

À mon réveil, je constate que la chambre où on m'a déposé est remplie de photos de moi.

Je reconnais soudainement la voix de ma mère qui murmure sans arrêt : « Mon Dieu, faites que mon enfant vive, faites que mon enfant vive ! » Je soulève péniblement ma tête et j'aperçois maman qui tente de bander mes pieds. Ils sont devenus tout bleus. Mon regard croise celui de maman et pas un son ne sort de ma bouche, que des larmes lourdes et lentes qui accompagnent celles de ma mère.

* * * *

Je me réveille d'un très profond sommeil. Je ne sais plus où je suis. Ah ! oui, à l'hôpital ! Maman est là, le sourire aux lèvres, sa main sur mon front. « Andrew, maman va maintenant t'expliquer ce qui s'est passé ! Écoute-moi bien. Tes jambes étaient très malades et on a dû les enlever. Si j'avais pu te donner les miennes à la place, je l'aurais fait, mon chéri. Mais on va t'en remettre des neuves dans quelques semaines. » De toute ma vie d'enfant, je n'ai jamais autant pleuré. Mes mains parcourent aussitôt mon corps et arrivées aux genoux... plus rien, le vide, de l'air. Mes doigts touchent un matelas chaud et douillet. Je ne veux pas regarder, mais maman tire lentement, très lentement la couverture avec un visage tellement triste que j'ai peine à la reconnaître. Elle s'approche tout près de moi et me dit à l'oreille, avec sa voix si réconfortante : « Tu vas en avoir de belles neuves, mon chéri. »

* * * *

Les semaines qui suivent sont pénibles pour moi. On dirait que je me dissocie de mon corps. Cette enveloppe n'est plus à moi. Je ne veux plus de ce reste de corps. La nuit, je fais toujours le même rêve. Je cours, je cours sans arrêt jusqu'à ce que je me mette à voler et, soudainement, mes genoux cassent et laissent derrière moi des morceaux de chair molle, de la chair bleue.

Je ne parle plus à personne depuis des jours. Je suis content quand mes amis viennent me rendre visite à l'hôpital, mais je ne le leur montre pas. Je suis en colère. Et je veux qu'ils le sachent, tous !

* * * *

Pour mes amis, c'est la rentrée des classes aujourd'hui et pour moi, c'est le retour à la maison. Bien que je n'aime pas du tout l'hôpital, j'ai peur de le quitter. J'appréhende l'instant où je vais franchir le seuil de la porte dans les bras de papa. Mon cœur devient gros à la seule pensée que bientôt, je serai installé devant la fenêtre, pratiquement immobile, à regarder mes amis jouer au hockey. Et si je ne retrouvais plus jamais cette liberté que j'aime tant ? Si je ne ressentais plus jamais ce coup de vent qui met mes cheveux en bataille tellement je sors vite de la maison ? Si je n'entendais plus jamais cette porte que je fais claquer si fort et qui me rend invincible ? En plus de perdre tout ça, je serai maintenant obligé de faire mes devoirs en rentrant de l'école. À moins que mes nouvelles jambes me permettent à nouveau de courir plus vite que les paroles de maman. À moins que je décide que plus rien ni personne ne pourra m'empêcher d'être libre. À moins que je devienne le super héros dont j'ai toujours rêvé ! Et que mes jambes soient munies d'un pouvoir dont moi seul connaîtrais les vertus. Et que mon esprit ait le pouvoir de changer ma vision des choses.

* * * *

Papa me dépose sur le siège avant de la voiture. Pendant qu'il m'attache, je le vois par le rétroviseur essuyer ses larmes. Il ouvre sa portière et, en me voyant assis à côté de lui, il éclate en sanglots. « Je ne pleure pas de pitié, mon fils. Au contraire, je pleure parce que je suis tellement fier de toi ! Je n'aurais jamais pensé avoir reçu de la vie un enfant aussi fort et aussi beau. — Attends de voir quand j'aurai mes nouvelles jambes, papa, je vais être un super héros. »

Après deux longs mois passés à attendre, je rentre enfin à la maison. Ça sent bon, chez nous ! Je ne m'étais jamais rendu compte à quel point ma maison est parfumée, à quel point ma chambre est grande et sereine. On dirait qu'en m'enlevant mes jambes, le médecin m'a arraché du même coup, sans que je m'en aperçoive vraiment, un peu de mes cinq sens. Mais ce matin, ils réapparaissent les uns après les autres. Ça me rend joyeux. Je n'aurais pas cru que l'odeur de ma maison puisse m'euphoriser à ce point. Je crois que j'ai changé. Oui, j'ai changé.

* * * *

Une autre journée importante. Je les collectionne, semble-t-il, depuis quelques mois. Je reçois mes nouvelles jambes aujourd'hui. On m'a bien averti : ça prendra beaucoup de temps avant que je puisse marcher. Mais ça m'importe peu : maintenant, je suis patient ! Mon cœur bat à 100 à l'heure. Ce n'est pas un nouveau jeu vidéo que je vais recevoir, ni l'équipement de hockey dernier cri, mais bien mes nouvelles jambes. Celles qui me redonneront ma liberté. Je vais redevenir Andrew. Je sais que mes nouvelles jambes n'ont pas mon âge. Je veux prendre soin d'elles et leur laisser le temps de vieillir. Onze ans, c'est pas mal vieux, mais je suis un bon entraîneur et elles vont faire tout ce que je leur demanderai très bientôt.

* * * *

En moins d'un mois, je marche tout seul et je n'ai plus besoin de me rendre à l'hôpital. Fini les sessions intensives, les sueurs, les moments de découragement ! Deux mois plus tard, je marche exactement de la même façon que le 2 juillet 1997.

Je regarde ma montre, tout content. Il est 15 h 45 précises. J'entre en coup de vent dans la maison et je crie à maman : « Je n'irai pas loin, maman ! Juste devant, dans la rue. Je m'en vais jouer au hockey ! » Mais cette fois-ci, je ne claque pas la porte. Je sais trop bien que maman est là et j'attends sa réaction. J'aperçois soudain son visage tout souriant et ses yeux qui se remplissent de larmes. Les miens aussi, d'ailleurs. Elle vient me serrer dans ses bras et je sais qu'elle est fière de moi.

« Promets-moi une chose, me dit-elle. Crie-moi cette phrase tous les jours à partir de maintenant et tant que tu en auras envie. Si tu savais, Andrew, à quel point ça me fait du bien et ça me rend fière de toi !

— Avec plaisir, maman, à condition que tu me dises encore : "Viens faire tes devoirs avant d'aller dehors, Andrew !" »

* * * *

Aujourd'hui, nous sommes le 3 juillet. J'ai maintenant
17 ans, et je suis redevenu impatient comme à l'âge de cinq
ans. Je me suis réveillé à 6 heures, ce matin. Je ne m'endors
plus. J'ai tellement hâte de vivre la soirée qui m'attend.

J'entre dans le hall de cet hôtel qui m'est parfaitement
étranger. Des papillons s'agitent dans mon estomac ou dans
ma poitrine... je ne sais trop. Nous montons dans l'ascenseur,
Erin, papa, maman et moi, et j'insiste pour appuyer sur le
bouton. Je suis responsable de ce bonheur, de *mon* bonheur.
La nervosité et l'excitation sont palpables, mais un silence
solennel domine. La porte de l'ascenseur s'ouvre : elle est là,
toute belle, toute douce. « Bonsoir, Andrew ! » me dit elle. Eh
oui ! c'est bien vrai, elle est là. J'ai devant moi la plus grande
chanteuse du monde et en plus, elle connaît mon prénom ! J'ai
à mes côtés celle qui détient le secret pour toucher aux étoiles.
Si je n'étais pas si timide, je lui demanderais comment elle
arrive à avoir les pieds si bien ancrés au sol et le cœur si grand
et si haut dans les étoiles.

Elle me serre dans ses bras longuement, chaleureusement.
Comme si elle me comprenait et voulait me transmettre son
précieux secret. Après cette accolade, elle me regarde droit dans
les yeux avec une profondeur qui me fait penser au regard de
maman posé sur moi, une douceur digne des anges. Et je sais
de quoi je parle. Il y en a quelques-uns qui m'accompagnent,
depuis un certain matin de juillet.

Malgré ma retenue, je choisis de me fondre dans son
regard, je m'efforce de recueillir le maximum de cette bonté
qui émane de ses yeux.

De toute ma vie, je n'ai jamais vu d'aussi beaux feux
d'artifice.

Andrew, ses deux soeurs, maman, papa entourant Céline Dion

La rencontre
avec Céline Dion

Lorsqu'elle a rencontré Andrew, Céline Dion a aussitôt semblé sous le charme de ce beau grand garçon de 17 ans. Pendant la séance de photos, Céline Dion s'est amusée à multiplier les remarques enjôleuses envers Andrew, lui attribuant le rôle d'un don Juan. Il se sentait tellement à l'aise aux côtés de Céline que l'adolescent, pourtant timide, s'est surpris à entrer dans le personnage et à prendre des poses plus audacieuses. Mais pas de danger que Céline parte avec son nouveau « boyfriend ». René Angélil avait beau être occupé à son travail dans la pièce adjacente de la suite présidentielle, il veillait tout de même au grain !

avec Joël Legendre

« J'ai toujours secrètement rêvé d'être un auteur. Pendant mes années au pensionnat, j'écrivais une lettre par jour à ma mère. C'était ma façon de me rapprocher d'elle. J'avais découvert l'écriture, ce médium par lequel je me livrais plus profondément que par la parole. Quand on m'a proposé de participer à ce livre, j'ai tout de suite répondu avec enthousiasme. Mais lorsque j'ai appris que les autres participants au projet étaient des auteurs accomplis, j'ai commencé à me dénigrer, à douter de moi, à me sentir comme un imposteur. Moi qui n'avais jamais écrit, à part des lettres à ma mère et quelques textes dans des cours de français ! Que pouvais-je bien écrire ?

J'avais toutefois déjà en main la photo d'Andrew et j'ai senti qu'il était trop tard pour reculer. Je ne pouvais pas l'abandonner.

Sur la photo, Andrew avait 6 ans. Il jouait au hockey, tout souriant. La première chose qui m'avait frappée, c'était à quel point on ne remarquait pas ses jambes artificielles. J'ai ensuite lu son histoire, inspirante de courage et de bravoure. Comme j'ai moi-même un petit garçon qui va avoir 6 ans, ç'a tout de suite été facile d'imaginer ce que ça pouvait être de perdre ses jambes à cet âge.

J'ai mis une journée entière à me demander comment j'allais aborder ce texte qui me faisait peur. J'ai finalement décidé de m'inspirer de ma formation de comédien et donc de me glisser dans la peau d'Andrew. J'ai ainsi interprété son histoire, entre le moment de son hospitalisation jusqu'à sa rencontre avec Céline Dion à Montréal. Les mots me sont alors venus aisément.

En serrant enfin la main d'Andrew, j'avais déjà l'impression de le connaître. Il était d'ailleurs étonné que j'en sache autant sur lui. C'était comme si nous étions destinés à nous rencontrer. Cette impression, je l'avais aussi ressentie il y a près de 6 ans lorsque j'ai vu pour la première fois l'enfant que j'allais adopter.

Je suis très fier d'avoir surmonté mon complexe d'infériorité pour écrire ce texte dédié à Andrew. Une fois de plus dans ma vie, un enfant m'a poussé à dépasser mes limites. Je remercie Andrew de m'avoir aidé à relever à mon tour un grand défi : celui de m'attaquer à un rêve que je caressais depuis toujours. »

Propos de Joël Legendre,
recueillis par Mariève Desjardins

Chapitre 12

LA CHANCE DU DÉBUTANT

L'histoire de Chris Stewart

« Jamais de la vie ! » répondait Debbie, lorsque son fils Chris lui parlait de son désir de s'initier à la course automobile. Parmi les activités « casse-cou » qui effraient les parents, même les moins frileux, la course automobile arrive sans contredit en tête de liste. Debbie a longtemps résisté. Puis, séduite par l'esprit de camaraderie qui régnait parmi les jeunes pilotes et rassurée par les consignes de sécurité bien strictes qu'ils se devaient de respecter, elle a fini par céder. La passion de Chris pour cette activité était manifeste. Il passait des soirées entières à chercher des pièces et retapait sa vieille Mini avec une dextérité étonnante. Ajuster un moteur, changer des pneus, installer un nouveau radiateur : aucune de ces opérations n'avait de secrets pour lui. À présent, installée au chevet de Chris qui est entre la vie et la mort, Debbie se rappelle ces moments avec un mélange d'impuissance, de frustration, de culpabilité et d'espoir. Mais ce qui est surtout très frais à sa mémoire, ce sont les images de l'accident de son fils, survenu quelques jours plus tôt.

À bord de sa Mini rouge 1000 cc, filant à plus de 50 kilomètres à l'heure sur une ligne droite, Chris Stewart, 11 ans, semble en pleine possession de ses moyens. En ce dimanche de septembre, il vient tout juste d'être promu au rang de junior.

Cela n'empêche pas le jeune pilote d'être en tête du peloton, pourchassé par 15 autres bolides cabossés. Assis dans les gradins de cette piste de course du Tongham Motor Club situé près d'Alton, dans le Sud de l'Angleterre, les parents de Chris, John et Debbie Stewart, suivent le mât de la petite voiture rouge. À vive allure, Chris s'apprête à négocier le dernier virage avant d'arriver au puits de ravitaillement. Il a tout juste le temps de réaliser qu'il perd le contrôle de son véhicule et fonce de plein fouet dans une glissière métallique.

La réaction est immédiate : les commissaires agitent les drapeaux rouges pour stopper la course. John Stewart, suivi de près par sa femme, se rue sur le bolide accidenté de son fils, où celui-ci gît, les membres tordus. Un filet de sang coule de sa bouche. Sur sa joue, une seule larme. Deux ambulanciers se pressent sur les lieux. Comme la respiration de Chris est haletante, l'un d'eux soupçonne tout de suite une fracture de la colonne vertébrale. Malgré tous les risques que cela comporte, il faut absolument lui retirer son casque. Ils s'exécutent donc, prenant mille précautions, dont celle, cruciale, d'immobiliser la tête de l'enfant. Le corps de Chris est secoué de convulsions, ce qui complique l'opération. Cette première étape franchie, il faut encore extirper Chris du siège où il est encore assis. Une fois le corps du blessé sanglé sur une civière, il est anesthésié et intubé pour faciliter sa respiration.

Une autre course contre la montre débute. Et celle-là n'a aucunement les allures d'une partie de plaisir. Debbie est montée à bord de l'ambulance qui file en faisant rugir ses sirènes, tandis que John suit, non loin derrière.

Chris est tout de suite transporté dans l'aile des soins intensifs pédiatriques. Le pédiatre de garde, le docteur John Pappachan, vient tout juste de commencer une nouvelle semaine de travail. Ce père de deux enfants ne sait pas encore à quel point elle sera éprouvante. À la vue du jeune patient, il ordonne tout de suite qu'il passe des radiographies plus approfondies du crâne et du cou. Ce qu'il décrypte sur les clichés est loin de le rassurer : les ligaments qui retiennent la base du crâne à la colonne vertébrale sont complètement sectionnés. Détachée des os du cou, la tête ne tient plus que par la peau, les muscles et les tissus mous. Autrement dit, Chris est décapité de l'intérieur, et sa vie ne tient littéralement qu'à un fil. Au moindre mouvement, il risque une mort instantanée, ou une paralysie totale.

Parmi les scénarios qui viennent à l'esprit du docteur Pappachan, peu parlent d'espoir. Il pense à Christopher Reeve, l'acteur qui jouait jadis le rôle de Superman, complètement paralysé par suite d'un accident d'équitation. Sans livrer aux parents de Chris ce scénario catastrophique, il leur explique la gravité de la situation. L'enfant est gardé sous respirateur et sous anesthésie, pour assurer sa totale immobilité. Pendant ce temps, Dr Pappachan contacte celui qu'on surnomme le « Colosse ». Le docteur Evan Davies doit son sobriquet à sa stature imposante et à de nombreuses années passées sur les terrains de rugby. Malgré des mains gigantesques, il est le

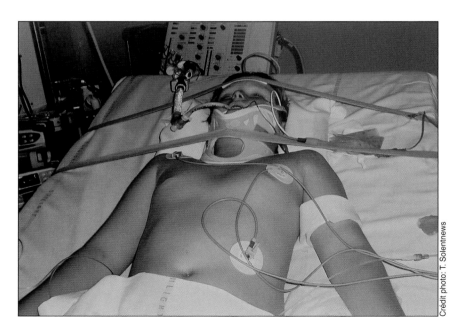

Crédit photo: T. Solentnews

meilleur spécialiste du pays pour les opérations délicates de la moelle épinière.

Lorsqu'il prend connaissance du dossier, Dr Davies a du mal à réprimer sa fascination pour ce cas aussi rare que corsé. Dans sa carrière, il n'a vu une situation semblable qu'une seule fois. Il n'avait pu mener l'opération jusqu'au bout puisque son patient, un adulte, était mort d'une crise cardiaque sur les entrefaites. Après une revue de la littérature médicale sur l'opération requise, il ne déniche qu'un seul article dans lequel il trouve des conseils pour l'intervention. Sur les 16 enfants victimes de ce genre de lésion, huit sont morts sur le coup, trois de complications ; cinq ont survécu, mais un seul s'est complètement rétabli.

Le lendemain matin, John et Debbie Stewart, exténués de n'avoir pas quitté l'hôpital depuis trois jours et pétrifiés par l'inquiétude, attendent de rencontrer le spécialiste qui a entre ses mains la vie de leur fils. Lorsque le « Colosse » apparaît devant eux, leur regard se porte justement sur les mains de géant du spécialiste. Mais le docteur Davies dégage une attitude de confiance, doublée d'un ton désinvolte qui les rassure. Il explique à l'aide de minutieux croquis les détails de la fusion occipito-cervicale qu'il compte réaliser sur Chris. Il s'agit d'une opération visant à rattacher le crâne du garçon à son cou à l'aide de tiges de titane vissées dans ses vertèbres avec du tissu osseux prélevé dans la hanche. Le point névralgique de l'opération, c'est ce long moment durant lequel la moelle épinière est complètement exposée. Une vive angoisse reprend le dessus dans le cœur des parents. John s'informe du pourcentage de chances qu'a Chris de s'en sortir vivant. Le médecin se rembrunit et, après une longue pause, il répond : « Environ 7 %. » Des visions de l'enterrement de leur fils se pressent dans la tête des parents atterrés.

L'après-midi précédant l'opération, la sœur et le frère de Chris, âgés de sept et neuf ans, viennent lui rendre visite à l'hôpital. Le docteur Pappachan prend le temps de leur expliquer l'état de leur frère et les prépare tranquillement à l'éventualité de ne plus le revoir vivant. Les parents de Chris lui font à leur tour leurs adieux avant que la civière ne s'engouffre dans la salle d'opération. Ils déposent un léger baiser sur sa joue.

De l'autre côté de la porte, huit médecins et infirmières sont prêts pour la complexe intervention. Après avoir retourné l'enfant, une étape périlleuse en soi, le docteur Davies procède aux minutieuses manipulations pour insérer les tiges de métal, sur fond d'une musique rock qui, curieusement, l'aide à se concentrer. Plus de six heures plus tard, Chris est ramené à l'unité de soins intensifs, cette fois débarrassé de l'attirail qui servait à le maintenir immobile. Lorsque John et Debbie retrouvent leur fils, le changement est déjà phénoménal. Dès qu'il ouvre les paupières, il reconnaît sa mère, infiniment soulagée de retrouver son fils vivant. On ne sait toutefois pas encore si la chirurgie a endommagé sa moelle épinière. D'une voix douce, le docteur Pappachan lui demande de bouger les membres un à un. Si le côté droit semble indemne, le côté gauche est inerte, et Chris ne peut encore respirer sans l'aide du respirateur.

Au bout de quelques jours, un miracle survient : la main gauche de Chris reprend vie, ainsi que le reste de son corps. Sa respiration se stabilise et on le débarrasse de l'attirail de tubes qui l'empêchait de parler.

Seulement deux semaines après l'accident, Chris quitte son lit d'hôpital. Quelques semaines plus tard, on le voit déjà à la soirée dansante du club de course.

Aujourd'hui, la vie de Chris a repris son cours. De retour à l'école, il excelle dans toutes les matières. L'intégration s'est passée comme un charme, en dépit de l'inquiétude monstre de sa mère, qui est restée postée dans le stationnement de l'école pendant sa première journée. À part une baisse de son endurance physique et une légère défaillance de l'allocution due à sa langue endommagée, il mène la vie normale de tout garçon de 13 ans.

Si l'accident lui a donné une plus grande force de caractère, il lui a aussi permis de développer son sens de l'humour. Le garçon tranquille, qui pouvait passer des heures à réparer ses moteurs, apprécie davantage la compagnie. Quant à sa passion pour la course automobile, rien n'y fait : il rêve encore de devenir le prochain Lewis Hamilton. Mais il connaît évidemment l'avis de sa mère sur ce sujet !

Tiré de « Décapité » par John Dyson.
© The Reader's Digest Association Ltd. ; Reader's Digest
(Angleterre, août 2007), Sélection - Canada, décembre 2007.
Adapté par Mariève Desjardins, les Éditions La Semaine.

UN PETIT SUPERMAN

Un texte de Michel Jasmin,
offert par l'auteur à Chris Stewart.

Tu t'appelles Chris Stewart. J'ai choisi ton histoire. La tienne. Parmi toutes celles que j'ai lues. Je croyais que ce serait facile. Et pourtant! J'ai tellement de mal à trouver les mots! Je me rends compte à quel point je ne sais rien de toi, de ce que tu vis, de qui tu es. Je ne te connais que par l'épreuve, celle que j'imagine que tu as dû traverser, celle que je transpose, car elle me ramène à celle que moi, j'ai vécue...

Et je reviens aux voitures... Certains les utilisent sagement comme moyen de transport, l'important étant alors qu'un véhicule fonctionne, peu importe sa couleur, sa taille, son apparence. D'autres font de leur voiture une sorte de passeport social, le signe de l'accession à un certain standing, à la richesse. D'autres enfin font de la voiture un bolide, car ils ont la passion de la vitesse. J'imagine que toi, petit superman, tu étais l'une de ces personnes. Un fou de la vitesse et du volant! Et même si tu n'étais qu'un enfant, même si ta voiture n'était qu'une boîte à savon faite de planches et de roues de carrosse, il reste que comme je te vois, Chris Stewart, tu es l'un de ces garçons qui veulent aller toujours plus vite lorsqu'ils prennent le volant. Et je te comprends. Tu n'es pas seul à aimer la vitesse, à désirer te griser d'inconscience.

Comme toi, je ne savais pas à quel point l'automobile, comme bien d'autres choses utiles, pouvait devenir extrêmement dangereuse. Quand on conduit, on ne veut pas penser aux risques que l'on court. Les dangers sont toujours pour les autres. Le petit superman ne devait même pas se douter de ce qu'il risquait, lorsqu'il compétitionnait avec tant de plaisir sur la piste en hurlant de joie avec ses copains.

En lisant ton histoire, Chris, je t'imaginais, criant et riant, pensant déjà au trophée que tu gagnerais en allant plus vite que tous les autres. Quand on est au volant de sa vie, il faut regarder au loin. C'est une règle que je me suis donnée et que j'ai toujours suivie. Pas d'apitoiement. Quel que soit l'obstacle, y faire face. Seul.

Comme toi, Chris, j'ai subi un terrible accident d'automobile. La rumeur veut que ce soit moi qui étais au volant ce soir-là. La vérité, c'est que je dormais bien tranquille aux côtés du chauffeur, mon compagnon de l'époque qui savait à peine conduire. J'ai vécu le *black-out* de l'accident. Puis le réveil... L'autre qui ouvre la portière, dévasté d'avoir démoli ma voiture tandis que moi, je suis à des lieues de me préoccuper de toute cette ferraille. Je sens, très clairement, que mes jambes ne répondent plus. Quelque chose ne va pas.

À ce moment-là de grande prise de conscience, je suis très seul. L'angoisse m'envahit. Comment cela a-t-il pu arriver ? Je ne parviens plus à bouger. Je suis face à moi-même. Il n'y a personne d'autre que moi et ce sale coup que je viens de prendre. J'imagine que toi aussi, Chris, tu as connu cette solitude. Ce face-à-face avec tes propres forces, cet instant crucial où l'on prend la décision que, quoi qu'il advienne, quoi que les autres disent ou pensent, quelles que soient les statistiques, on décide qu'on va s'en sortir.

Il faut combattre les questions qui nous assaillent. Pourquoi cela m'arrive-t-il à moi ? Pourquoi ai-je fait cela précisément ce soir-là ? Pourquoi ai-je pris cette décision de partir en voiture ? Il n'y a que le silence pour nous répondre. L'immense silence...

Et toi, petit Superman, t'es-tu demandé aussi ce que tu aurais pu éviter. Même si tu n'étais que dans ce qui ressemblait à une caisse à savon, même si on disait que la course était sans danger, même si tout le monde était plein d'assurance, il n'a fallu que quelques secondes pour que tu perdes le contrôle. Totalement, complètement. Pourquoi ? Te l'es-tu demandé ?

Ton destin t'a glissé des mains, et alors, les secondes ont été suspendues. Tu as vu, au ralenti, la barre de fer arriver. Lentement. Tu aurais voulu tourner le volant, changer de direction, réagir. Tu n'en a pas eu le temps. Et tu savais que quelque chose d'incroyable, d'irrémédiable allait t'arriver. Tu pressentais que ta vie ne serait plus jamais la même.

Ah oui... j'imagine facilement ces instants où toute ton existence a basculé.

La voiture s'est arrêtée d'elle-même. Silence total. Le temps aussi s'arrête... Tu n'entends plus la foule, tu n'entends rien. Tu es là et pourtant, tu es ailleurs. Tu as plongé en toi-même, en ta résilience, petit superman que tu es !

Décapité ! Le mot est terrible. La tête n'est plus attachée à ton corps. D'un enfant solide, heureux et jovial, tu es devenu, Chris Stewart, un être excessivement fragile, que le simple fait de bouger peut tuer.

Le petit superman souffre du même mal que son père, Christopher Reeve. Il est paralysé. Condamné à l'immobilité. Pire encore, s'il bouge, c'est la mort qui l'attend.

Comment s'en sortir quand on a si peu de moyens ? T'es-tu posé cette question-là, toi, le fils de Superman ?

Je sais ce que c'est que de se relever quand plus personne ne croit en tes chances. Ma propre mère, je me souviens, avait abdiqué. Elle avait accepté l'idée que je ne me relèverais plus jamais. Que je devrais, jusqu'à la fin de mes jours, me déplacer en roulant, couché sur une civière. Vivre de dépendance. J'ai dû me mettre en colère, me battre pour faire valoir mon droit à la dignité, au combat, au respect. J'ai réclamé des soins.

La colère a du bon. Elle m'a donné ce qu'il faut pour refuser de me soumettre à mon sort. Pour me remettre debout, même si mes jambes ne répondaient plus...

Je ne veux pas qu'on me parle de courage parce que trop souvent, il est synonyme d'apitoiement. J'accepte qu'on me parle de volonté de guérir, de concentration sur cette force en soi. Je veux bien qu'on prononce le mot *résilience* en parlant de moi. Je suis un battant, je l'admets, mais du bout des lèvres, car le combat n'est jamais fini. Disons que je sais monopoliser les forces en moi. Là réside ma plus grande ressource.

À l'hôpital, je ne crains pas la solitude, bien au contraire, je suis là pour être seul et pour concentrer toutes mes énergies sur ma guérison. C'est mon secret. Je demande qu'on change mon nom, pour disparaître de la circulation, le temps que je me reconstruise. Je peux passer bien du temps face à face avec moi-même. Ça ne m'effraie pas.

Le petit superman a peut-être dû lui aussi fusionner toutes ses pensées, tous ses espoirs sur cette image de lui à nouveau actif... J'ignore comment lui aussi a traversé du côté de l'espoir. Je ne sais pas où il a trouvé ce qu'il faut pour combattre et se relever. Mais le fait qu'il soit là, et qu'il mène une vie normale, prouve qu'il a réussi. Et je suis extrêmement et sincèrement heureux pour lui.

Chris Stewart... Tant de choses se sont conjuguées pour que tu restes vivant. On a réussi à te déplacer sans que tu bouges. En soi, c'est un exploit. Et puis, cette opération incroyable que tu as dû subir !

Le petit superman s'est fait visser des barres de fer pour permettre à sa tête de tenir sur son corps. L'opération, extrêmement délicate, a fonctionné. Du jamais-vu ! Il est certain que les progrès de la science permettent aujourd'hui aux gens de survivre à des situations autrefois mortelles, que la science et la médecine offrent des moyens que l'on n'a pas toujours eus.

Mais je demeure convaincu qu'au-delà de la technologie, il y a l'homme. Le médecin, celui qui est capable d'énoncer franchement les faits, aussi terribles soient-ils. Celui qui ne cache rien, qui est prêt à vous accorder une chance. Malgré la petitesse de l'espoir. Lorsque j'ai bougé à nouveau un muscle, pour la première fois après mon accident et des mois de convalescence, il a fallu qu'un praticien y croie pour me permettre de faire basculer ma vie du côté de la bonne fortune, d'y croire assez pour persévérer. Il a fallu le geste positif d'un être humain envers un autre. Une seule personne, quelque part, pour me dire :

« Oui, c'est vrai, quelque chose a bougé. »

Ces quelques mots, prononcés avec franchise, m'ont permis de m'accrocher. Ils m'ont donné de l'espoir. J'ai mis toute ma volonté à progresser, à faire de mon mieux pour que chaque jour, mon état s'améliore.

Après un accident grave, il y a un deuil à faire. Accepter... le maître mot ! Accepter qu'il s'est passé quelque chose d'irrémédiable, que notre vie ne sera plus la même, que nos combats doivent changer. Il faut mener la bataille avec un nouveau soi. Repartir avec ce que l'on est. Faire le deuil de ce que l'on a été.

L'avenir peut nous révéler des tournants insoupçonnés. Je ne travaillais pas pour la télévision, avant mon accident. Les gens croient que oui. Mais ils se trompent. C'est seulement après que j'ai fait ma place comme animateur à la télé...

Comme toi, Chris, j'ai dû réapprendre à vivre. Me faire confiance à nouveau. Affronter le quotidien avec un corps qui m'était souvent étranger. Reprendre confiance en l'existence. Retrouver le goût d'être avec les autres.

Je ne sais pas du tout quel trajet tu as dû parcourir pour revenir à une existence acceptable. J'avais vingt-huit ans lorsque ma vie a basculé. Toi, tu n'étais qu'un enfant, et j'ignore ce que tu t'es dit, si tu as réfléchi ou si tu as dû faire des efforts de volonté pour te remettre en marche. Il reste que ton histoire me secoue et me bouleverse profondément. Elle remue en moi quantité d'émotions.

Le petit superman est un miraculé. Que tu sois sorti de ton accident quasiment indemne relève presque de la fiction. Mais ce sont des histoires comme la tienne qui donnent à d'autres la chance d'y croire. Aux médecins comme aux patients, le message que ton histoire envoie est clair : il arrive parfois que l'impossible se produise, que ce qu'on peut à peine concevoir, tellement c'est improbable, ait lieu malgré tout et fasse mentir les statistiques !

Aujourd'hui, le petit superman marche, court et joue normalement. J'ignore totalement ce qu'il pense de la vie en général, de ce qui lui est arrivé. Je me sens néanmoins proche de lui. Parce que je suis là, moi aussi, debout à ma manière et content de ce que j'ai fait, et que je suis capable d'être seul autant que d'être avec les autres et de croire encore qu'en chacun de nous se cache... un superman !

La rencontre
avec Céline Dion

Chris n'était pas nerveux de rencontrer la chanteuse, mais sa mère, Debbie, l'était pour deux. Elle était donc un peu figée lorsque Céline Dion est arrivée pour témoigner toute son admiration envers ce jeune survivant d'une histoire bien réelle, qui lui faisait pourtant l'effet d'être tout droit sortie d'un film hollywoodien.

D'un regard rieur, Debbie a assisté à la session photo durant laquelle Céline Dion s'amusait en tentant d'imiter les mimiques cool des ados. Dégourdie par la simplicité de la chanteuse, Debbie a même rejoint Chris et Céline devant l'objectif pour une photo de famille loufoque... et vraiment cool !

avec Michel Jasmin

Je te remercie, Chris, de m'avoir permis de faire deux rencontres bouleversantes : la tienne d'abord, et puis, celle de monsieur Jasmin, un homme sensible et touchant.

J'imagine ta déception de n'avoir pu connaître l'auteur de ton histoire. Je t'assure que ce rendez-vous a eu lieu quelque part dans le monde des pensées, car monsieur Jasmin, pour écrire, m'a posé mille et une questions sur toi. Il aurait voulu te voir, te parler. Il n'a pas pu le faire. Ce sera pour une prochaine fois !

Dominique Drouin

Tinashe et Tinotenda devaient quitter le Zimbabwe pour venir à Montréal. Jusqu'à la toute dernière minute, nous avons cru que cela serait possible. Malheureusement, il a fallu y renoncer. Cela faisait partie des risques de l'aventure.

Chapitre 13

SI LOIN, SI PROCHE

L'histoire de Tinashe et de Tinotenda Mufuka

La distance entre l'hôpital Sick Kids de Toronto et le Howard Hospital de Chiweshe, à 80 kilomètres au nord de la capitale du Zimbabwe, ne se mesure pas uniquement par les 13 029 kilomètres qui séparent ces deux établissements. L'un de ces hôpitaux jouit d'un budget annuel de plus de 337 millions de dollars, ce qui lui permet de s'équiper d'un matériel à la fine pointe de la technologie et de financer des recherches et des soins pédiatriques d'avant-garde. L'autre, on s'en doute, est à cent lieux du confort occidental. Au cœur du modeste regroupement de bâtiments qui tient lieu d'hôpital, les problèmes d'approvisionnement en matériel médical et en médicaments sont monnaie courante. Sans compter tous les problèmes auxquels le pays entier fait face : une situation politique instable, une inflation galopante, une pandémie de sida, un climat imprévisible qui entraîne tour à tour inondations et sécheresses... Tous ces facteurs, dont la liste pourrait s'allonger encore longtemps, rendent encore plus précaire la santé d'une population, dont l'espérance de vie compte parmi les plus faibles au monde. Malgré tout cela, l'hôpital reste un symbole d'espoir. On ne fait pas qu'y croire, aux miracles : on mise sur eux.

C'est du moins ce que répète le docteur Paul Thistle, un médecin dont le parcours professionnel fait le pont entre ces deux mondes diamétralement opposés. Né à Toronto, il a étudié l'obstétrique et la gynécologie à l'Université de Toronto. Depuis 1995, ce spécialiste d'une quarantaine d'années travaille au Howard Hospital de Chiweshe, un hôpital qui rendrait sans doute fou n'importe quel médecin canadien normalement constitué. Le nombre moyen de patients qu'il voit défiler chaque jour s'élève à 150! Le territoire couvert par cet hôpital, qui n'a pas de service d'ambulance, compte quelque 250 000 fermiers et mineurs. Il arrive souvent que les patients du docteur Thistle doivent marcher pour aller chercher des soins. On ne se rend donc jamais au Howard Hospital pour un simple examen de routine.

Pourquoi ce spécialiste travaille-t-il là, alors qu'il pourrait jouir d'une existence beaucoup plus paisible? Il y a, bien sûr, une graine de missionnaire chez le docteur Thistle. Mais Chiweshe, c'est aussi chez lui. Il y a rencontré celle qui est maintenant la mère de ses deux enfants, tous deux nés entre les murs de cet hôpital qui n'est heureusement pas que le théâtre de drames...

C'est dans cet hôpital, devant ce médecin humaniste, qu'Elizabeth Mufuka se présente, en juillet 2004. Le ventre rebondi de la jeune femme, particulièrement volumineux pour ses sept mois de grossesse, met la puce à l'oreille de la sage-femme qui l'accueille. La patiente fait montre d'un calme sidérant. Habituée au dur labeur des champs, Elizabeth tolère la douleur sans peine. Un coup d'œil à l'échographie le confirme: elle porte en elle des siamois. Or, selon les statistiques, la moitié des siamois sont mort-nés. Et seulement un sur trois réussit à vivre plus de quelques jours...

Ce n'est que la deuxième fois que le docteur Thistle voit un cas de jumeaux conjoints. Extrêmement rares, ces cas se détectent facilement par échographie dans les pays développés. La première fois, les bébés, attachés par le cœur et la poitrine, nés prématurément d'une mère séropositive, ne s'en étaient pas tirés vivants. Inutile de préciser qu'en rencontrant

Elizabeth Mufaka ce jour-là, le médecin est hanté par ces mauvais souvenirs. Au lieu d'expliquer à la jeune mère la précarité de la situation, il se contente de l'avertir que son accouchement se déroulera par césarienne. Une fois de plus dans sa carrière de médecin, le docteur Thistle espère secrètement un miracle.

Une première bonne nouvelle arrive deux semaines plus tard : une jeune médecin au tempérament volontaire vient prêter main-forte au docteur Thistle pour une période de trois mois. Rachel Spitzer est une obstétricienne et gynécologue en résidence qui se réjouit déjà de travailler aux côtés de Paul Thistle, dont elle n'a entendu que du bien. Elle reçoit Elizabeth Mufaka pour son rendez-vous hebdomadaire. Elle est étonnée par le stoïcisme de la jeune femme, qui, malgré des contractions intenses, ne bronche pas. Selon les examens, ce n'est qu'une question de minutes avant que l'on doive procéder à l'accouchement.

Sans plus attendre, le docteur Thistle rassemble son équipe. Dix minutes plus tard, les jumeaux Tinashe et Tinotenda poussent leurs premiers cris. Si l'accouchement est des plus facile, la question sur l'avenir des siamois l'est beaucoup moins... Aucun hôpital en Afrique ne dispose des ressources nécessaires pour séparer des siamois, une opération essentielle pour donner toutes les chances de survie aux enfants.

Après quelques moments de réflexion, les deux spécialistes conviennent de faire appel à leur alma mater, l'hôpital Sick Kids de Toronto, qui a développé une expertise dans les chirurgies de séparation des siamois. Au cours des dernières années, l'établissement a connu quelques succès fortement médiatisés. Deux semaines après la naissance de Tinashe et Tinotenda, Rachel Spitzer envoie des radiographies à Toronto, où une équipe de spécialistes évalue la possibilité d'une chirurgie. Les images leur révèlent que les bébés, reliés par l'abdomen, partagent le même foie, mais que chacun dispose

de tous les organes nécessaires à sa survie. Toutefois, sans la chirurgie de
séparation, ils s'éteindront
prématurément.

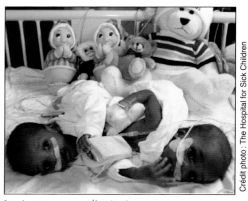

Au bout de ses trois
mois de résidence au
Zimbabwe, Rachel Spitzer
est de retour à Toronto, où
elle s'embarque dans l'or-

Les jumeaux avant l'opération...

ganisation du séjour des jumeaux. Heureusement, l'hôpital
torontois et s'associé au Herbie Fund, qui finance la coûteuse
opération de séparation, évaluée à 200 000 dollars, ainsi que les
frais de déplacement et d'hébergement pour Elizabeth, ses
rejetons de sept mois, et Grace Chirinda, une sage-femme qui
servira d'interprète pour la mère. Le 2 décembre 2004, la petite
délégation arrive à Toronto après 18 heures de vol, et voit la
neige pour la première fois de sa vie.

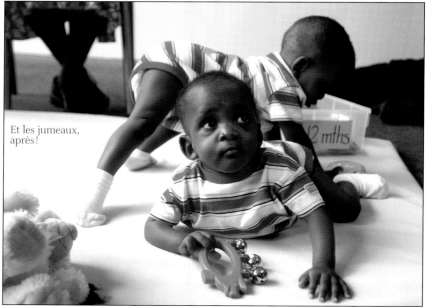

Et les jumeaux,
après !

Comme les bébés ont souffert de malnutrition pendant leurs premiers mois, on doit d'abord subvenir à leurs besoins primaires pour s'assurer qu'ils soient assez robustes et vigoureux pour subir une longue opération. Deux mois plus tard, en mars 2005, une équipe médicale formée de 25 personnes, dont deux chirurgiens plasticiens, deux anesthésistes et huit infirmières, se met enfin en place pour la chirurgie. Tout se déroule comme prévu et cinq heures plus tard, les bébés se retrouvent dans des lits séparés pour la première fois de leur vie.

Un mois plus tard, Elizabeth rentre fièrement en Afrique pour le premier anniversaire de Tinashe et Tinotenda qui, cette fois, sont bel et bien deux personnes distinctes. La vie reprend rapidement son cours dans le village de la famille Mufuka, un simple amas de huttes regroupées le long d'une route de terre qui n'apparaît sur aucune carte. Elizabeth y élève ses enfants avec l'aide de la famille élargie et a repris son travail dans les champs. Depuis son voyage au Canada, elle peut aussi compter sur l'aide de Grace Chirinda, la sage-femme qui l'avait accompagnée. Celle-ci était de service à la maternité du Howard Hospital lorsque les garçons sont nés. Elle était aussi là lors de leur deuxième naissance, à Toronto. Elle fait maintenant partie de la famille.

Aujourd'hui, mis à part les cicatrices encore visibles sur le ventre des deux jumeaux, il ne reste plus aucune trace de la fusion. De temps à autre, Elizabeth et sa belle-sœur prennent Tinashe et Tinotenda sur leur dos et parcourent les quatre kilomètres qui les séparent de l'hôpital Howard, où les garçons rencontrent Dr Thistle, leur « chiremba » (médecin de famille), celui qui, encore une fois, a eu raison de croire à un miracle. Au moment de l'opération, la survie de Tinashe et de Tinotenda dépendait d'une équipe de chirurgiens canadiens chevronnés et de technologies médicales d'avant-garde. Douze mois plus tard, leur sort dépend surtout de la capacité d'Elizabeth et de sa famille de tirer leur épingle du jeu, dans un pays où les obstacles à la vie sont nombreux. Heureusement, les deux frères peuvent compter l'un sur l'autre.

Tiré de « From Zimbabwe to Sick Kids », par Krista Foss,
Périodiques Reader's Digest Canada Limitée;
Sélection, janvier 2006 ©. Universiy of Toronto Magazine
(été 2005), 21 King's College Circle, Toronto, Ontario, M5S 3J3
Adapté par Mariève Desjardins, les Éditions La Semaine.
à partir d'un texte de Krista Foss.

LUDO ET REAH

Un texte de Sylvie Payette,
offert par l'auteure à Tinashe et Tinotenda.

Ils ont appris l'été dernier que l'événement se produirait en novembre.

Ludo avait prié tous les soirs pour qu'un élément nouveau vienne modifier la situation. Reah, après avoir beaucoup pleuré, avait choisi de ne plus y penser. Pourtant, le jour était arrivé où Ludo et Reah, les plus grands amis du monde, allaient être séparés.

C'était une journée d'école comme les autres, mais les élèves étaient un peu plus turbulents, parce qu'ils attendaient impatiemment le moment où tout le monde serait invité à sortir dans la cour pour fêter le départ de Ludo. Reah se demandait bien ce qu'il y avait à célébrer. Personne ne semblait réaliser qu'il allait être séparé de son meilleur ami, son « presque frère », pour la vie. Qui pouvait avoir envie de s'amuser aujourd'hui ?

Les mères de Ludo et de Reah étaient voisines et avaient accouché le même jour, ce qui avait uni leurs enfants par une amitié profonde dès les premières secondes de leur vie. Depuis toujours, ils faisaient tout ensemble : les travaux, les corvées, leurs devoirs... Tout ! Reah ne pouvait pas imaginer la vie sans son ami.

Perdu dans ses pensées, Reah n'entendit pas son maître, qui lui posait une question.

— Reah ? Tu m'entends ? avait demandé l'enseignant de sa voix douce.

Monsieur Lestude était adoré de tous parce qu'il gardait toujours cette voix chaude et calme, même quand les élèves le contrariaient.

Reah réagit aux rires de ses camarades, qui s'amusaient de le voir aussi distrait.

— Reah, je disais à la classe que cette journée devait être difficile pour toi et pour Ludo.

— Oui Monsieur, répondit Reah tristement.

Ludo avait baissé la tête. Il comprenait la peine de son copain, mais lui, il n'arrivait pas à être aussi malheureux. Pas parce qu'il ne s'ennuierait pas de son meilleur ami, mais parce qu'il était heureux que sa mère ait enfin réussi à décrocher un emploi en ville ; mais pour cela, ils devaient déménager. Tous les membres de la famille allaient quitter le village où ils étaient nés. Grand'man, qui n'était jamais allée plus loin que la source près de la colline, et l'oncle Lyle, qui était né avec un sourire qui ne s'effaçait jamais et qui se déplaçait gaiement sur sa chaise à roulettes. Une nouvelle vie, plus facile, s'offrait à eux. Ludo était donc déchiré entre l'excitation de commencer cette nouvelle aventure et la peine de ne plus voir son ami tous les jours.

— Ludo, toute la classe t'a préparé une fête. Pour te souhaiter bonne chance et surtout, pour que tu ne nous oublies pas, expliqua le maître.

— Je ne vous oublierai jamais, affirma Ludo.

— Je l'espère. Je vous invite à sortir, maintenant.

Monsieur Lestude n'avait pas sitôt terminé sa phrase qu'on entendait déjà le brouhaha des chaises des élèves qui se précipitaient dans la cour, où les attendait une table dressée sous l'auvent et sur laquelle il y avait toutes sortes de jus et de fruits. Reah fut le dernier à sortir. Il traînait un peu comme si, en prenant son temps, il allait retarder le moment du départ.

Dehors, la cour était décorée de rubans multicolores. Les élèves avaient ramassé tout ce qu'ils avaient trouvé à suspendre : des cannettes vides, des bouchons, des bouts de vieux tissus, des coquilles de noix... Dans le vent, tous ces objets faisaient une musique étrange.

Monsieur Lestude invita les élèves à s'asseoir autour de lui, à l'ombre du grand arbre. Une nouvelle fébrilité régnait : quand on était invité à s'asseoir autour de lui, c'était qu'il allait raconter une de ces fameuses histoires dont il était le seul à détenir le secret.

— Je vais vous révéler un secret que mon grand-père avait appris de son grand-père qui, lui-même, le tenait d'un grand savant qui était présent lors des événements dont je vais vous parler.

Reah s'assit près de son ami Ludo, qui s'était installé au centre du groupe, juste devant l'enseignant.

— Est-ce que quelqu'un sait comment le soleil et la lune sont nés ? demanda Monsieur Lestude.

Zoé leva la main, attirant l'attention sur elle.

— Moi, Monsieur ! Moi, moi, moi, cria-t-elle.

— Nous t'écoutons, Zoé.

— Eh bien, l'histoire que je sais de ma grand-mère, c'est plutôt que... eh bien, c'est là où le soleil passe ses nuits, dit Zoé.

— Eh bien, explique-nous ça, demanda l'enseignant.

— Voilà... C'est qu'il y a des girafes qui jouent avec le soleil. La nuit, les girafes du bout du monde se lancent l'astre comme un ballon jusqu'à ce que l'une d'entre elles réussisse à l'envoyer assez haut et assez fort pour qu'il reparte de l'autre côté de la terre et là, une équipe d'autruches...

Elle s'arrêta net, parce que tout le monde riait de bon cœur. Il faut dire que Zoé était la plus jeune de l'école et racontait souvent des histoires amusantes.

— C'est ce que ma grand-mère m'a dit et je sais que ce n'est pas vrai, se défendit-elle.

Elle croisa les bras, la mine boudeuse.

— C'est charmant, Zoé. Merci d'avoir partagé ce conte avec nous, dit Monsieur Lestude, doucement. Quelqu'un d'autre a-t-il une histoire qui parle du soleil et de la lune ?

Après l'incident de Zoé qui avait fait rire tout le monde, plus personne n'osa lever la main.

— Non ? Alors, je vais vous raconter ce que ce grand savant a raconté à mon ancêtre.

Monsieur Lestude se cala confortablement sur sa chaise et regarda les élèves les uns après les autres avant de commencer. La musique des objets qui bruissait dans le vent ajoutait à l'atmosphère mystérieuse.

« Il y a très longtemps, vraiment *très* longtemps, avant que les villes naissent, avant même que la montagne derrière vous n'ait surgi de la terre, un premier astre géant apparut dans le ciel. On disait qu'il était né de la Terre. C'était un immense anneau d'or dont les rayons balayaient délicatement l'atmosphère. Toute la journée, le soleil, cet anneau lumineux, faisait grandir la nature. Il réchauffait l'air et lui donnait une tiédeur confortable. Ce n'était pas, comme aujourd'hui, une boule de feu : non, c'était un anneau, et certains scientifiques, qui faisaient des recherches sur tout ce qui les entourait, s'intéressaient de plus en plus à ce qu'il pouvait y avoir dans le centre du soleil.

L'un d'eux, qui était plus curieux que les autres, se demanda un jour si on ne pouvait pas aller y voir de plus près. Le chef de son village ne comprenait pas pourquoi Jay le curieux se posait autant de questions. "L'astre du jour nous a été donné en cadeau, répliqua-t-il au scientifique. Pourquoi aller le déranger et risquer de le mettre en colère ? Que ferions-nous, s'il décidait de partir ailleurs ? Ou s'il s'éteignait et nous plongeait dans le noir et le froid ? Déjà que la nuit, on a peine à voir ! "

Le chercheur ne croyait pas que l'astre s'offusquerait qu'on aille explorer son centre, mais il accepta la décision de son chef de ne pas déranger l'anneau d'or. Cependant, la curiosité ne le quitta pas, et il entreprit de convaincre les sages, qui étaient des personnes très respectées puisqu'elles étaient les plus âgées du village et avaient appris beaucoup de choses au cours de leur vie. Ensemble, ils trouveraient peut-être un moyen de faire changer le chef d'idée. Il leur expliqua sa position. "Si nous découvrions que l'astre souffre d'une maladie que nous pourrions guérir et que nous réussissions à allumer son centre ? Il rayonnerait cent fois plus fort, peut-être même mille fois plus."

Un sage intervint :

— Mais Jay, s'il était mille fois plus fort, il nous brûlerait, et tous les êtres vivants avec nous. Il faut être très prudent.

Les autres sages acquiescèrent avec de larges mouvements d'approbation.

— Eh bien, allons voir de plus près, et nous déciderons ensuite, rétorqua le scientifique.

Alors un sage prit la parole.

— Pourquoi ne pas aller voir ? Imaginons que les moissons poussent deux fois plus vite ? Que l'astre du jour nous chauffe tout le jour et fasse fondre les glaces en haut des montagnes qui nous empêchent de nous rendre à la mer ? Que de nouvelles sources d'eau soient créées ? Imaginons que nous n'ayons plus à allumer de feux pendant la journée et que ses rayons, à eux seuls, suffisent à nous tenir au chaud ? Alors, nous sauverions des arbres et nous n'aurions plus à craindre la faim, puisque nous pourrions produire deux fois plus de céréales et de légumes.

Son adversaire de toujours, le plus âgé des sages, intervint de sa voix chevrotante.

— Et si ces rayons brûlaient tout et séchaient les graines sur la tige ? Que les légumes manquaient d'eau, que nous mourrions de soif parce que l'astre brûlant changerait l'eau en vapeur ? Imaginons que nous devions passer nos journées dans les grottes des montagnes pour que les rayons ne nous cuisent pas ?

Il reçut des applaudissements.

Le grand savant comprit qu'il ne convaincrait ni les sages ni le chef. Mais, comme il était très curieux, il continua ses recherches. Pendant plusieurs années, il imagina un système pour monter très haut. Une sorte d'escabeau géant. Une base carrée fixée sur des roues, que trente personnes pourraient entourer et déplacer. Il échafauda chaque étage patiemment, à l'aide de tiges de bambou et de cordes. À la fin, c'était une immense tour. De là-haut, les humains ressemblaient à des graines de sésame répandues sur l'herbe. Pour qu'on le vît d'en bas, il créa un système de bras géant, à l'aide d'une branche très longue au bout de laquelle il mit un drapeau coloré. Ainsi, quand il voulait déplacer sa tour d'un côté ou de l'autre, il pouvait indiquer à ses assistants, restés au sol, de quel côté il désirait aller.

Les gens étaient de plus en plus curieux de savoir à quoi pouvait servir cette structure bizarre qui avait vu le jour dans leur paysage. Ils étaient habitués au comportement parfois étrange du savant, mais c'était la première fois que leur environnement était modifié par une construction gigantesque qui se voyait à des kilomètres à la ronde. Les habitants se groupèrent autour de l'engin et questionnèrent Jay. Les sages, qui connaissaient déjà la nature de son projet, comprirent qu'il avait trouvé un moyen de se rendre jusqu'à l'astre du jour. Une discussion animée éclata. Les paysans ne voyaient pas de problème à aller voir de près de quoi était fait cet astre merveilleux, car si cela pouvait leur permettre de doubler les récoltes, ils en seraient très contents. Les habitants, habitués à vivre paisiblement dans leur village, craignaient un peu le changement et se demandaient s'il ne vaudrait pas mieux en rester là, plutôt que de risquer une catastrophe. Les autres savants vinrent soutenir le projet et expliquèrent aux habitants que ce n'était pas de changement dont il était question, mais d'amélioration. Jay promit de ne rien entreprendre sans redescendre raconter ce qu'il avait vu. Ils se mirent tous enfin d'accord pour accorder au chercheur la permission d'entamer son expédition.

Jay commença à gravir les étages d'un pas rapide ; puis, la fatigue et surtout la chaleur ralentirent son élan. Il s'arrêta à mi-hauteur pour souffler et vit les minuscules humains qui s'agitaient au pied de la tour. Il bougea son grand bras pour signaler aux gens de pousser légèrement la plate-forme vers la droite. Quand ce fut fait, il poursuivit sa montée et arriva à la plateforme d'observation. Quelle ne fut pas sa surprise quand il découvrit qu'il ne s'agissait pas d'un astre, mais plutôt... de *deux* astres ! Une sphère d'or et une autre de diamants qui vivaient l'une sur l'autre, si près qu'elles n'en faisaient qu'une. Une voix fit sursauter le savant, qui faillit tomber en bas de sa tour. Heureusement, une corde tendue autour de l'observatoire le retint.

— Qui es-tu ? lui demanda la voix.

— Je suis Jay... Jay le curieux. Je suis un chercheur, un scientifique passionné d'astronomie et un peu un savant, aussi.

— Et pourquoi es-tu venu jusqu'ici ?

— Je venais te voir. Vous êtes deux ?

— Oui, c'est mon frère Soleil, dit Lune, l'astre de diamants.

— Vous ne vous quittez jamais ? demanda le savant.

— Je ne peux pas, répondit Lune. Je voudrais bien pouvoir me balader un peu, mais je suis retenu par l'attraction. Je gravite avec mon frère, plutôt que d'avoir ma propre orbite.

Soleil répondit :

— Nous sommes ensemble depuis toujours... et nous le resterons, je crois.

Lune fit quelques mouvements, puis expliqua au scientifique.

— Vous voyez, j'essaie de m'éloigner, mais c'est impossible.

Le scientifique observa la situation de plus près.

— Que se passerait-il si vous étiez séparés, demanda-t-il aux deux frères.

— Je ne sais pas, dit Soleil.

— J'imagine que je suivrais une nouvelle orbite, répondit Lune.

— Ne serait-ce pas dangereux pour nous, les êtres humains ?

— Nous ne le saurons qu'en essayant, conclut Soleil.

Le savant avait chaud et ses yeux brûlaient. Il salua les astres et leur promit de revenir. Il redescendit lentement tout en s'interrogeant : pourrait-on séparer les deux astres ? Si nous le faisions, quelle orbite prendrait Lune ? Soleil brûlerait-il tout sur la terre ? Lune pourrait peut-être briller aussi ?

Après que Jay leur eut raconté ce qu'il avait découvert, les gens restèrent bouche bée pendant de longues minutes.

— Les astres aimeraient être séparés ? demanda l'aîné des sages, qui rompit enfin le silence.

— Oui, Lune souhaiterait avoir sa propre orbite.

Un autre savant s'approcha.

— Si Soleil devenait dangereux pour nous, Lune accepterait sans doute de reprendre sa place. Alors, nous serions assurés de ne courir aucun risque.

— Il faudrait lui poser la question.

— Mais qu'en tirerions-nous comme avantage ? demanda le chef.

Imaginons, commença Jay, que le soleil nous donne dix fois plus de chaleur et que Lune, en orbite autour de la terre, devienne un nouvel astre qui éclairerait la nuit...

Des oh ! et des ah ! montèrent de la foule.

— Essayons ! crièrent les habitants.

— Oui, passons aux actes ! ajoutèrent les paysans.

— D'accord, conclurent les sages et le chef.

Jay le savant remonta tout en haut de sa tour pour expliquer la proposition aux deux frères qui se montrèrent enchantés de l'idée. Lune et Soleil répondirent qu'ils reprendraient leur place immédiatement si on constatait qu'il y avait du danger pour la nature et les êtres humains. Il ne restait plus qu'à trouver un moyen de les séparer.

Un sage proposa d'utiliser la tour. On installerait des crochets géants tout autour de Lune, et tous les humains disponibles pousseraient sur la tour pour dégager l'astre. Les forgerons se mirent au travail et conçurent des crochets si grands qu'on eut peur de ne pas pouvoir les soulever. Pour y arriver, les habitants construisirent une grue puissante qui hissa les crochets jusqu'en haut de la tour. Les paysans s'occupèrent d'approvisionner tous les ouvriers, et ce travail d'équipe magistral les mena au grand jour de la séparation. Le savant astronome fit de nombreux calculs pour s'assurer que Lune suive bien la bonne orbite autour de la Terre. Quand tout fut prêt, on entreprit la grande opération. Chacun avait un rôle à jouer et tout avait été planifié à la seconde près. Lune avait hâte de s'éloigner enfin et de prendre sa propre route, mais en même temps, son cœur était triste de devoir quitter son frère. Le savant lui expliqua que, selon ses calculs, si tout se passait comme prévu, Lune pourrait parfois croiser son frère Soleil sur son parcours et passer quelques heures en sa compagnie. Enfin rassurés, Soleil et Lune laissèrent les ouvriers faire leur travail. On installa délicatement les crochets autour de Lune. Quand tout fut solidement attaché et que tout le monde en haut fut prêt, on agita le grand bras pour lancer le signal de départ.

Au sol, les gens s'installèrent en position au pied de la tour. Ils se mirent à chanter pour se donner de la force et, tous en chœur, ils poussèrent aussi fort qu'ils le pouvaient. La tour commença à se déplacer légèrement, mais malgré tous ces efforts, Lune ne bougeait pas. On doubla l'équipe de pousseurs. Le vieux sage grimpa sur une chaise et encouragea les gens à utiliser toute leur énergie.

En haut de la tour, les gens sentaient bouger la structure sous leurs pieds, mais quelque chose empêchait Lune de se séparer. Courageusement, Jay se rapprocha pour voir ce qui se passait. Il découvrit un rayon de soleil qui restait coincé entre les deux astres. Il le libéra ; le rayon reprit sa place et tout à coup, la tour s'ébranla, et Lune bougea. Tranquillement, quelques centimètres à la fois, Lune s'éloignait vers la droite, laissant apparaître de nombreux rayons de soleil tout heureux d'être enfin libérés. Un dernier grand coup sépara Lune, qui partit vers sa nouvelle orbite comme un ballon poussé par le vent. Les hommes sur la passerelle se couvrirent les yeux. Au sol, on arrêta de pousser et on regarda vers le ciel pour voir ce qui se passait. Tous sentirent les rayons du soleil, chauds, mais pas brûlants. La lumière était vive, mais pas aveuglante. On vit des fleurs se dresser, les oiseaux se mirent à chanter. Tout se passait bien. Les gens s'inquiétaient pour Lune, qu'on ne voyait plus. Ils attendirent la nuit et la virent enfin, qui scintillait de bonheur dans le ciel étoilé et dont les rayons caressaient les objets d'une douce lumière blanche. Les gens se voyaient malgré la nuit, qui n'avait jamais été aussi belle. Soleil était l'astre du jour et Lune, l'astre de la nuit. Tous deux avaient enfin trouvé leur place dans l'Univers. »

Monsieur Lestude arrêta son histoire. Les élèves le regardaient.

— Avez-vous déjà remarqué qu'on voit parfois la lune en plein jour, dans le ciel bleu ?

Les jeunes firent oui de la tête.

— Eh bien, c'est Lune qui vient parler à son frère quand il lui manque... Aussi, parfois, ils se rencontrent dans le ciel. On dit alors qu'il y a une éclipse. En fait, les deux astres se réunissent de temps en temps, pour le plaisir de se retrouver un peu. Parfois, c'est Lune qui vient à la rencontre de son frère, et il arrive aussi que Soleil passe saluer Lune.

Le silence s'installa. Seul le bruit des objets suspendus flottant dans le vent remplissait l'atmosphère. Après quelques secondes, Monsieur Lestude demanda à ses élèves :

— Est-ce que quelqu'un peut me dire à quoi lui fait penser cette histoire ?

Zoé leva la main la première.

— Ça nous dit que parfois, quand on est trop trop près de quelqu'un... ou de quelque chose... eh bien, on ne peut pas en voir toute la beauté.

— C'est vrai, Zoé. Si tu as un papillon sur le nez, tu ne le verras pas bien. Pour apprécier sa beauté, il vaut mieux le regarder d'un peu plus loin.

Les enfants rirent à cette idée.

— Quelqu'un d'autre ? Roger ?

— Eh bien... commença Roger, qui était très timide. Je pense que... Je veux dire... eh bien, je crois qu'on réalise mieux certaines choses si on n'est pas trop collé à un autre... comme à sa mère, par exemple.

— Oui, c'est une façon de comprendre cette histoire-là... Je vais vous laisser y réfléchir, et on en reparlera demain.

— Et aussi... l'interrompit Zoé, aussi, que tout le monde brille à sa façon.

— Très joli, Zoé. Tu as raison. Allez, rentrez chez vous. À demain !

Ludo alla remercier Monsieur Lestude et lui promit de continuer à être un bon élève.

Reah l'attendit et ils marchèrent tous les deux vers leur maison.

— Tu crois que c'était nous, les deux astres de l'histoire ? demanda Ludo.

— Si c'était nous, c'est sûr que ce serait moi le soleil, puisque c'est toi qui pars. Cette pensée le fit sourire.

— Et que tu aimes bien briller, ajouta Ludo, qui rit de bon cœur. Tu sais, on va avoir un ordinateur avec Internet à la maison.

— Quoi ? Chez toi ? s'étonna Reah

— Oui, ma mère m'a dit qu'il est déjà installé... Tiens, voici mon adresse pour m'envoyer des messages, dit-il en tendant à son ami un bout de papier. On s'écrira tous les jours, si tu veux. Tu me raconteras ce que tu fais et comment ça se passe ici.

— Je le ferai, assura Reah.

Ils avançaient très lentement, car ils voulaient prendre leur temps pour profiter de ces derniers moments ensemble.

— Et puis tu sais, l'autobus passe tous les jours et on n'est qu'à deux heures de la ville... Je viendrai te voir dès que je pourrai, précisa Ludo.

— Je serai là, tu peux compter sur moi, dit Reah.

— L'autobus est déjà là. Vite ! dit Ludo en accélérant le pas.

La maman de ce dernier faisait de grands signes pour qu'ils se dépêchent. Ludo courut rejoindre sa mère. Reah le vit monter dans l'autobus et lui envoya la main. L'autobus s'éloigna dans un nuage de fumée noire et de poussière.

Reah s'assit sur les marches de la maison et regarda devant lui. C'était terminé. Son ami, son « presque frère », était parti. Il restait seul devant une maison vide. Il repensa à l'histoire de Monsieur Lestude et se demanda comment Soleil s'était senti en perdant Lune. Il devait être un peu triste, mais en même temps, il devait être heureux que Lune ait enfin sa propre orbite. Il vit que la lune brillait déjà dans le ciel en ce milieu d'après-midi... Il se rappela le cours d'astronomie de l'an dernier : l'enseignant leur avait expliqué que c'était les rayons du soleil qui se reflétaient sur la lune et la faisaient briller... Reah ressentit une urgence. Il devait retourner à l'école tout de suite. Il se mit à courir, car il voulait arriver avant que Monsieur Lestude ait quitté la classe. Il arriva tout essoufflé. L'enseignant était en train de corriger des devoirs et leva la tête.

— Je peux faire quelque chose pour toi, Reah ?

— Je peux aller à l'ordinateur, Monsieur ?

— Vas-y, je ne l'ai pas encore éteint.

Reah s'installa à l'ordinateur et prit le bout de papier que son ami lui avait donné. Avant d'envoyer son texte, il le relut une dernière fois. Il était court et simple, mais il reflétait toute sa pensée. Le message disait :

Où que tu sois, je brillerai toujours pour toi.

La rencontre

La rencontre n'a pas eu lieu. Les jumeaux n'ont pas pu venir, pour des raisons politiques. Je sais à quel point madame Payette a été déçue. Elle est venue tout de même au cocktail ; par solidarité, cherchant désespérément ses petits du regard, priant un miracle... En vain. Elle est repartie les bras vides.

Merci madame Payette, au nom de Tinashe et de Tinotenda, privés d'une si belle rencontre !

Dominique Drouin

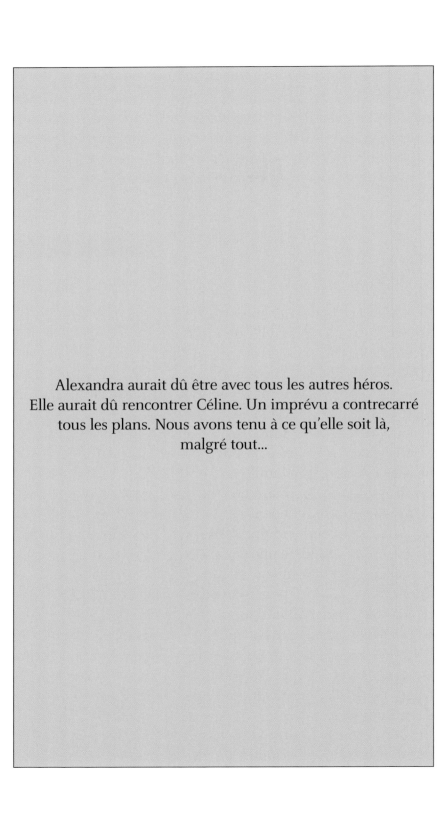

Alexandra aurait dû être avec tous les autres héros.
Elle aurait dû rencontrer Céline. Un imprévu a contrecarré
tous les plans. Nous avons tenu à ce qu'elle soit là,
malgré tout...

Chapitre 14

QUAND LE MIRACLE OPÈRE

L'histoire de Alexandra Lowe

« Maman, je te vois en double. » Sous le toit des Lowe, à Shevington, une petite ville au nord-ouest de l'Angleterre, ces mots d'Alexandra interrompent le petit-déjeuner familial. Voyant le visage pâle et confus de sa fille, Lindsay sait tout de suite qu'elle ne blague pas. Elle jette un regard effaré à son mari à l'autre bout de la table.

Simon et Lindsay sont deux entrepreneurs qui ont toujours retiré beaucoup de fierté de leur travail, mais plus encore de la réussite de leur petite famille tissée serrée. Leurs deux garçons, Cory, trois ans, et Joshua, cinq ans, sont pétants de vie et grandissent à vue d'œil. Cependant, la santé de l'aînée, Alexandra, huit ans, a toujours été une source de préoccupation pour le couple. Elle a beau être une petite fille très souriante, les cernes noirs sous ses yeux et son nez perpétuellement enrhumé lui donnent un air un peu morose, d'où son surnom, « petit panda », affectueusement donné par sa mère. Quand un virus se propage à l'école, Alexandra est toujours la première à l'attraper et la dernière à s'en débarrasser. Chaque fois que Lindsay avait demandé l'avis des médecins sur l'état de santé fragile de sa fille, ils s'étaient contentés de bourrer la jeune fille d'antibiotiques.

Dernièrement, lors d'un voyage en famille sur une île grecque, la santé d'Alexandra s'est soudainement dégradée. Le médecin grec qui a examiné la jeune fille d'urgence a détecté un problème avec les globules blancs d'Alexandra. Sans donner plus de détails, il a conseillé aux parents de faire subir des tests à Alexandra dès leur retour de vacances. Depuis ce temps, Alexandra et ses parents font la navette entre la maison et l'hôpital.

Maintenant, en ce matin du mois de septembre 2003, Lindsay téléphone une fois de plus à l'hôpital, alertée par la vision double de sa fille. Elle veut qu'Alexandra passe un examen du cerveau au plus vite, mais la réceptionniste à l'autre bout du fil lui annonce, stoïque, que cela ne sera pas possible avant plusieurs semaines. Choquée par cette réponse, la voix de Lindsay grimpe de plusieurs crans.

Sa colère porte fruits car quelques jours plus tard, l'examen est effectué. Les résultats ne tardent pas à venir non plus. Et avec eux commence un véritable cauchemar pour la famille Lowe. Alexandra doit être conduite en ambulance au Royal Manchester Children Hospital sur-le-champ.

Les 50 kilomètres qui séparent Shevington de Manchester filent sous la lumière des gyrophares. À l'hôpital, le médecin annonce une première mauvaise nouvelle : l'examen avait mis à jour cinq lésions dans le cerveau de l'enfant. Il faut d'abord pratiquer une opération pour drainer du liquide du crâne d'Alexandra, afin d'analyser la gravité des lésions.

En conduisant Alexandra aux soins intensifs, Simon et Lindsay sont abattus. La vision de leur « petit panda » accroché à des fils et à des tubes est terrifiante. Un de ces tubes est inséré dans sa gorge pour lui permettre de respirer, la laissant ainsi muette. Une des idoles d'Alexandra, une actrice du populaire téléroman anglais *Coronation Street,* vient lui rendre visite et lui décroche un sourire. C'est toutefois le dernier, car le lendemain, Alexandra sombre dans un profond coma.

Après analyse des échantillons de liquide prélevé dans le cerveau d'Alexandra, un spécialiste fait un autre constat dévastateur : les lésions de la jeune patiente sont en fait des tumeurs malignes et proliférantes. La seule façon d'empêcher ces tumeurs de se multiplier est de les attaquer avec une chimiothérapie particulièrement agressive. Le corps frêle d'Alexandra pourrait-il encaisser le coup ? Voilà un dilemme auquel doit souvent faire face le docteur Robert Wynn, l'hématologue qui s'occupe du cas d'Alexandra. La situation présente toutefois une complexité encore plus grande.

Les analyses sanguines démontrent qu'Alexandra est née avec un défaut du système immunitaire. Certains des globules blancs dont le corps a besoin pour attaquer les virus sont tout simplement absents de son sang. Les Lowe sont déconcertés par le diagnostic, qui explique cependant la sensibilité excessive de leur fille au moindre virus. Dans les derniers mois, un virus du nom d'Epstein-Barr s'était propagé dans le sang d'Alex. Ne rencontrant aucune défense, le virus a déclenché l'apparition de tumeurs. L'équipe médicale se prépare au pire et commence les traitements de chimiothérapie.

Pendant les semaines qui suivent, la famille Lowe fait tout en son pouvoir pour aider Alex. Ils mettent sur pied un impressionnant système de garde : avec la régularité d'une horloge, les grands-parents viennent prendre le relais de Simon et Lindsay au chevet d'Alexandra pour leur permettre de se reposer quelques heures. Ils s'occupent de plus des deux garçons. Le docteur Wynn se promet aussi de faire tout ce qu'il peut pour leur rendre leur fille.

Après trois semaines de chimiothérapie, les tumeurs se multiplient toujours. Une de ces tumeurs presse maintenant la gorge d'Alexandra. Le docteur Wynn, lui-même père de trois enfants, rassemble les Lowe pour une annonce des plus délicates. Devant l'infime probabilité que leur fille s'en sorte vivante, il invite les membres de la famille à profiter au maximum de la présence d'Alex tant qu'elle est encore là. Assommés par ces paroles terribles, Simon et Lindsay entament une dispute ridicule à propos des arrangements funéraires qu'ils prendraient pour leur fille.

Pendant ce temps, dans son bureau, le docteur Wynn décide soudainement de mettre à exécution un plan qui le chicote depuis quelques jours. Une thérapie expérimentale, développée à Édimbourg, s'attaque aux virus plutôt qu'aux tumeurs. À son avis, cette

Le docteur Wynn dans son bureau

thérapie, qui n'avait jamais été essayée sur le cerveau, est la dernière possibilité encore inexplorée pour sauver la vie d'Alex. Or, la thérapie doit être élaborée sur mesure par des virologues en fonction de l'échantillon sanguin de la patiente. La jeune fille doit donc survivre assez longtemps pour que le traitement puisse débuter...

Obnubilée par l'état d'alexandra, Lindsay s'est surprise à frôler les 200 kilomètres à l'heure sur l'autoroute entre Shevington et Manchester. De son côté, Simon passe des heures à tenir la main de sa fille dans la sienne. Le pire restait toutefois à venir.

Le 20 novembre, Lindsay fixe avec un soupçon d'incrédulité le petit sachet de liquide blanc contenant les millions de cellules nécessaires pour attaquer le virus d'Epstein-Barr dans le corps de sa fille. Le liquide est tout de suite infusé dans le flux sanguin. Même s'il semble calme, le corps d'Alex est le théâtre d'une lutte intestine entre des organismes microscopiques.

À quelques reprises au cours du combat, les infirmières prédisent même la fin. Mais Alexandra continue de se battre.

Pendant que des milliers de familles anglaises ont déjà la tête aux emplettes de Noël, les Lowe sont complètement indifférents à ce qui se passe en dehors de la petite chambre d'hôpital. Une deuxième infusion du liquide blanc est effectuée, puis une troisième. Cette fois, les infirmières éteignent les moniteurs pour donner un peu de paix aux parents dans ces précieux instants avec leur fille, qui sont peut-être les derniers. Le médecin les avait avisés que la mort de leur fille pourrait être un horrible spectacle, mais ils tiennent à demeurer à son chevet.

Le 11 décembre, à l'aube, les parents épuisés remarquent une réaction étrange : le corps d'Alexandra est soudainement plus calme. Sous les yeux éblouis des médecins et des infirmières, un miracle est en train de se produire. À ce moment, Alexandra ouvre les yeux.

À quelques jours de Noël, Lindsay prend à son tour part au magasinage des fêtes. Elle achète à sa fille le téléphone cellulaire qu'elle désirait tant. Dans son lit d'hôpital, le corps d'Alexandra est encore amorti par la tempête qu'il a abritée.

Mais son regard vidé commence peu à peu à s'animer, surtout lorsqu'elle regarde sa comédie musicale préférée. Le plus beau cadeau de Noël provient d'un infirmier qui arrive en courant dans la chambre, leur annonçant que les tumeurs au cerveau d'Alexandra sont presque toutes disparu. Au début du mois de février, la petite fille regagne enfin la maison et en septembre de la même année, elle est de retour à l'école. Aujourd'hui,

Papa, maman et Anna

Alex est la première de la famille à se débarrasser des rhumes. Lindsay doit maintenant s'habituer à une nouvelle série de problèmes : le fouillis qui règne dans de la chambre d'Alex et les heures interminables qu'elle passe au téléphone avec ses amies. Mais ce sont là de merveilleux problèmes !

Tiré de « Praying for a Miracle », par John Dyson.
© The Reader's Digest Association Ltd. ;
Reader's Digest (Angleterre), décembre 2005.
Adapté par Mariève Desjardins, les Éditions La Semaine.

POUR ALEXANDRA

Au début, il y a le bonheur tranquille, celui que l'on ne remarque pas tellement il est simple, tellement il fait partie de la vie de tout le monde et de sa propre vie...

Se lever le matin, voir si la température est favorable, décider des vêtements que l'on portera dans la journée, entendre le jappement d'un chien, dehors et dedans, la musique que les enfants mettent toujours trop fort, entrer dans leur chambre, leur demander d'y faire de l'ordre. Avec une certaine lassitude, répéter aux gamins qu'ils mettent fin à leurs incessantes querelles. L'un a pris un objet dans la chambre de l'autre et subitement, cet objet dont plus personne ne voulait il y a à peine une heure devient la chose sans laquelle ni l'un ni l'autre ne peut plus envisager de passer ne serait-ce qu'une seule minute. Vivre les moments normaux de la vie de famille comme autant de petites roches que l'on place, les unes à la suite des autres, sur le chemin tranquille de notre existence.

Se dépêcher, se laver, s'habiller en pensant à la journée qui nous attend. Accomplir tous ces gestes, jour après jour, sans y réfléchir, comme si cette routine quotidienne constituait la chose la plus normale qui soit. Comme si notre vie allait de soi.

Après avoir déjeuné en trente secondes, saisi sa malette, enfilé une veste, embrassé et salué tout le monde, avoir souri à demi, on se retrouve surpris, juste au moment de franchir le pas de la porte, frappé par un détail que l'on refuse de voir... Quelque chose de banal en apparence, un geste qui ne veut rien dire pour la majorité des gens : une enfant portant à son nez un vulgaire papier-mouchoir ! Pourquoi s'en faire, ça ne devrait être rien du tout ! Tous les marmots du monde s'essuient le nez une fois de temps en temps. Tous les enfants se mouchent, c'est vrai. Mais quand il s'agit de notre petite fille et que l'on remarque en plus, dans ses yeux, une trop pesante fatigue, si inhabituelle pour une jeune de son âge, et ces cernes qui assombrissent son regard... Quand il s'agit du sang de notre sang et qu'encore une fois, on observe que le rhume pour lequel elle a été soignée à répétition est revenu, alors il y a quelque chose en soi qui se met à vibrer, à hurler, à crier : « Au secours ! Ce n'est pas normal ! » Dans le cœur du parent, une lumière rouge s'allume. Un sentiment d'urgence s'installe.

Les yeux sont le miroir de l'âme, dit-on. Ils sont les premiers à trahir la détresse. Et ce qu'on peut lire dans le regard d'un enfant malade, il n'y a pas un seul parent au monde qui puisse y rester insensible. C'est quelque chose de tellement fort, qui vous ébranle avec une telle intensité qu'il faut parfois se donner un certain temps avant d'avoir le courage de s'avouer à soi-même ce qu'on a ressenti. On préfère aller au bureau, prendre ses messages, feindre de faire des blagues avec les collègues. Tromper le temps... On préfère n'importe quoi à cette angoisse qui nous vrille le fond du cœur.

On se dit qu'il va falloir retourner chez le médecin. Pour la dixième ou la centième fois, on ne sait plus. On ne veut plus savoir. On essaie de se rassurer comme on peut. « Ce n'est rien, ils vont trouver, ça va passer... » On continue sa vie, même si, quelque part au creux de soi, on a acquis l'intime conviction que quelque chose ne tourne pas rond et qu'il va falloir, malgré toutes nos résistances de parents, aller plus loin sur un chemin difficile, marcher vers une grande souffrance.

L'enfant de mon histoire s'appelle Alexandra. Mais elle pourrait avoir mille autres prénoms : Claire, Michèle, Françoise,

Amélie, Claude, Alexis… Car la maladie ne s'attaque pas qu'aux adultes, malheureusement. Elle est assez odieuse pour frapper tout le monde, sans égard à l'âge, à la beauté, à la force. La maladie n'a pas de limites non plus ; elle ne se dit pas qu'une fois que quelqu'un ne peut plus marcher et n'arrive pas à reprendre le dessus, il faut s'arrêter. Non ! La maladie tue parfois, et ça, tout le monde le sait. Malgré les inventions technologiques, les traitements de pointe, les antibiothérapies intensives, malgré tout ce qui existe pour soigner, nous savons tous que certaines affections peuvent mener à la mort et que tous les êtres humains doivent vivre avec cette réalité qui leur pend au-dessus de la tête. Les parents sont les premiers à savoir, instinctivement, qu'ils doivent vivre avec la possibilité de perdre les êtres qui leur sont les plus chers, leurs enfants adorés, ceux qu'ils ont vu naître, ceux qu'ils ont mis au monde pour qu'ils leur succèdent.

C'est ironique, la vie, car les parents d'Alexandra ont dû insister pour qu'on approfondisse les investigations. Lorsque la petite a dit qu'elle voyait double, alors s'est pointée la certitude qu'il y avait quelque chose de vraiment anormal et qu'il fallait absolument obtenir enfin un diagnostic médical, si terrifiant pourtant. Car il n'y a rien de pire, pour un parent, que d'apprendre que son enfant est atteint d'un cancer. Paradoxalement, il faut parfois que les parents se battent pour qu'enfin on leur dise la dernière chose qu'ils veulent entendre : que leur enfant est malade… sérieusement en danger.

« Alexandra est atteinte d'un mal étrange… » Comme si toutes les affections qui mettent notre enfant en état de mort imminente n'étaient pas étranges ! Elles sont toutes contre-nature, vous diront tous les parents de tous ces petits cœurs alités dans les hôpitaux ! Un enfant est fait pour jouer, pour courir, pour vivre libre ! Pas pour passer ses journées allongé, pour subir des *scans*, des prises de sang, des traitements. Aucun parent au monde ne veut vivre la maladie de son enfant. Ce n'est pas un choix. C'est une épreuve, une grande épreuve de vie.

« Mais pourquoi ? » se sont immanquablement demandé les parents d'Alexandra en apprenant que son système immunitaire n'avait plus aucune défense.

« Pourquoi ? » est le petit mot qui tue, parce qu'il n'a aucune réponse. Et qu'il n'offre aucun réconfort aux parents en panique, les laissant dans le vide, vulnérables et brisés.

« Pourquoi mon enfant ? L'ai-je mal nourri ? Ai-je fait quelque chose de nocif au cours de la grossesse ? Est-ce à cause de l'hérédité ? Mon poupon aurait-il été négligé ? A-t-il été trop stressé ? Le mal pourrait-il être causé par l'environnement ? »

Ces questions ont tourné sans cesse dans la tête des parents d'Alexandra. Ces interrogations sans fin ont hanté les nuits de tous ceux qui, malgré eux, se sont retrouvé face à un mur, le mur du grand silence, le mur des grandes tragédies. Quand ils rencontrent une épreuve, les êtres humains aiment avoir des explications. Comme si la logique les aidait à accepter...

On peut chercher longtemps le pourquoi du comment. On peut aussi s'épuiser à tenter de comprendre en vain, car parfois, une partie de la réponse, c'est d'accepter le fait qu'il n'y en a pas...

« Ma fille va-t-elle mourir ?

— Tout ce qu'on sait, c'est que son système immunitaire est pour ainsi dire inexistant.

— Mais cela peut-il la tuer ?

— Oui, il y a un grand risque... »

Quand ces paroles-là tombent sur des parents, sur des frères, des sœurs, des oncles, des tantes, des parrains, des professeurs, des copains de classe, des médecins traitants, des infirmières... quand elles tombent, elles fauchent la vie quotidienne. Ces choses si simples que l'on tenait pour acquises se teintent d'une nouvelle couleur. Manger un morceau de chocolat. Marcher sous la pluie. Regarder une comédie à la télévision. Tout cela est retiré à l'enfant en danger de mort, à sa famille, à son entourage. Tout devient gris cendre, terne et plat.

La panique s'empare des proches qui n'arrivent plus à dormir, à manger, à travailler. Comment peut-on parvenir à vivre en sachant que notre enfant est menacé de mort ? Chaque petit geste devient absurde. À quoi bon se nourrir ? Acheter des biscuits avec ou sans gras... dormir... se laver ? À quoi bon continuer, quand même respirer nous fait mal. Tout devient insupportable : écouter de la musique, rencontrer un ami, voir des familles heureuses au cinéma... Devant la maladie de son enfant, la révolte est une incontournable. Un passage obligé.

« Je n'ai plus la force de vivre », a pensé la maman d'Alexandra...

Elle pourrait s'appeler Dominique, Claude ou Michaella, cette enfant alitée, condamnée, pleurée par ses deux frères qui ont perdu leur vie d'enfant, qui n'ont plus de parents et plus de famille, depuis que leur petite sœur est hospitalisée.

Alexandra pourrait porter tous les prénoms car elle représente tous les enfants malades du monde... Elle garde les yeux fermés, dans son lit. Elle ne se plaint pas. Elle ne mange pas, parce que les traitements de chimiothérapie qu'on lui fait subir sont trop durs pour son corps. Elle se sent comme un elfe et a parfois l'impression de voler. Elle a mal mais ne le dit pas trop, pour éviter d'inquiéter son papa, sa maman, son médecin. Alexandra nourrit son esprit en lui permettant de s'enfuir de cette chambre d'hôpital où il est retenu. Elle rêve qu'elle court dehors et qu'elle est libre.

Là où elle se trouve, Alexandra est au cœur d'une grande forêt. Sur les arbres, il y a des animaux, des geais bleus, des hirondelles, des petits suisses comme elle en voit lorsqu'elle va à la campagne avec sa famille. Elle entend, émergeant des cimes de la montagne, la voix d'une femme qui chante une chanson heureuse, sans paroles. Alexandra voit un chemin ; elle sait qu'il a été tracé pour elle, qu'elle doit le suivre jusqu'au bout, sans savoir où il la mènera. Alexandra sent en elle une force. Elle ferme les yeux. Elle n'a pas besoin de voir pour savoir que la dame qui chante l'accompagnera tout au long de son périple et qu'il suffit parfois d'une voix pour garder confiance...

Alexandra a du courage. Beaucoup de courage. Les traitements lui font mal. Elle s'accroche en pensant au jour où elle sera guérie. L'infirmière lui dit qu'elle doit entretenir l'espoir, souffler dessus comme sur des braises. Il paraît qu'en vingt ans, les taux de survie des enfants atteints de cancer ont fait des bonds prodigieux. Ce n'est pas encore cent pour cent, mais on s'en approche.

Mais les statistiques sont porteuses du sens qu'on veut bien leur donner. Trente pour cent de taux de survie peut signifier soixante-dix pour cent de risque de mort. On peut voir le verre à demi vide ou à demi plein... Face à la maladie, il n'y a plus de chiffre qui tienne. Il n'y a que soi, son âme, son cœur, les gens qui nous soutiennent, les médecins, les infirmières, les parents, les proches.

Parfois, les amis d'Alexandra viennent la voir. Ils lui apportent toutes sortes de gâteries. Des livres, des jeux, des cartes. Alexandra fait de son mieux et essaie de sourire. Elle leur montre la magnifique girafe qu'elle a reçue en cadeau de Cory et Joshua, ses deux petits frères, qui ont uni leurs économies pour lui acheter ce toutou aux couleurs de l'Afrique. Magy, sa bonne amie, lui raconte comment ce sera quand elles seront grandes et qu'elles iront là-bas, toutes les deux ensemble. Alexandra ne détrompe pas Magy. Elle ne veut pas lui faire de peine. Elle pense très fort au téléphone cellulaire qu'elle souhaite avoir et qu'elle aura lorsqu'elle sera sortie de l'hôpital. Elle l'imagine rose, avec des collants argentés dessus, des petits anges avec des ailes. Elle se dit qu'avec ce téléphone, elle pourra peut-être un jour parler avec Magy, mais que pour le moment, elle n'en a pas la force. Alexandra ferme les yeux et se demande si elle ne laissera pas les anges l'emporter...

« Votre enfant est condamnée », a dit l'hématologue, avec des larmes dans les yeux.

Ces paroles tombent dans la pièce comme le couperet de la guillotine. Comment la vie d'une fillette de huit ans peut-elle se terminer ainsi ? C'est incroyable ! Comment cela peut-il arriver ?

On se retrouve alors face à un choix : ou bien on se laisse submerger par le chagrin, ou alors on décide qu'il faut se retrousser les manches et se battre ! Ce choix, tous ceux qui rencontrent une épreuve vraiment difficile à surmonter ont à le faire. Un jour ou l'autre. À un moment ou à un autre...

« La pire des tragédies est celle de ne jamais en avoir vécu », disait si justement Éric Wilson. Car les tragédies sont là pour nous enseigner le courage et la solidarité.

Au Québec, deux mille enfants ont reçu un diagnostic de cancer et trois cents nouveaux cas sont détectés chaque année. Tous ces enfants et leur entourage sont, un jour ou l'autre, placés devant ce choix : se laisser écraser ou alors choisir de se battre... Et il n'y a pas que le cancer : il y a tant et tant de maux qui peuvent assombrir une vie ! Tant et tant de gens qui se demandent ce qu'ils vont décider : se battre ou se résigner ?

Chaque individu impliqué dans la vie d'une personne malade a aussi ce choix.

Rob Wynn aurait pu décider de baisser les bras... Il aurait pu se résigner.

Les médecins voient des enfants mourir tous les jours. Ils sont parfois fort attachés à leurs malades et très tristes de les voir perdre leur combat. Rob Wynn pourrait porter le nom de Patenaude, Clark ou Morin. Il pourrait pratiquer à Montréal, en hématologie. Il serait là, devant les résultats alarmants des tests sanguins d'Alexandra, à se demander ce qu'il peut faire de plus pour sa petite patiente...

Rob Wynn n'est pas qu'hématologue. Il est papa, lui aussi. Et Alexandra lui rappelle peut-être sa propre fille, à la manière qu'elle a de zozoter drôlement lorsqu'elle parle. Le médecin est un être humain, on l'oublie souvent, comme l'infirmière et comme tout le personnel de l'hôpital. Et tous les êtres humains sont attristés par la mort des gens qu'ils aiment. À force de voir des enfants partir, à force de les pleurer, Rob Wynn aurait pu décider d'abandonner.

Il aurait pu refuser de prendre des risques, cesser de s'investir et de chercher le moyen de guérir Alexandra.

Quelque chose d'étrange s'est produit. Rob Wynn est rentré chez lui ce soir-là et il a vu Alexandra bien vivante, allongée sur son lit et discutant au téléphone avec sa copine. Rob Wynn s'est dit qu'il allait se battre. Il s'est dit qu'il allait tendre la main, qu'il allait faire appel à des collègues et qu'eux auraient peut-être des idées pour soigner une petite patiente atteinte de tumeurs aussi rares et pour laquelle la chimiothérapie n'a plus d'effets.

L'appel de détresse lancé par Rob au-delà des frontières de son pays a rejoint d'autres experts. Parfois, choisir de se battre peut vouloir dire tenter l'impossible, explorer des avenues nouvelles par lesquelles personne n'est jamais passé, tendre la main vers les autres et faire appel à leur aide, à leur savoir, à leurs ressources. Penchés sur le cas d'une petite fille de huit ans nommée Alexandra, des spécialistes ont discuté, réfléchi, débattu.

Qui ne tente rien n'a rien, dit le proverbe. Mais quand il est question de vie ou de mort, son application est beaucoup plus délicate. Jusqu'où faut-il tout essayer ? La progression de la science pose des questions éthiques qu'aucun être humain avant nous ne s'est jamais posées. Vaut-il la peine de faire souffrir un être humain pour lui donner une chance de plus de survie ? Quand faut-il s'arrêter ?

C'est ce que se sont demandé les parents d'Alexandra en la regardant, allongée, prisonnière d'un coma qui ressemble à s'y méprendre à la mort. Eux aussi ont dû choisir entre le combat et la résignation. Le dilemme des parents est aussi une tragédie, parfois.

Maman n'en peut plus de voir sa fille souffrir. Elle n'en peut plus de pleurer cette enfant qu'elle aime plus que tout.

Elle n'en peut plus d'espérer. Elle a atteint cette limite où l'on souhaite quasiment une fin... N'importe quoi plutôt que cette incertitude lancinante et pénible. Papa, lui, offre encore de la résistance. Il veut qu'on fasse l'essai du traitement même s'il n'offre presque pas d'espoir. Il veut avoir tout tenté pour Alexandra. Et ils vivent des moments difficiles, pris entre leurs hésitations et l'amour qu'ils ont pour leur fille.

De telles épreuves font trop souvent éclater les couples à jamais. Car même si on choisit de se battre devant la maladie, il arrive que celle-ci sorte grande gagnante. Elle l'est encore plus lorsqu'elle mine l'amour entre les parents de l'enfant décédé. Là aussi, il y a des choix difficiles à faire.

Les parents d'Alexandra sont allongés côte à côte dans leur lit. Ils regardent le plafond, un peu comme s'ils scrutaient les nuages, comme s'ils tentaient d'y voir une réponse. Maman est silencieuse. Elle qui a toujours été si rieuse et si pleine d'énergie, elle laisse de grosses larmes rouler sur ses joues. Papa voit bien qu'elle pleure. Il ne sait pas quoi faire pour l'aider. Il se sent lui-même tellement perdu ! Il laisse le silence les unir. Il prend la main de sa femme, celle qu'il a choisie, celle qu'il aime ; il prend sa main et l'embrasse. Il met toute la tendresse du monde dans son geste. Elle comprend qu'il est avec elle. Elle sent la force revenir en elle, comme un filet d'espoir dans ses veines...

— D'accord, essayons le traitement, dit-elle doucement.

Elle ferme les yeux et s'abandonne à l'étreinte de son homme. Il la serre fort contre lui et caresse ses cheveux.

Alexandra, au loin, devine-t-elle le combat que ses parents livrent pour elle ? Elle semble déjà partie, dans un autre monde. Engagée dans un voyage vers un univers peuplé de mystères. La mort va-t-elle l'emporter ?

Quand commencent les guerres, personne ne peut en prédire l'issue. Le corps d'Alexandra, si immobile en apparence, est devenu un champ de bataille. Le traitement injecté en elle bouleverse les données de départ. Il n'y a plus de références.

Le combat a été épique. Il a duré soixante jours. Les enfants ont des ressources que les adultes n'ont pas. En Alexandra, un prince blanc s'est réveillé et a combattu avec courage l'armée du prince noir. Chaque pouce de terrain gagné se transformait pour lui en victoire.

Dans la forêt, Alexandra a affronté une énorme tempête. Les éléments déchaînés ont mis la nature sens dessus dessous. Elle a eu peur. Mais jamais elle n'a cessé d'entendre la voix...

Les médecins le disent souvent : l'attitude du malade est parfois déterminante et son réseau de soutien aussi. C'est une façon médicale de dire que la volonté de guérir et le choix de se battre sont déterminants. Cela ne signifie pas pour autant que ceux qui perdent le combat ne voulaient pas guérir ni que ceux qui sont tombés malades le désiraient. Il n'y a pas que la volonté qui entre en jeu. Mais cela signifie simplement que face à n'importe quelle épreuve, il faut décider d'avancer, de partager et de grandir...

Pendant soixante jours, tout l'entourage d'Alexandra, le papa, la maman, les frères, les grands-parents, les amis, les médecins, les infirmières, tous ont pensé à elle, ont prié, ont espéré. Pendant soixante nuits, les uns et les autres ont tenu sa main, comme si celle-ci avait été une petite lueur éclairant la chambre. Tout ce temps, toutes ces heures passées à côté d'un corps en apparence inerte. Il en fallait du courage !

Et puis, alors que tout semblait terminé, que tout le monde se disait qu'Alexandra avait perdu la partie, qu'il valait mieux la laisser s'en aller, alors, à ce moment-là, le prince blanc a commencé à sentir souffler le vent de la victoire.

Alexandra a ouvert les yeux. Elle aurait pu s'appeler Mireille, Julie ou Noëlla. En apercevant le doux visage de sa grand-mère penché au-dessus d'elle, elle savait qu'elle venait de gagner la plus belle des victoires.

Ces moments-là sont extraordinaires ! On dit que les gens qui ont vu la mort de près jouissent par la suite d'un appétit de vivre hors du commun ! C'est peut-être cela qui donne aujourd'hui à Alexandra le plus magnifique des sourires...

L'histoire d'Alexandra se termine bien. L'image, si clairement ressentie par Rob Wynn, s'est matérialisée, car aujourd'hui, la jeune fille parle à ses amis avec son cellulaire comme le ferait n'importe quelle adolescente de son âge.

Toutes les histoires n'ont pas une fin aussi heureuse. C'est vrai. Certaines aventures se terminent tragiquement par la perte d'un être aimé plus que tout au monde. Et les experts en psychologie s'accordent à dire que la pire des épreuves est celle de la perte d'un enfant.

Mais la vie est un pari qu'il faut accepter dès le départ. Et quelle que soit l'issue, le fait de partager l'épreuve nous aide à passer au travers. Il ne faut pas se replier seul avec son mal et sa douleur.

L'épreuve est là pour nous appendre à la partager. Le bonheur est là pour nous apprendre à le partager.

Petite Alexandra, tu as su te battre avec courage. Petite Alexandra, tu es là pour nous dire que l'espoir est possible. Mais tu es là aussi pour dire à tous ceux qui sont restés les bras vides, parce qu'ils ont perdu un de leurs proches qui a un peu ton visage, celui de l'enfance, que la vie doit continuer et qu'elle n'a de sens que dans le partage et dans la solidarité entre les êtres.

Petite Alexandra, je te remercie !

Propos mis en forme par Dominique Drouin

La rencontre

Il n'y aura pas de rencontre avec Alexandra, à Montréal. Je suis certaine toutefois, que votre grande sagesse, vos valeurs humaines et votre générosité ont traversé l'océan pour toucher le cœur de votre petite héroïne. Merci, monsieur Bruneau !

Dominique Drouin

Céline Dion tient à remercier tous les enfants qui ont participé à ce projet. Chacun à leur manière, l'ont aidée à voir davantage avec les yeux de son coeur. Elle ressort transformée par cette grande expérience humaine.

Claude J. Charron, l'éditeur de cet ouvrage, et Céline Dion posant fièrement avec les auteurs

Nos auteurs, en quelques lignes :

Brouillet, Chrystine : Cette auteure a écrit une quantité imposante de romans pour jeunes et pour adultes. Elle a entre autres signé *Le collectionneur, Les fiancés de l'enfer, Chère voisine* ainsi que la série historique *Marie Laflamme.*

Bruneau, Pierre : Chef d'antenne sur les ondes de TVA, ce communicateur curieux qui jouit d'une grande crédibilité s'est également fait connaître grâce à son engagement dans la lutte contre le cancer.

Cyr, Isabelle : Cette comédienne (*Karmina, Les aimants, Nos étés, Rumeurs, Chambres en ville*), réalisatrice (*Une journée comme les autres*), auteure (*Le foulard rouge*) et musicienne (Isabelle Cyr, disque sorti en 2008) est une artiste multidisciplinaire accomplie.

Jasmin, Michel : Interviewer chevronné, il a réalisé quelque 14 000 entrevues avec des personnalités du Québec et d'ailleurs. Au cours de son impressionnante carrière, il a animé une quantité importante d'émissions de radio et de télévision qui ont fait leur marque.

Laporte, Stéphane : Ce concepteur, scénariste, écrivain, metteur en scène et réalisateur a contribué au succès d'émissions qui ont marqué le paysage télévisuel québécois (*L'enfer c'est nous autres, le Bye Bye, La fin du monde est à sept heures, Infoman, Star académie*).

Larouche, Fabienne : Scénariste et productrice prolifique, elle a signé notamment *Virginie*, *Lance et compte*, *Fortier* et *Scoop*. Elle a également produit les séries *Les Bougon*, produit et écrit *Un homme mort*, et le film *Le piège américain*, pour ne nommer que ceux-ci.

Lavallée, Marie-Claude : Animatrice et journaliste, cette grande dame de la communication tient, depuis plusieurs années une place de choix à l'antenne de Radio-Canada.

Legendre, Joël : Acteur, animateur, chroniqueur et chanteur, il a animé la populaire émission *Occupation double* en plus d'être entendu à la radio et d'avoir doublé une multitude de films. Il a aussi joué au théâtre et signé quantité de mises en scène remarquées.

Lemire, Jean : La parole de ce biologiste, océanographe, cinéaste, écrivain et animateur a une grande portée au sein de la société québécoise.

Payette, Sylvie : Scénariste fétiche pour toute une génération par le téléroman *Chambres en ville*, elle a signé plusieurs séries télévisées à succès (*La part des anges, Marilyn, Signe de feu*).

Perro, Bryan : Créateur de la populaire série jeunesse *Amos Daragon*, traduite en plusieurs langues, monsieur Perro a gagné plusieurs prix et distinctions.

Poitras, Anique : La publication de *La lumière blanche,* de *La deuxième vie* et de *La chambre d'Eden* l'ont fait connaître comme une auteure jeunesse incontournable.

 Tisseyre, Charles : Journaliste chevronné, animateur et grand vulgarisateur scientifique, c'est un homme qui a marqué le paysage télévisuel québécois.

 Vigneault, Guillaume : Il vient à peine d'entrer dans le monde littéraire, mais il a déjà fait sa marque avec *Carnets de naufrage* et *Chercher le vent,* deux romans qui ont remporté du succès tant auprès des lecteurs qu'auprès de la critique.

Au nom des enfants que les dons aideront,
un gros MERCI !

TABLE DES MATIÈRES

IMPRIMÉ AU CANADA

Distribution : Messageries de presse Benjamin
101, rue Henry-Bessemer
Bois-des-Fillion (Québec) J6Z 4S9
450 621-8167